ERIN DUFFY

# LA FILLE DE Wall Street

Première édition française Février 2013

**Auteur** : Erin Duffy
**Traductrice** : Patricia Barbe-Girault

**Titre original** : *Bond Girl,* Copyright © 2012 Erin Duffy



ISBN : 978-2-822-401920

*À ma famille.*
*À mes frères : Scott, James et Christopher. Merci d'avoir toujours su me faire rire à gorge déployée.*
*Mais surtout, à mes parents. À mon père, mon idole, qui m'a toujours encouragée à travailler à Wall Street, une vie qu'à ce jour je ne pense toujours pas mériter mais que je suis si fière d'avoir. Et à ma mère, mon mentor, qui soutient sans mot dire même les pires décisions (et croyez-moi, elles sont nombreuses), et qui a toujours pensé que je devrais écrire.*
*On dirait bien que vous aviez tous les deux raison.*
*Comme je vous aime, tous.*

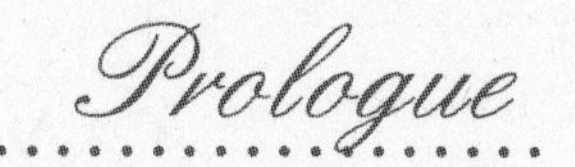

# La cour de récré géante

JE SUIS TROP VIEILLE pour ça.

Clic.

Il est 6 heures du matin, le radio-réveil s'allume et Beyoncé se met à beugler dans les enceintes, achevant sans pitié le merveilleux silence du petit matin et venant brutalement me rappeler que le week-end est fini. Le réveil du lundi est déjà assez dur comme ça, mais le réveil du lundi quand on a une sérieuse gueule de bois, de celles qui font souffrir jusqu'aux ongles des pieds, c'est quasiment mission impossible. À moitié dans le coma, je pars à la recherche de la télécommande en plongeant un bras sous la masse d'oreillers concentrée dans la zone en bois vert foncé de la tête de lit, dans l'idée de roupiller dix petites minutes (peut-être vingt) de plus. Dieu merci, ma main entre en contact avec l'objet quelque part dans le secteur nord-est du lit et je l'agite en direction de la table de nuit, suppliant à la chambre de se taire. Mais c'est beaucoup demander à un appartement de Manhattan – au second, qui plus est.

Il y a un tas de gens qui rêvent de se réveiller à New York. Sans déc', Sinatra a même écrit toute une chanson là-dessus. À moins bien sûr qu'on essaie *vraiment* de dormir, auquel cas New York est la ville où les fatigués de la vie et les gueules de bois se cachent pour mourir. Si vous êtes comme moi, et que vous ayez décidé de noyer la sacro-sainte angoisse du dimanche soir dans une bouteille et demie de pinot noir et un paquet de Parliament devant des rediffusions de *New York, police judiciaire* jusqu'à 1 heure du matin, cette même ville au réveil cinq heures plus tard est incontestablement, irréfutablement, l'enfer sur terre. J'aurais probablement dû me douter (quand j'ai loué la boîte à chaussures qu'est mon appart dans le West Village pour la modique somme de 4 000 dollars par mois) qu'une fenêtre de chambre donnant sur Greenwich Avenue avec vue imprenable sur une caserne de pompiers ne présageait rien de bon pour mon sommeil paradoxal. Depuis que j'ai emménagé ici, la grasse matinée (voire le sommeil en général) est un concept qui m'est à peu près étranger.

Au moment où je commence à m'assoupir, la maudite radio se rallume. Cette fois-ci c'est l'animateur qui annonce l'heure, les conditions de circulation, puis le temps, tout ça d'une voix guillerette particulièrement énervante.

— Allez hop, on s'active. Une nouvelle journée commence dans la chaleur moite de la Grosse Pomme.

Clairement, l'animateur n'avait pas géré le blues du dimanche soir de la même manière que moi. Ou peut-être qu'il aimait son job tout simplement, et qu'il ne voyait pas la nécessité de prendre une cuite ce soir-là. À ce qu'il paraît, il existe des chanceux à qui ça arrive vraiment.

Je me répète le mantra que je me suis concocté comme tous les matins avant d'aller chez Cromwell Pierce, l'une des boîtes les plus dynamiques de Wall Street. *Tu peux le faire, Alex. Tu peux y arriver. Tu ne le laisseras pas te briser*. Avant de travailler là, ça ne m'arrivait jamais de parler toute seule. À ce rythme, quand je fêterai mes trente ans je serai bonne pour l'asile.

Comble de l'horreur, je me rappelle soudain que le flacon d'Advil taille XXL qui est devenu mon ami le plus fidèle ces six derniers mois est resté dans la salle de bains, et vu que ma tête est sur le point d'exploser, pas le choix : je dois me lever. Je ramène mes jambes au bord du lit, et mes pieds établissent le contact avec le parquet froid. Dans quelques minutes, je devrai fourrer mes orteils meurtris dans l'une de mes nombreuses paires d'escarpins, dont les talons de dix centimètres donnent invariablement à mes genoux (qui n'ont que vingt-quatre ans, je précise) la fâcheuse impression d'appartenir à une femme de soixante. Je me traîne jusqu'à la salle de bains, j'allume la lumière d'une chiquenaude et mes globes oculaires subissent une agression en règle de la part des ampoules fluorescentes, qu'un électricien sadique a alignées méthodiquement au-dessus du miroir. Je pousse un gémissement et tente de protéger mes pupilles martyrisées de la lumière éblouissante, clignant des yeux jusqu'à ce que les petits points bleus disparaissent et que j'arrive enfin à fixer mon reflet dans la glace. Tout bien réfléchi, il aurait peut-être mieux valu qu'elles m'aveuglent pour de bon. Depuis la fac, j'ai l'habitude de passer en revue les dégâts après une nuit de beuverie ; mais c'était pas comme ça, avant. Deux petites années se sont écoulées et ma tête du lendemain frise le monstrueux. Je décide de mettre ça sur le compte des ampoules.

En y regardant de plus près, je m'aperçois que j'ai dû dormir toute la nuit à plat ventre parce que les draps ont laissé des marques sur un côté de mon visage, au point que je me demande si je ne vais pas être obligée d'avoir recours à la chirurgie esthétique pour les faire partir. Mes longs cheveux bruns sont tout emmêlés et je vais mettre une bonne heure à coiffer ça, avec du bol. Mon joli teint rose a viré au cireux, et des cernes sombres viennent alourdir mes yeux vert bouffis. Avant mon plongeon tête la première, j'ai sauté la case brossage des dents ; ce matin elles sont carrément bleues, et ô joie, une croûte couleur rubis foncé s'est formée sur mes lèvres. En y réfléchissant, ça ferait un très joli ton de rouge à lèvres : je me demande s'ils ne trouveraient pas une astuce chez Sephora pour en fabriquer un de cette nuance – en évitant l'empoisonnement à l'alcool, si possible.

— Encore cinq petites minutes, m'entends-je marmonner en laissant l'eau brûlante malmener mon corps à moitié inerte. Appuyée contre le mur en carrelage, je me demande tout d'un coup un truc essentiel, à savoir est-ce que l'être humain serait capable de dormir debout. Vous savez, comme les vaches, quoi. Ensuite, il me vient à l'esprit que si ce n'est pas le cas et que je m'endorme vraiment sous la douche, il existe une probabilité finalement assez grande qu'on me retrouve morte ici même dans deux jours, le temps que l'eau déborde de la baignoire, inonde la salle de bains et provoque un dégât des eaux dans l'appart du dessous. Juan (le portier) serait obligé de forcer ma porte et trouverait deux cadavres de bouteilles, un cendrier plein à ras bord, un reste moisi de poulet *lo mein* à emporter sur la table basse et mon corps nu, esseulé et gonflé comme un raisin sec dans du marsala.

*Oh non. Non, non, non, non.* Je ne serai *pas* la fille sur qui on écrit un article dans le *New York Post* parce qu'elle s'est noyée dans sa baignoire après une soirée un peu trop arrosée. Je sors de là illico, et j'enfile un pantalon beige et une chemise blanche. Je noue un foulard de couleur vive autour de ma taille jadis fine, en me disant que si je suis accessoirisée comme il faut, personne ne remarquera que je suis encore bourrée, peut-être. À cause des cuites quotidiennes, mes fringues sont devenues un peu trop ajustées à mon goût : l'une des nombreuses joies d'une carrière à Wall Street. Je me mets en quête des classiques objets de première nécessité : iPhone, portefeuille, clés.

L'une des pires choses, quand on n'a aucun souvenir de s'être couchée la veille au soir, c'est de devoir localiser les pièces du puzzle de sa vie le lendemain matin. Je finis par trouver mon portable derrière un coussin du canapé, et (pour une raison que je ne m'explique pas) mon portefeuille m'attend sagement dans le frigo, à côté d'une autre bouteille de vin. Mais je suis infoutue de mettre la main sur mes clés. J'ai beau chercher partout, elles ne sont nulle part. Et mon appart, comme précisé précédemment, n'est pas exactement grand. Mon regard s'arrête sur l'immonde cendrier débordant de mégots. Je suis certaine que je n'avais pas de clopes chez moi quand je suis rentrée hier, vu que j'ai arrêté de fumer jeudi dernier. Ce qui veut dire qu'à un moment donné, je suis descendue pour aller au portoricain du coin, qui reste ouvert toute la nuit… Ce qui veut dire que j'avais nécessairement ces clés en main pour rentrer chez moi. (Au moins, l'alcool n'a pas causé de dégâts irréversibles à mes pouvoirs de déduction.) J'ai comme un pressentiment, et mes soupçons se confirment quand j'ouvre la porte d'entrée d'un coup. C'est exactement pour cette raison que je me suis cassé le pompon à trouver un appart dans un immeuble avec portier présent vingt-quatre heures sur vingt-quatre. Sans ça, je me serais probablement fait égorger dans mon lit hier soir, et au final j'aurais quand même fini en première page du *Post*. Il n'y a pas de petites victoires, dans la vie.

Je ramasse mon sac de sport et mes journaux d'une main, je sors en claquant la porte, et en bas je hèle un taxi. Une fois installée dedans, je parcours rapidement la une du *Wall Street Journal*. Au menu : une énième banque d'investissement qui fait faillite, la Bourse qui termine en baisse et bat dans la foulée un record datant des années 1920, et de nouveaux licenciements annoncés un peu partout dans le secteur de la finance. Ce n'est pas ça qui va faire passer mon atroce migraine. Car ne nous voilons pas la face, travailler au service Produits de taux est devenu un supplice. Il n'y a pas plus sûr que les obligations d'État pour placer son argent (sauf sous un matelas), et ces derniers temps on bosse comme des dingues, vu que tout le monde vend ses actions pour acheter des bons du Trésor. Les derniers mois ont été incroyablement stressants. Si on faisait un sondage sur un échantillon d'employés de Wall Street pris au hasard, je serais prête à parier que la majorité avouerait se bourrer plus fréquemment ces temps-ci. (Même si je ne sais pas combien admettraient avoir retrouvé leur portefeuille au frigo le lendemain matin. Dans tous les cas, ils mentent.) Je me souviens vaguement comment c'était il y a encore quelques mois à peine, avant que tout parte en vrille, avant qu'on soit tous obligés de friser le coma éthylique pour arriver à dormir la nuit. Je vérifie mon portable pour voir si je n'ai pas de messages, et je constate que j'ai manqué les appels de mes deux meilleures amies, Annie et Liv. Je ne prends même pas la peine d'appeler ma boîte vocale, parce que je sais pertinemment ce qu'elles ont dit après le bip. Elles sont au courant que ça ne va pas très bien dans ma tête, en ce moment. Elles sont aussi au courant que le magasin d'alcool livre à domicile, si besoin.

Vingt minutes plus tard, je descends du taxi devant un building où *Cromwell Pierce* est fièrement gravé dans le marbre, et je passe en trombe la première d'une série de lourdes portes dorées. Une fois à l'intérieur, j'essaie de me faire la plus légère possible jusqu'aux escalators, pour que le *clic clac clic* de mes talons ne résonne pas trop fort dans l'immense hall. Tout en marchant, je répète mon mantra matinal :

Clic, clac, clic. Quelques heures, tu peux tout supporter pendant quelques heures. Fastoche.

Clic, clac, clic. Peut-être qu'il y sera pas aujourd'hui.

Clic, clac, clic. Bien sûr qu'il y sera aujourd'hui. Il y est toujours. T'es foutue, Alex. Foutue de chez foutue.

Je baisse la tête et je fixe les lames de métal en attendant d'arriver au second. Dès la sortie des escalators je suis assaillie par la sécurité, et je pose mes sacs sur le tapis roulant pour passer aux rayons X. Je hais les machines à rayons X de toute mon âme. Il se trouve qu'un jour, je transportais un string dans mon sac à main (j'avais mes raisons, que je préfère taire pour le moment), et c'est justement ce matin-là que le type de la sécu a décidé de me le faire vider devant tout le monde, histoire d'être sûr que je ne tentais pas de faire entrer en douce une arme ultra-sophistiquée. En termes de sécurité, il n'y a que la Maison-Blanche qui bat Wall Street. Je ne m'en plains pas. Tout ce que je dis, c'est que des fois, on se passerait bien de voir le contenu de son fourre-tout sur l'écran de la machine à rayons X. Ce n'est quand même pas beaucoup demander.

L'ascenseur est bondé, et je me retrouve coincée entre deux hommes d'âge moyen en pantalon impeccablement repassé et polo pastel. Je ne sais pas qui a fait le casting du film *Wall Street*, mais ce qui est certain, c'est que la personne en question n'est jamais venue chez Cromwell pour trouver l'inspiration. Si quiconque parmi mes collègues ressemblait de près ou de loin à Charlie Sheen ou Michael Douglas, je ne rechignerais pas autant à venir bosser, forcément. Je fixe le journal d'un œil vitreux, mais je suis bien incapable de lire quoi que ce soit : en fait, j'écoute leur conversation. L'air détendu, l'homme en polo bleu pastel interpelle l'homme en polo jaune pastel :

— T'es parti, ce week-end ?

— Ouais, à Southampton. J'ai joué à Shinnecok samedi.

— Ah, magnifique parcours. C'était bien ?

— J'ai eu un peu de mal sur le tee, mais sinon pas mal, merci. Et toi ?

— J'étais à Westhampton, pour passer un peu de temps avec la famille avant que mon fils parte à la fac, le week-end prochain.

— Ah, chouette. Où ça ?

— À Brown. Il a été pris dans l'équipe de crosse.

— Formidable. À quel poste ? Mon fils est en deuxième année à Harvard, il en fait aussi.

— Harvard, hein ? C'est super, ça. Le mien est défenseur. Et le tien ?

— Milieu de terrain.

— Faudra qu'on aille voir un match ensemble un de ces quatre, pour encourager nos gosses, qu'est-ce que t'en dis ?

— Carrément. Il me tarde que la saison commence. Les Bears contre les Crimson, quelle belle affiche.

Les deux hommes hochent la tête d'un air entendu. Mais bien sûr, tout ça c'est juste pour la galerie. Sous les politesses et le ton badin, la vraie conversation (qu'on finit par décoder quand on a passé suffisamment de temps dans cette branche) aurait donné un truc dans le genre :

— Je suis membre d'un club de golf plus chic que toi, ce qui signifie que je gagne plus que toi.

— Allez-vous faire foutre, toi et ton club exclusif. Mon gosse va jouer dans l'équipe de crosse d'une des plus prestigieuses universités de la côte est.

— Ah ouais, et tu crois que ça fait de toi quelqu'un d'exceptionnel ? Mon gamin joue *déjà* dans l'équipe de crosse d'une des plus prestigieuses universités de la côte est.

— Content pour toi, ah ! Si ton môme est milieu de terrain, ça veut dire que c'est une demi-portion, comparé au mien. Avec un peu de chance, leurs équipes vont se rencontrer et mon fils pourra aplatir le tien sur le terrain.

— Jamais, tu m'entends, jamais on ne se parlera pendant les matchs. Je ferai comme si je ne t'avais jamais vu de ma vie.

— Harvard, c'est pour les tapettes.

— Et Brown, pour les fiottes.

Flash d'information : je bosse dans une cour de récré géante pour ados attardés.

Je n'ai pas toujours été comme ça. Rien que l'an dernier, j'aurais trouvé ça plutôt drôle, comme échange. Je me serais inquiétée des problèmes que connaît la Bourse en ce moment. J'aurais été tout excitée de venir au boulot. Sauf que 2008 a officiellement décroché le titre de l'année la plus nulle de ma vie.

## *Chapitre 1*

# Visage Tanné et Ted Bulot

PAS ÉTONNANT QUE JE me sois retrouvée à bosser dans un monde ultra-masculin : j'ai toujours aimé jouer avec les garçons. J'adorais me salir, m'écorcher les genoux et courir après les grenouilles et les lézards. À choisir, je préférais jouer au base-ball avec les frères Callahan en bas de la rue qu'à la marelle avec ma petite sœur Cat. Mes parents éclataient de rire quand je rentrais couverte de boue, parce que je détonnais carrément avec Cat, qui ne voulait pas entendre parler d'activité physique si ça n'impliquait pas une corde à sauter ou un élastique. Au début, ça ne les dérangeait pas de m'avoir dans leurs pattes, les frères Callahan, et on comprend pourquoi : à huit ans j'étais une adversaire facile, le pigeon idéal pour consolider leurs ego masculins en plein développement. Jusqu'au jour où, pendant une partie de base-ball justement, j'ai frappé la balle parfaite, un coup impossible à rattraper qui est monté comme une fusée vers le ciel avant de retomber à la limite du terrain (zone plus connue sous le nom de buissons-bordant-la-pelouse-du-devant-de-chez-les-Callahan). J'ai couru de base en base comme une dératée, et quand je suis revenue à celle de départ, symbolisée par un torchon de cuisine, j'ai laissé éclater ma joie. J'étais aux anges d'avoir réussi à marquer contre des garçons plus grands, plus costauds et plus rapides que moi. Mais Benny Callahan, qui avait dix ans et était le plus fort des trois, n'a pas trouvé ça drôle. En fait, comme la plupart des garçons (et plus tard des hommes), ça ne lui plaisait pas du tout de se faire narguer par une fille – et de perdre, en plus.

— Toute façon j'joue pas avec les filles, c'est trop nul. Tu f'rais mieux d'rentrer chez toi pour jouer à la poupée.

— Oh, allez, sois pas mauvais perdant ! ai-je fait, les larmes aux yeux.

J'étais sur le point d'apprendre une leçon importante : le succès, petit ou gros, a toujours des conséquences.

— Va-t'en ! Tes parents veulent même pas d'toi, si ça s'trouve. C'est pour ça qu'ils t'ont donné un prénom d'garçon. Ils auraient préféré qu't'en sois un, c'est ma mère qui m'l'a dit.

— C'est pas vrai ! Alex, c'est un prénom de fille !

— *Alexandra*, c'est un prénom de fille. Alex, c'est pour les garçons. Tes parents t'aiment pas, et nous non plus !

Je n'avais jamais réfléchi au fait qu'Alex n'était pas un diminutif. Aïe. Ça faisait mal.

— J'te déteste ! ai-je hurlé, toute l'euphorie de ma victoire volatilisée.

Sur ce j'ai piqué un sprint en direction de ma maison, qui baignait dans les rayons du soleil couchant. Mon père venait de rentrer.

— Que se passe-t-il ? a demandé ma mère en me prenant dans ses bras. Tu t'es fait mal en jouant ?

— Non, ai-je sangloté en cherchant à m'extirper de son étreinte. C'est juste… Benny m'a dit que vous m'avez appelée Alex et pas Alexandra parce qu'en fait, vous auriez voulu avoir un garçon !

Et je me suis mise à pleurnicher bruyamment, comme toute petite fille de huit ans qui se respecte quand elle doit affronter la dure réalité – à savoir, que ses parents ne l'aiment pas.

Mon père s'est alors agenouillé par terre, comme si en faisant ma taille il arriverait mieux à me consoler.

— Ce sont des mensonges, a-t-il tenté de me rassurer. Tu t'appelles Alex parce que c'est un nom unique, comme toi. Il y a peut-être un million d'Alexandra sur terre mais des Alex, il n'y en a qu'une.

— J'te crois pas ! ai-je crié comme une hystérique, avant de sortir de la cuisine en trombe.

Comment allais-je faire pour survivre jusqu'à la fin du lycée sous le même toit que des parents qui ne voulaient pas de moi ? Les intéressés ont fini par me trouver dans le salon, recroquevillée en boule sur le canapé.

— Hé, ça te dirait de venir avec moi demain ? m'a demandé mon père.

— Je peux pas, ai-je répondu. J'ai école.

— Et si pour une fois tu n'allais pas en classe ? À la place tu m'accompagnerais au travail, et on passerait la journée ensemble. Ça te plairait ?

J'ai regardé maman pour savoir si elle approuvait vraiment de me voir rater un jour d'école *et* rester toute une journée à New York. Elle a souri, et m'a fait oui la tête.

— Pour de vrai ? ai-je insisté.

Jusque-là, tout ce que je savais du travail de mon père, c'était ce que je voyais quand j'allais le chercher à la gare avec ma mère. Je restais assise à l'arrière de la voiture en attendant que le train arrive. Tout d'un coup, je voyais sortir un immense flot d'hommes en costume, cravate et trench, qui se dirigeaient d'un pas pressé vers l'escalier du parking. Quelques femmes descendaient aussi, super élégantes en tailleur, et toujours avec une mallette en cuir à la main et des tennis au pied. Elles avaient l'air tellement *importantes*. Je rêvais du jour où je pourrais monter dans ce train avec les grands et avoir une mallette rien qu'à moi. Par contre je ferais l'impasse sur les tennis, évidemment.

D'une manche, j'ai essuyé mes larmes.

— Est-ce qu'on peut y aller en train ? Celui que tu prends tous les jours ?

— Tu penses ! Demain matin on ira à la gare tous les deux, et une fois arrivés à Manhattan je t'amènerai voir où je travaille. Ensuite, on ira déjeuner au restaurant et on pourra même aller regarder les jeux de société chez FAO Schwarz, si tu veux. Ça te paraît bien ?

Ça me paraissait pas mal du tout, même. Qui avait besoin des frères Callahan ? J'avais de nouveaux jouets.

Par la suite, c'est devenu un rituel. Chaque année, avant même que la journée officielle « Emmenons nos filles au travail » soit inventée aux États-Unis, j'allais régulièrement au bureau de mon père, quand les marchés fermaient tôt ou qu'il n'avait pas trop à faire. On prenait le train depuis le Connecticut jusqu'à la gare Grand Central, puis le métro jusqu'à Wall Street ; notre destination finale était Sterling Price, où il était banquier. Une fois là-bas, je m'installais dans son fauteuil et je m'amusais avec tout ce qui me passait sous la main. Il avait deux ordinateurs avec deux claviers différents, bien plus de téléphones que je n'avais de copines à appeler, et les bonbons et gâteaux étaient en accès illimité à la cafét' en bas. Dès le premier jour, j'ai été fascinée par le côté glamour de Wall Street. On était au cœur de Manhattan, un endroit qui vibrait comme aucun autre ; le quartier était (et reste) l'épicentre économique de l'univers. Ici les gens marchaient avec un but précis : jamais on ne voyait quelqu'un flâner ou faire du lèche-vitrine dans les rues au sud de Canal Street. De ce côté-là de la ville, on était occupé. Le temps, c'était de l'argent, et l'argent était dans toutes les têtes : comment en gagner, comment le garder, et surtout, comment faire en sorte que son voisin n'en ait pas plus que soi. C'était exaltant.

— Vite, Alex. Tu vas te faire renverser si tu ne te dépêches pas !

Mon père me faisait signe de le suivre tout en se faufilant à travers la foule qui se pressait autour de nous, et moi je faisais de mon mieux pour ne pas quitter des yeux son veston bleu marine. Dans le Financial District, les hommes ne portaient pas le costume à rayures, ils *se pavanaient* en costume à rayures – comme les Yankees de la pointe sud de Manhattan qu'ils étaient. Partout où je regardais, tout avait l'air cher, et c'était à qui dégainerait la plus belle cravate en soie Hermès ou les chaussures en cuir italien les plus chics. La première fois où j'ai vu la Bourse de New York en vrai, j'en suis restée bouche bée. Les colonnes corinthiennes, le drapeau américain flottant fièrement au vent, le bâtiment qui faisait toute la longueur du pâté de maisons : j'avais beau n'avoir que huit ans, je sentais que j'avais mis le pied dans un monde à part. Je plaignais ceux qui ne verraient jamais ça de près. Ils ne savaient pas ce qu'ils rataient, et je pensais que j'avais une sacrée chance de ne pas être eux.

Le « Business », c'est comme ça que mon père surnommait la finance – comme s'il n'y avait pas besoin de préciser, comme si c'était le seul métier qui existait au monde (je suis bien persuadée que pour ses collègues et lui, c'était vraiment le cas). En tout cas, il était loin de se douter que ces quelques journées dans mon enfance allaient changer ma vie : avant même d'avoir le temps de rêver de devenir ballerine, astronaute ou professeur, j'avais trouvé ce que je voulais faire quand je serais grande.

Mes parents blaguaient toujours sur le fait que j'avais un peu trop d'énergie, parfois. À la fin du trimestre, mes profs mettaient systématiquement en appréciation que j'étais incapable de me taire en cours, que je courais dans les couloirs, que je devais apprendre à faire la différence entre ma voix « intérieure » et ma voix « extérieure ». J'avais beau essayer, je n'y arrivais pas. C'était frustrant de ne pas réussir à canaliser cette énergie, et j'avais peur que ça devienne vraiment un problème, plus tard.

Du coup, quelle joie de découvrir que tout le monde courait dans les couloirs de Sterling Price, et que le concept de voix intérieure n'existait pas ici : ça parlait fort et tout le temps, que ce soit au téléphone ou à son voisin. En gros, les gens faisaient tout ce qu'on m'avait toujours ordonné de ne pas faire. Super chouette ! J'avais l'impression que dans ce monde-là tous mes défauts, ceux qui faisaient de moi une enfant « difficile », se transformaient en qualités ; j'avais l'impression, en clair, d'avoir trouvé ma place. L'une des conséquences de ma décision, c'est qu'en un temps record je suis passée du côté des enfants précoces, originaux, *intéressants*. Mes profs me trouvaient rigolote. Quant à ma mère, elle disait que ça finirait par me passer. Mais c'était mal me connaître. Je ne savais pas dans quelle fac je voulais aller – ou pire, quelles images j'allais coller sur mon classeur d'histoire-géo à la rentrée suivante –, mais je savais ce que je voulais faire de ma vie. Et quand j'avais décidé un truc, rien ni personne ne pouvait me faire changer d'avis.

J'ai donc consacré les douze années suivantes à l'obtention d'un poste à Wall Street. À l'origine c'était parce que ça avait l'air trop sympa (voire fun) comme boulot, mais les années passant c'est devenu autre chose, forcément. Mon père gagnait bien sa vie, et l'argent n'avait jamais été un sujet de préoccupation dans ma famille. Le jour où j'ai débarqué à l'université de Virginie, j'ai découvert que la plupart de mes camarades avaient dû faire un prêt pour payer leurs études ; pour moi, la question ne s'était pas posée. Certains ne rentraient pas chez eux pour Thanksgiving, ou Pâques, parce que l'avion était trop cher ; je ne prenais même pas la peine de vérifier le prix des billets quand je faisais une réservation. D'autres devaient prendre un job pour avoir un peu d'argent de poche à dépenser ensuite ; moi, j'avais la carte de crédit de mes parents. La carrière de mon père m'avait donné accès à une vie privilégiée, que j'ignorais posséder jusqu'au jour où j'ai quitté le cocon de notre banlieue pour entrer dans le monde réel. (Et encore, on ne peut pas vraiment dire que la fac soit le monde « réel ».) Ça m'a ouvert les yeux – et fichu la frousse, aussi. Je ne voulais pas vivre ma vie d'adulte en me privant du confort matériel dans lequel j'avais grandi. Je ne voulais pas stresser dès qu'une facture arrivait dans ma boîte aux lettres, ou devenir totalement dépendante d'un homme sur le plan financier. Ce que je voulais, c'était pouvoir offrir à ma progéniture une enfance aussi belle que la mienne, mariée ou pas. Rien ne m'importait davantage, et Wall Street avait le pouvoir de rendre ça concret. De toute façon, qui est-ce qui faisait carrière dans le Business parce qu'il kiffait les actions traçantes et les titres subordonnés à durée déterminée ? Ce qu'on recherchait tous, c'était la sécurité financière. Alors, quand ma dernière année de fac a débuté, j'ai peaufiné mon CV et fait des recherches approfondies sur plusieurs boîtes, dans le but de déterminer laquelle je voulais intégrer.

Dès que j'ai commencé à cerner les dix meilleures sociétés de courtage américaines, j'ai su que je voulais aller chez Cromwell Pierce. Son premier concurrent était Sterling Price, là où mon père bossait. Mais Sterling renvoyait l'image de la boîte coincée, un peu vieille école, quoi. Cromwell, en revanche, avait la réputation d'être un lieu de travail jeune, branché, et fun. Le siège était situé à la pointe de Manhattan, à proximité du fleuve donc, et surtout à l'écart de la Mecque touristique qu'était devenue Midtown (certaines banques y avaient émigré, avec le temps). J'ai aussi convenu qu'il valait mieux postuler au département Ventes et transactions plutôt que Banque d'investissement, et quand Cromwell a lancé sa campagne de recrutement annuelle, c'est ce que j'ai fait. L'un des points négatifs, dans le métier de mon père, c'était le nombre d'heures qu'on lui imposait la plupart du temps. Sans compter qu'il m'avait prévenu : au début, on allait s'attendre à ce que je me tape des journées de seize heures et que je dise adieu à mes week-ends. Ce que je n'envisageais pas une seconde, à l'époque, soyons honnête. Chez les traders et les commerciaux, les horaires étaient plus humains, et on flinguait rarement votre dimanche. Autant dire que je n'ai pas hésité longtemps. Ma mère m'a envoyé par la poste un tailleur noir qui me faisait ressembler à Barbie *Working Girl*, mais qui était un mal nécessaire si je voulais faire bonne impression aux recruteurs. Et puis, le jour de l'entretien est enfin arrivé. On était plus d'une centaine de candidats pour trois petits postes, et dans la salle la tension était palpable. J'avais consciencieusement fait mes devoirs : lu le *Wall Street Journal* tous les jours pendant deux semaines, regardé la chaîne CNBC en journée pour potasser le jargon (grâce à mon père, j'avais déjà des bases), et appris tout ce que je pouvais sur Cromwell. Je me sentais prête ; du moins, c'est ce que je croyais.

Quand on a appelé mon nom et qu'on m'a escortée jusqu'à une

petite pièce sans fenêtre, mes genoux ont failli se dérober sous moi tellement j'avais le trac. Deux hommes d'âge moyen m'attendaient, campés derrière un immense bureau en acajou. Je me suis assise en face d'eux, et j'ai pris une dernière profonde inspiration avant de dégainer mon plus beau sourire, et de croiser les mains sur les cuisses comme une jeune fille sage.

L'homme de droite, un blond aux épaules carrées qui s'appelait Ted quelque chose et portait une cravate rose avec des dessins dessus qui ressemblaient vaguement à des bulots, a parlé le premier.

— Donc, Alex. Je vois ici que vous finissez un master en finance de marché. Pensez-vous que c'est une formation suffisante pour démarrer à Wall Street ?

— Eh bien pour être honnête, non. J'aurai des bases solides et ce sera un atout pour moi, c'est certain, mais d'après ce qu'on m'a dit, il n'existe pas une seule université au monde capable de préparer à une carrière à Wall Street. Il faut vraiment y être pour comprendre ce que c'est.

Tous les deux ont hoché la tête imperceptiblement. L'acolyte de Ted, un homme aux tempes grisonnantes, et dont la peau tannée laissait supposer qu'il passait beaucoup de temps en plein air, a posé la question suivante.

— Dites-moi, Alex, quelle est la racine carrée de 2 ?

Deux aurait une racine carrée ? Première nouvelle.

La racine carrée de *a* est le nombre qui, élevé à la puissance *n*, donne *a*. Donc la racine carrée de 16 est 4, et la racine carrée de 4, 2. Bon sang, c'était quoi la racine carrée de 2 ? Ça ne pouvait pas être 1, vu que 1 multiplié par 1 égale 1. C'était forcément un chiffre plus grand que 1, mais plus petit que 2. Des fractions. Merde. Les lèvres de Visage Tanné se sont étirées en un sourire narquois. Il n'y avait plus qu'une chose à faire.

— La racine carrée de 2 est le nombre qu'il faut élever au carré pour obtenir 2. Je ne suis pas en mesure de vous donner le chiffre exact, mais ce que je sais c'est qu'en l'élevant au carré, on obtiendra 2.

Visage Tanné s'est laissé aller en arrière sur son siège, et son air narquois s'est fait approbateur. Ted s'est contenté de lisser sa superbe cravate-bulot.

— Intéressant, comme réponse. Je vois que vous savez garder votre sang-froid, mademoiselle Garrett, c'est une qualité importante dans le Business. D'autre part, vous n'hésitez pas à sortir des sentiers battus, et c'est un don qui ne s'apprend pas. Soit on l'a, soit on ne l'a pas.

— Merci.

J'ai soupiré de soulagement le plus discrètement possible, croisé les jambes et remarqué que mon collant était filé au niveau de la cheville gauche.

Tout d'un coup, Ted Bulot s'est penché en avant.

— Vous pressez le tube de dentifrice par en bas, ou par en haut ?

Hein ? Non mais c'est quoi ce délire ?!

— Euh, vous pourriez répéter, s'il vous plaît ? ai-je demandé en changeant de position sur ma chaise, l'air gêné.

— Le tube de dentifrice, vous le pressez par en haut ou bien par en bas ?

Non mais sans blague, c'était quoi cet entretien foireux ? J'en suis arrivée à la conclusion qu'il valait mieux répondre honnêtement, plutôt que de perdre mon temps à tenter de deviner où ces deux charlots voulaient en venir.

— Je… hem. Ni l'un ni l'autre, en fait. J'utilise ces dentifrices en flacon pompe, vous savez ?

Visage Tanné a éclaté de rire.

— Vous êtes la première candidate qui ne cherche pas à comprendre ce qu'on essaie de vous faire dire.

— Y a-t-il une réponse correcte ?

— Oui, a répondu Ted Bulot. Mais le débat est ouvert grâce à vous, Miss Pompe.

Miss Pompe ? Comme ça, à chaud, ça me plaît pas des masses le surnom.

Ça a été du gâteau, après. On a discuté de mon CV et un peu de ma famille – avoir un père banquier a sûrement joué en ma faveur, je l'avoue. En sortant de là, j'avais l'impression que ça s'était plutôt bien passé avec Visage Tanné et Ted Bulot, finalement. Deux semaines après, je recevais un courrier me proposant un poste d'analyste : si je le souhaitais toujours, on m'affectait au département Ventes et transactions, desk Obligations d'État du service Produits de taux, à compter de juillet 2006. Mon rêve venait de se réaliser.

Gare à toi, Wall Street, ai-je pensé. J'arrive.

Étant donné que mon nouveau job ne commençait qu'en juillet, et que je n'allais sûrement pas me lever à 5 heures tous les matins pour faire le trajet en train depuis le Connecticut (même pas en rêve), je me suis rapidement attelée à la tâche – ardue s'il en est – de trouver une adresse à Manhattan. Par chance ma meilleure amie, Liv, avait décroché un boulot dans une autre banque d'investissement (à la DRH), et on s'est mises à chercher ensemble. Pendant deux semaines après notre cérémonie de remise des diplômes, on a sillonné New York dans tous les sens, en quête d'un appart non infesté de rats *et* dans nos moyens. On a fini par trouver un endroit où l'on pourrait loger à deux, et le 15 juin on avait les clés. On a monté un faux mur dans le salon, et notre minuscule deux-pièces de Murray Hill est vite devenu un trois-pièces. J'ai pris la vraie chambre et Liv la fausse, qui avait à s'y méprendre la taille d'une cellule de prison, mais dont le parquet était en meilleur état. Dans le salon, c'est à peine si on pouvait caser un canapé, une table basse minuscule et quatre personnes sans se marcher dessus. À nous deux, on allait gagner plus de 8 000 dollars par mois (on avait un niveau de vie plutôt élevé, donc), et pourtant ni elle ni moi n'avions les moyens de vivre seule. Le loyer ne figure définitivement pas sur la liste des trucs géniaux à propos de New York.

On a traîné toutes nos affaires (c'est-à-dire pas grand-chose) jusqu'à l'ascenseur de service, puis au onzième, avec l'aide de ma copine Annie. Annie et moi on était devenues amies la première semaine de notre première année de fac. On avait toutes les deux une chambre dans la même résidence universitaire, sur le même palier. Un soir où la surveillante s'était enfermée avec son petit ami, on en avait profité pour piquer un canapé dans les parties communes et l'installer dans la chambre d'Annie, au bout du couloir. Quand elle s'était fait prendre une semaine après, on lui avait donné comme punition de trier le courrier à la poste de l'université pendant un mois. Mais jamais elle n'avait avoué que le fameux coup du canapé de 2002 avait aussi été manigancé par votre serviteuse. Rien que pour ça, je l'aimerai toute ma vie.

Annie avait décidé de prolonger ses études aussi longtemps que possible en entamant un master en psycho à l'université de New York. Quand elle a appris à quelle heure Liv et moi on allait devoir mettre le réveil, maintenant qu'on était dans la vie active, elle a su pour de bon qu'elle ne voulait jamais y entrer.

— Mais comment tu vas faire pour te lever à 5 h 30 tous les matins et ne pas être un zombie à 3 heures de l'après-midi ? s'est-elle écriée en ramenant une mèche blonde derrière une oreille. C'est juste impossible !

Mon amie me regardait de la même manière que je regarde ceux qui ont passé la quarantaine et ne sont toujours pas mariés : avec une pitié sans bornes. Elle était sur le tapis du salon, nonchalamment assise en position du lotus. Annie avait fait de la gym quand elle était petite et possédait un corps souple et tonique que jamais je n'arriverais à avoir, même si je me nourrissais exclusivement de carottes en bâtonnets. Je peux le prouver. J'ai essayé pendant la plus grande partie de ma première année de fac.

— Bah, je suis sûre que je finirai par m'y faire, ai-je répondu en fourrant des pulls dans mon armoire.

— Je préférerais me pendre, a-t-elle ajouté, histoire d'enfoncer le clou.

— Il te tarde ? m'a demandé Liv en faisant courir un cutter de ses doigts parfaitement manucurés sur le scotch d'un carton, avant de le plier, de l'appuyer à plat contre le mur et de recommencer l'opération, en trouvant le temps d'enlever une poussière sur son short en lycra noir. Moi, je commence seulement la semaine prochaine, et j'appréhende un peu.

— Il me tarde carrément. Mais je suis un peu nerveuse, aussi, c'est vrai. J'ai un peu l'impression de revivre mon premier jour d'école. Des nouvelles têtes, un nouveau lieu. J'espère que je ne vais pas faire trop de conneries.

— Tout ira bien, m'a affirmé Annie en se levant, prête à retourner à son propre appartement dans l'Upper West Side. Et par « son propre appartement », je veux dire celui que ses parents louaient en ville pour les deux soirs par an où ils venaient à Manhattan voir un spectacle. Elle m'a serrée dans ses bras, a dit au revoir à Liv et s'est dirigée vers l'ascenseur.

— Appelle-moi demain pour me dire comment ça s'est passé, a-t-elle crié par-dessus son épaule.

J'ai aidé Liv à transporter les cartons dans le débarras au bout du couloir, et on a passé les heures suivantes à déballer, nettoyer, pendre des fringues, repasser, frotter, ranger, et plus généralement, à nous répéter combien on était excitées d'habiter à Manhattan. Quand je suis allée me coucher à 21 h 30 j'étais loin d'avoir ouvert tous les cartons, et j'ai prié pour que ma première semaine ne soit pas trop dure. *Je suis sûre que ça va aller*, me suis-je rassurée. *Après tout, c'est juste un boulot. Ça ne peut pas être aussi horrible que ça, quand même ?*

## Chapitre 2

# Humiliation et chaise pliante

Le lendemain matin, j'étais tellement excitée que je tenais à peine en place. Je n'arrivais pas à croire que j'avais atteint l'objectif que mon moi de huit ans s'était fixé. Et pourtant, c'était vrai. Bon, j'aurais été bien incapable de vous dire ce que les gens trafiquaient dans ce building – mais j'étais prête à faire tout pareil, c'était l'essentiel. Je me suis installée sur une chaise en plastique avec les vingt-quatre autres bizuts dans une salle de conférence au rez-de-chaussée. J'ai observé mes petits camarades en sachant parfaitement qu'ils étaient tous là pour la même raison : l'argent (et peut-être quelques stock-options), et j'ai eu peur que ma motivation perso, disons plus romantique puisque liée à de bons souvenirs d'enfance et au désir de marcher sur les traces de mon père, m'empêche de rivaliser avec eux. Après je me suis convaincue que tous ceux qui étaient présents dans cette salle avaient probablement mémorisé la suite de Fibonacci avant de fêter leur douzième anniversaire. Mon excitation s'est rapidement changée en peur puis, au fur et à mesure, en une sorte de terreur dévorante. Et pendant tout ce temps-là, j'ai dû écouter sans broncher une brune en surpoids et au rouge à lèvres flashy me faire la leçon depuis le podium.

—Bienvenue chez Cromwell, s'est-elle exclamée, enthousiaste. Je m'appelle Stacey, et je suis la directrice des ressources humaines. (Les lèvres fuchsia se sont étirées en un bref mais très peu convaincant sourire.) Faites en sorte d'avoir toujours sur vous vos badges avec vos noms bien visibles dessus pendant la première semaine, s'il vous plaît. Cela vous aidera à faire connaissance entre vous, et cela aidera aussi vos nouveaux collègues à mémoriser vos noms. À présent, veuillez ouvrir vos kits orientation. (On a tous religieusement ouvert les chemises bleu marine posées devant nous, et commencé à en feuilleter le contenu.) À l'intérieur, vous trouverez un exemplaire du livret de l'employé, qui répertorie toutes les règles en vigueur chez Cromwell. Y sont précisés tout ce que vous devez et ne devez pas faire, ainsi que les dilemmes éthiques les plus fréquents que vous pourriez être amenés à rencontrer en tant que nouveaux analystes, et bien sûr comment les gérer, mais plus important encore, y sont répertoriées les fautes considérées comme un motif de licenciement. Soyez particulièrement attentifs au paragraphe concernant les communications électroniques. Vous ne devez pas écrire quoi que ce soit dans un mail ou un message instantané que vous ne voudriez pas voir publié en une du *Wall Street Journal*. Si vous pensez que cela pourrait mettre l'entreprise ou vous-même dans l'embarras, ne l'écrivez pas. Si vous recevez un mail contenant des images déplacées ou des propos inconvenants, effacez-le. Si vous y répondez, on vous reprochera de diffuser du contenu qui va à l'encontre des principes de l'entreprise, ce qui peut mettre un terme à votre contrat. Veillez à lire attentivement votre livret car à partir de maintenant, vous êtes censés savoir tout ce qu'il contient, et si vous enfreignez une seule des règles mentionnées dedans, vous ne pourrez invoquer comme excuse le fait que vous ne saviez pas. Est-ce que c'est clair pour tous ?

Personne n'a moufté. Les fayots du premier rang lui ont fait oui de la tête, mais visiblement notre manque d'enthousiasme ne plaisait guère à Stacey. Elle s'est penchée en avant pour caler ses coudes sur le pupitre et nous a redemandé, cette fois-ci beaucoup plus fort et en détachant bien chaque syllabe :

— Est-ce que c'est clair ?

On a tous répondu « oui » en chœur. *Non mais, on est où là – à la maternelle ?* me suis-je dit. *On a compris, Stacey : on t'appartient*. Ce n'était pas si compliqué que ça à piger.

— Si vous avez d'autres questions, vous trouverez dans votre kit orientation les noms et numéros des chefs de desk, ainsi que les coordonnées des personnes compétentes à la DRH. J'espère que vous savez tous à quel étage vous devez monter. Une personne viendra vous accueillir à l'ascenseur et vous accompagnera à votre bureau. Sur ce, je vous souhaite une très bonne journée et une fois de plus, bienvenue chez Cromwell Pierce. Vous venez d'intégrer l'une des entreprises les plus respectées de Wall Street.

On s'est tous levés, et je me suis dirigée vers les ascenseurs avec les autres. J'ai compté sept minettes, à part moi. C'était pas difficile, vu qu'elles se comportaient comme une meute de femelles dominantes snobant tout le monde : j'avais connu ça au lycée. Elles sortaient des meilleures universités de la côte est, c'était évident. Elles étaient dans l'Ivy League et moi j'étais seulement allée à l'université de Virginie – une fac carrément inférieure, niveau intellectuel. Que ce soit justifié ou pas, je me sentais comme une paria. Pas exactement la meilleure façon d'entamer ma première journée de travail.

Dans la plupart des boîtes de la haute finance new-yorkaise, la hiérarchie est clairement définie. On passe ses premières années en tant qu'analyste, où en gros on est censé apprendre le plus de choses possibles et être capable de réceptionner en temps et en heure ce que le reste de « l'équipe » a commandé pour le déjeuner. Quand l'heure est venue de grimper les échelons on passe cadre, puis sous-directeur du service, puis directeur, puis directeur général et de là, j'étais quasiment sûre qu'on atterrissait d'office dans un fauteuil du conseil d'administration – ou quelque chose comme ça. Mais pour l'instant, c'était bien le cadet de mes soucis. Je n'avais qu'un seul truc à retenir : j'étais en bas du bas de l'échelle, et à en croire certains c'était hyper mal vu de braver l'ordre hiérarchique. Par conséquent, je travaillais *pour tout le monde*. Je me disais que tant que je gardais ça à l'esprit, tout irait bien – enfin, j'espérais.

Je faisais partie des dix nouvelles recrues à sortir de l'ascenseur quand les portes se sont ouvertes au dixième. Ils étaient plusieurs à nous attendre dans le couloir, et ils devaient avoir un sixième sens parce qu'ils ont su exactement sur quel novice ils étaient censés mettre le grappin. Je n'avais pas fait deux pas sur le sol en marbre que j'étais interceptée par un homme trapu, aux cheveux châtains coupés ras et aux yeux d'un vert shocking. Il était imposant, mais son côté bourru avait quelque chose de séduisant ; le genre de type qui force l'attention, quoi. J'ai pensé qu'il devait avoir dans les quarante-cinq ans à cause de ses tempes légèrement grisonnantes, mais en fait c'était difficile à dire. Les hommes ont vraiment le don d'être agaçants, des fois. Le charisme semblait lui sortir par tous les pores, aussi facilement que la transpiration pour le commun des mortels. Son pantalon beige et sa chemise à carreaux bleus et blancs étaient tellement repassés qu'on avait mal pour eux, et son blazer en tweed marron tombait parfaitement. En fait il avait l'air d'une poupée Ken en chair et en os – et châtain. Quand il a tendu la main pour me saluer, j'ai remarqué que ses doigts étaient petits et épais, mais il avait la peau lisse et les ongles manucurés. Tiens tiens, intéressant comme paradoxe : un gars qui exsudait le machisme mais tenait également à avoir des ongles impec. C'était mon premier vrai contact avec un employé légitime de Cromwell et, plus important, avec Ed Ciccone, plus connu sous le nom de Chick. Mon chef.

Chick était un vétéran de la salle des marchés. J'allais bientôt apprendre que ça faisait vingt ans qu'il était dans le Business, dont quinze passés précisément dans cette salle. C'était un homme intelligent, qui adorait la compétition et aurait été capable de vous vendre n'importe quoi. Il était connu dans le milieu pour son amour immodéré de la fête, sa tendance à dépenser sans compter pour ses clients, et ses besoins en sommeil quasi inexistants. Il était furieusement brillant, extrêmement populaire et horriblement intimidant. Il n'a pas perdu de temps en formalités : après m'avoir serré la main pour la forme, il a tourné les talons et s'est dirigé vers le « parquet » comme on dit dans le jargon, la salle des marchés qui faisait quasiment toute la surface de l'étage hormis le vestibule où se trouvaient les ascenseurs, un stand de café à quelques pas de là (devant lequel étaient agglutinés un tas de gens qui avaient probablement déjà dépassé leur quota de caféine pour la journée), et quelques bureaux qui venaient délimiter le périmètre. On était encore dans le vestibule que j'entendais déjà les cris provenant du parquet, et j'ai senti mes paumes de main devenir moites. Autour de moi, c'était l'anarchie la plus totale. Des gens (des hommes, neuf fois sur dix) couraient dans tous les sens, leurs mocassins écrasant allègrement les fibres jadis épaisses de la moquette haut de gamme ; tous criaient, rigolaient, rouspétaient, parfois les trois en même temps. Certains étaient en costard. La plupart avaient un pantalon beige, et leur humeur tatouée sur le front. On s'est faufilés comme on a pu à travers ce flot, et en approchant de la salle j'ai vu pour la première fois les fameuses bannières qui pendaient du haut plafond, symboles des victoires engrangées par le département au cours des années, un peu comme ces banderoles qu'on accroche à la façade du Madison Square Garden quand il y a une finale de la NBA. La salle était énorme. Une jeune femme menue se perdrait facilement là-dedans, et il faudrait au moins la brigade canine de la police de New York pour la retrouver. Mes jambes se sont mises à trembler toutes seules.

Chick débitait ses explications à un rythme insensé, et je commençais à me demander si, peut-être, ses poumons avaient moins besoin d'oxygène qu'un être humain normal. Son sourire était chaleureux, et il se comportait de façon accueillante avec moi, mais en même temps je sentais bien que si je foirais, il s'assurerait personnellement que je passe le reste de ma carrière ici à coller des timbres au service Courrier. On a tourné à gauche avant l'escalier menant au parquet, dans un couloir où étaient alignés des bureaux entièrement vitrés. Une plaque fixée à côté de la porte indiquait le nom de leur occupant, l'un de ces petits signes faits pour différencier ceux qui ont une certaine envergure (et droit à un bureau fermé, donc) de la vermine. Mais en réalité ça ne concernait que quelques chefs bien en place, parce que l'espace était une denrée rare. La majorité des employés devait se contenter d'un poste de travail dans la salle des marchés – autrement dit, aucune intimité, aucun coup de fil perso, aucune chance d'avoir deux minutes de solitude pendant la journée, à moins de s'enfermer aux toilettes. Chick ne faisait clairement pas partie de la majorité.

On est passés en coup de vent devant sa secrétaire, que Chick m'a sommairement présentée comme « Nancy », et il a poussé la lourde porte en verre de son bureau. Je me suis retrouvée devant des fenêtres qui, comme elles allaient du sol au plafond, offraient une vue complètement dégagée sur la statue de la Liberté et Ellis Island. On aurait pu s'en servir pour les cartes postales qu'on trouve à Times Square – d'ailleurs, c'était peut-être bien le cas. Si j'avais une vue pareille au boulot, je resterais les fesses collées sur mon siège toute la journée, mais j'allais bientôt apprendre que Chick y passait en fait un temps infime. Son bureau noir laqué et le fauteuil à roulettes qui allait avec trônaient au milieu, et deux chaises au dossier en cuir étaient disposées en face. Les murs contigus aux autres bureaux étaient nus, mais avec ce qu'il pouvait admirer de sa fenêtre, il devait sûrement se dire que des œuvres d'art feraient *too much*. J'ai passé son bureau en revue : un écran d'ordinateur avec deux claviers, un téléphone, des papiers et des livres un peu partout, en tas désordonnés. Un mini-panier de basket était attaché au rebord d'une poubelle vide, qu'il avait placée contre le mur à sa droite, à côté d'un grand aquarium contenant trois poissons tropicaux. C'était à peu près tout.

Il s'est assis dans son fauteuil, tournant de fait le dos à l'Hudson. J'ai trouvé ça drôle (quelque part, tout au fond de moi) qu'un homme ayant la chance d'occuper un de ces bureaux se fiche royalement de pouvoir admirer à sa guise l'un des paysages les plus emblématiques de New York ; j'en ai conclu que la vue était là pour impressionner les clients, pas le personnel.

— Assieds-toi, m'a ordonné Chick en me montrant vaguement les chaises vides en face de lui.

Je me suis exécutée, et j'ai mis les mains à plat sur mes genoux pour les empêcher de trembler. Ce type me flanquait carrément la trouille.

— OK, Alex.

Il m'a dit ça en croisant les mains derrière sa tête et les pieds sur son bureau, si bien que je me suis retrouvée nez à nez avec les semelles de ses mocassins Gucci marron foncé. Puis il s'est laissé aller en arrière dans son fauteuil, et s'est mis à me parler avec les yeux rivés au plafond. Très déroutant quand le seul truc qui indique clairement que c'est à vous qu'on s'adresse, c'est que vous êtes la seule autre personne présente dans la pièce.

— Sache que je gère mon équipe plutôt ouvertement. Il n'y a pas énormément de règles à connaître mais elles sont fondamentales, alors on va les passer en revue. Tu es intelligente, ça je le sais, parce que sinon tu ne serais pas assise sur cette chaise. En revanche je peux te garantir que tu n'es pas la personne la plus intelligente de cet immeuble. Ce qui veut dire que j'attends de toi que tu cravaches dur, et même plus que ça encore ; et aussi que tu sois la première à arriver le matin, et la dernière à partir le soir. À moins, bien sûr, que tu croies en savoir plus que certains qui se crèvent le cul ici depuis vingt ans. C'est ce que tu crois, Alex ?

J'ai hésité, ne sachant pas si la question était purement rhétorique ou pas. C'était difficile à dire, vu qu'il ne quittait toujours pas le plafond des yeux.

— Non, monsieur Ciccone. Je ne crois pas ça.

Il avait un bout de chewing-gum rose coincé dans la rainure de sa semelle gauche.

— Très bien, a-t-il entonné d'un ton neutre tout à fait déstabilisant. Je suis ici à 6 h 30 pétantes tous les matins, alors tu fais le calcul et tu t'arranges pour arriver avant moi. Ça, c'est la règle numéro un. La règle numéro deux, c'est que tu ne m'appelles pas monsieur Ciccone. On est pas au lycée, je suis pas ton prof, et aux dernières nouvelles on était tous des adultes, ici. Alors tu m'appelles Chick, comme tout le monde. Et on se tutoie, au fait. Tu ne demanderas rien. Et tu sais pourquoi ? Parce que pour moi, tu ne *mérites* rien. Personne te connaît, et t'as pas encore fait un seul truc productif pour faire gagner de l'argent à ce service ; tant que ce sera pas le cas, je serais toi, je me contenterais de remercier Dieu tous les jours d'arriver à passer les tourniquets à l'entrée. Jusqu'à nouvel ordre, ton boulot consiste à en apprendre le plus possible en observant les autres et en posant des questions – mais sans les agacer, si tu veux pas te manger un coup de poing dans la figure. Tu les aideras quand ils te le demanderont. Si ça veut dire que tu dois aller chercher les sapes de quelqu'un au pressing et les porter chez lui, ou bien acheter un cadeau d'anniversaire pour sa femme, alors tu le fais, et avec le sourire. C'était peut-être pas précisé dans la description de poste, mais console-toi en te disant qu'au moins tu es la livreuse la mieux payée au monde. J'ai fait personnellement passer des entretiens à plus de quatre-vingts candidats pour l'unique poste qui s'est ouvert dans le service cette année, alors je sais pertinemment qu'il y a des centaines de gosses dehors qui tueraient pour avoir ton job. S'il y a quoi que ce soit dans ce que je viens de te dire qui te pose problème, tu redonnes ton badge en bas et tu sors sans te retourner. Avant l'heure du déjeuner je t'aurai trouvé un remplaçant prêt à m'essuyer le cul si je le lui demande.

Charmant, comme image.

— Tu iras nous chercher du café, tu passeras prendre nos déjeuners, tu iras à la poste envoyer nos colis, tu entreras des chiffres dans des tableaux Excel jusqu'à en devenir aveugle si c'est ce qu'on te dit de faire. Y'a pas beaucoup de femmes, sur le parquet. À la plupart des desks, elles ne sont que deux ou trois. Et avant que tu poses la question, non, c'est pas parce qu'on a un problème avec les meufs dans cette boîte. On essaie toujours d'embaucher des nanas intelligentes, mais la plupart du temps elles se rendent vite compte qu'elles sont pas faites pour ça et démissionnent, ou alors elles se marient et démissionnent. J'ai du lait dans mon frigo qui a duré plus longtemps que certaines chez Cromwell. Au total, dans le département, vous devez être entre quarante et cinquante sans compter les assistantes administratives, qui font bande à part en général. Tu es l'une des deux femmes dans mon équipe et encore une fois, si ça te pose problème tu prends le métro jusqu'à Midtown et tu te pointes au Condé Nast Building, histoire de voir si les minettes de *Vogue* auraient pas une place pour toi, parce que moi non. Tu ne répondras pas au téléphone. En *aucun* cas tu n'es autorisée à exécuter des transactions d'*aucune* sorte, et je t'interdis de parler aux clients, sauf si quelqu'un te présente. Il va aussi falloir que tu passes les examens des séries 7, 63 et 3 avant le 15 octobre dernier délai.

La vache. Même pas trois mois pour tout bûcher.

Sur ce il a fait glisser trois énormes classeurs dans ma direction. J'en avais l'estomac tout retourné, tellement je flippais. La commission de contrôle et de réglementation des marchés financiers exigeait au moins la moyenne à ces exams, quand le poste nécessitait de parler aux clients. Dans ces classeurs, il y avait tout sur les règles de la finance, la déontologie, les escroqueries, et le b.a.-ba de la Bourse. Ces exams avaient la réputation d'être super chauds et beaucoup se faisaient recaler, vu la quantité de données à mémoriser et le milliard de possibilités de se planter. J'avais entendu dire qu'en gros, si on les loupait, on criait haut et fort à tous ses collègues qu'on était une buse et à elle seule, l'humiliation qui s'ensuivait pouvait suffire à vous faire démissionner. J'ai ouvert sans plus tarder le classeur consacré à l'examen de la série 3, qui traitait des opérations à terme et des options, et je suis tombée sur un cas pratique. J'ai lu : « Que ferait un éleveur de l'Iowa pour prévenir les effets d'une augmentation du cours du grain sur le marché à terme de la poitrine de porc ? »

Je croyais que j'allais vendre des obligations d'État. C'était quoi exactement le rapport, là ?

— Je ne sais pas ce qui se passe depuis quelque temps, avec certaines boîtes qui permettent aux analystes ayant raté leurs exams de garder leur job en attendant de les repasser, mais c'est pas comme ça que ça se passe, ici. Tu les décroches tous du premier coup en octobre, ou t'es virée.

Génial.

— Comme tu le sais, on s'habille tous décontract ici – mais pas trop quand même. J'ose croire que tu sauras adapter ta garde-robe en conséquence. Si tu portes une jupe moulante et qu'on te met la main au panier, pas la peine de venir pleurnicher sur mon épaule, et tu oublies aussi la DRH. C'est un lieu de travail, ici. Pas une boîte de nuit. L'équipe est fantastique, l'une des meilleures dans le Business. Ils bossent dur, ils adorent s'amuser, et je peux t'assurer qu'ils figurent sur la liste des êtres humains les plus marrants qu'il te sera donné de rencontrer dans ta vie. Perso, je crois que c'est parce qu'on est tous un peu fous qu'on est aussi bons dans ce qu'on fait, alors prépare-toi à en voir des vertes et des pas mûres. Au départ tu auras peut-être l'impression que c'est dur de se faire accepter, mais une fois que tu auras gagné leur respect, tu verras qu'il y a pas mieux comme collègues de travail.

Ouais, surtout s'ils me collent la main aux fesses.

— En résumé, tu fais profil bas, tu cravaches et tu évites de te mettre en travers de notre chemin. Sers-toi de ta cervelle, et tout ira bien pour toi. On est OK ? a-t-il conclu en enlevant enfin les pieds de son bureau, et en me regardant droit dans les yeux.

— Oui, Chick. On est OK.

— Une dernière chose. Je suis pas ton père, et j'en ai vraiment rien à foutre de ce que tu branles dans ta vie privée, mais il faut que tu saches que je n'approuve pas les liaisons entre collègues. T'es mignonne, et ça m'étonnerait pas que la moitié du parquet essaie de te draguer, mais j'attends de toi que tu sois plus maligne que ça. Ce que je n'attends *pas* de toi, c'est que tu sortes avec quelqu'un qui bosse à cet étage, et encore moins quelqu'un qui bosse dans *mon* équipe. La dernière chose dont j'ai besoin c'est d'une analyste geignarde qui déconne à tout va parce qu'elle a les boules qu'un gars d'ici l'ait jamais rappelée. Capiche ? On y va.

J'aurais pu répondre si Chick ne s'était pas levé aussitôt. Je crois bien que je n'avais jamais rencontré quelqu'un qui avait l'air aussi sympa et aussi cinglé en même temps.

On est descendus dans la salle géante en forme de fer à cheval, avec ses fenêtres immenses fermées hermétiquement et son plafond assez haut pour y caser un chapiteau de cirque. Je ne m'attendais pas exactement à ça, je l'avoue. Toutes ces fois où j'étais allée au travail de mon père, je n'avais jamais mis les pieds sur le parquet. Comme les banquiers ont des infos sensibles (sur les offres d'actions, les fusions, les acquisitions), ils sont maintenus à l'écart pour que ça ne revienne pas aux oreilles des traders qui eux, ne seraient pas loin de tuer père et mère pour obtenir un bon tuyau. Ils prenaient même des ascenseurs à part. À l'étage des banquiers, tout était propre et bien rangé : bois ciré, moquette soyeuse et bureaux privés. Ce que j'avais sous les yeux n'avait carrément rien à voir. Cet endroit était comme qui dirait resté coincé dans les années 1970. Les murs avaient dû être blancs, mais maintenant ils étaient plutôt couleur crème pisseux. Les longs bureaux en formica étaient couverts de taches, et les coins partout abîmés révélaient le stratifié marron en dessous. En gros, le mobilier datait de la première génération de Cromwell, et mieux valait ne pas y penser ; parce que si je commençais à cogiter sur le nombre de personnes qui avaient éternué, toussé, mangé, et fait Dieu sait quoi d'autre là-dessus ces quarante dernières années, j'allais devoir venir au boulot en combinaison blanche avec gants en latex intégrés.

J'ai gardé les yeux au sol tout en louvoyant comme je pouvais entre les rangées, en direction de notre camp de base – qui était tout au fond, évidemment. Sinon c'était pas drôle. Je sentais les regards des hommes sur moi, au passage. Ces types étaient en train d'évaluer la longueur de ma jupe et l'allure que j'avais dans ma chemise – au cas où j'aurais oublié un bouton ou, comble de l'horreur, que ma culotte se devinerait sous mes vêtements. J'allais devoir faire avec, me suis-je dit.

L'énergie était palpable dans la salle. Il y avait ceux qui beuglaient des suites de chiffres à un interlocuteur invisible, ceux qui criaient à leurs voisins de décrocher le téléphone, ceux qui hurlaient juste pour le plaisir de hurler. J'en avais les oreilles qui bourdonnaient, et je me demandais bien comment quiconque (à part Superman) aurait pu capter quoi que ce soit dans ce chaos. Ils devaient être au moins quatre cents à bosser dans la salle des obligations de Cromwell Pierce. La moitié d'entre eux étaient bruyants. L'autre moitié agressifs. La plupart se frottaient les mains à l'idée de pouvoir chahuter un peu les bizuts.

Et l'immense majorité était des hommes.

Tout d'un coup, Chick a tendu un bras devant ma tête pour intercepter au vol un mini-ballon de foot qui avait raté sa cible. À moins bien entendu que ce soit moi, la cible.

— Gaffe, Smitty ! Si t'envoies un ballon dans la face de la nouvelle pour son tout premier jour, tu vas te retrouver dans le bureau du proviseur.

Un ange est passé et j'ai cherché désespérément un truc à dire pour le chasser de là, mais je n'ai rien trouvé de mieux que :

— Ça vous arrive de jouer au foot ensemble ?

— Ça *nous* arrive, oui. Mais *toi*, ça risque pas. Tu seras trop occupée à bûcher tes exams pour avoir le temps de jouer à quoi que ce soit. Capiche ?

— Bien sûr. Je suis vraiment contente d'être ici, et je suis prête à bosser dur.

— C'est bien, Alex. Parce qu'on ne voudrait pas de toi ici, sinon.

Un rouquin chétif s'est approché, accompagné d'une blonde ridiculement mince. Ils se sont arrêtés pile devant nous, et le type m'a fait un signe de tête. Il avait la peau translucide, et les yeux si clairs qu'ils en étaient presque transparents. Il m'a tout de suite fait penser au gringalet qu'on prend dans l'équipe de foot du lycée, mais qu'on oblige ensuite à porter le filet à ballons parce qu'il n'est pas assez baraqué pour aller sur le terrain. J'avais toujours cru que ces gosses efflanqués se vengeaient plus tard sur la balance. Je m'étais trompée.

— C'est qui ? a-t-il demandé d'une voix d'automate.

— Alex, ma nouvelle recrue, a rétorqué Chick d'un ton cassant.

— Bonjour, ai-je fait.

— Salut ! s'est écriée la blonde anorexique en en faisant des tonnes. Oh, super ! Je vais enfin avoir une amie ! Tu sais, il y a pas beaucoup de filles à qui parler, ici !

Et comme si elle n'avait pas été assez explicite comme ça, elle s'est jetée sur moi et m'a serrée dans ses bras.

Son pote le lutin maléfique m'a toisée des pieds à la tête, avant d'en conclure :

— Elle est mignonne ta petite, Chick. Mais la mienne est mieux.

Puis il s'est éloigné en s'étranglant de rire, et la bimbo a filé au trot pour le rattraper. J'ai pensé : Est-ce qu'il prend le train pour venir au boulot le matin, ou bien il se contente d'enfiler son costume vert et de glisser de son arc-en-ciel jusque dans le hall d'entrée ?

Mais je n'ai rien dit. J'ai même arrêté de respirer. Chick s'est remis en marche, et m'a fait le topo :

— C'était Keith Georgalis, plus connu sous le petit nom de Dark Vador. Un vrai con. Il dirige le desk Placements à haut rendement. Et son acolyte c'est Hannah, une analyste comme toi. Une sacrée gourde, mais comme c'est un plaisir de la regarder, on la garde. Elle bosse pas pour moi, alors qu'est-ce que ça peut me faire ? Mais je te préviens, si tu commets ne serait-ce que la moitié des erreurs que cette décérébrée a déjà faites, je te vire illico à coups de pied au cul.

Comme j'aurais aimé pouvoir enfin lui répondre ; mais sur ces entrefaites Chick s'est arrêté devant une forêt d'écrans plats, et d'un grand geste de la main, a annoncé fièrement :

— Et voici le desk.

Un « desk », dans le jargon de la finance, c'est un groupe de personnes travaillant ensemble sur un produit spécifique. Mon desk, qui s'occupait de la vente des obligations d'État, était constitué de quarante employés assis en trois longues rangées, un peu comme au comptoir d'un *diner* – sauf qu'à la place des hamburgers, c'étaient téléphones, casques et papiers en pagaille. Chacun de mes futurs collègues avait son fauteuil à roulettes et un espace de travail délimité par une fine ligne d'enduit noir, comme les carreaux dans une salle de bains. Les postes étaient si rapprochés les uns des autres que si on tendait les deux bras, j'étais prête à parier qu'on arrivait à faire guili-guili à ses voisins. Le concept d'« espace personnel » ne semblait pas avoir cours ici, et en voyant ça j'ai compris que si Chick me mettait à côté d'un connard (ou pire, si je me retrouvais coincée entre *deux* connards), ma vie allait devenir un cauchemar.

J'ai examiné la situation un peu plus en détail. Chaque employé avait au moins trois ordis à son poste de travail. Chez les traders, ça pouvait aller jusqu'à six. Pour pouvoir les regarder tous en même temps, ils en surélevaient certains en les posant sur des rames de papier. J'avais du mal à croire que la quantité d'informations à repérer et à vérifier chaque jour justifiait la présence d'autant d'écrans, et j'ai flippé en pensant que jamais je n'arriverais à suivre comme les autres. À l'époque, je ne savais pas qu'on pouvait rester pendant des mois sans parler à la personne qui était à trois mètres de soi, ou même connaître son nom, tellement on était occupé. C'était possible, pourtant. Ça allait m'arriver.

J'étais super tendue, et avec toute cette adrénaline j'avais le plus grand mal à rester tranquille. J'ai regardé un à un les hommes assis dans les trois rangées. Ils étaient tous au téléphone ; quelques-uns avaient les pieds en l'air, et tripotaient distraitement des élastiques tout en parlant. Ça n'arrêtait pas de sonner, et des lumières de toutes les couleurs clignotaient sans arrêt sur une sorte de standard gigantesque. Les longues tables étaient jonchées de tasses de café, canettes, bouteilles d'eau, journaux. Si ça ressemblait au comptoir d'un *diner*, ça en avait aussi l'odeur : un mélange de graisse, de sueur, de café fort et de viande trop cuite. En jetant un coup d'œil autour de moi, j'ai vu une boîte gigantesque de sandwichs au bacon, à l'œuf et au fromage qui traînait par terre. Je suis passée du haut-le-cœur à l'euphorie en remarquant juste à côté la seule autre femme de notre desk. Note pour plus tard : aller me présenter dare-dare à ma future alliée dans cette jungle.

Chick m'a attrapé par les épaules et s'est mis à me faire pivoter de quarante-cinq degrés toutes les quelques secondes, en pointant du doigt les différentes rangées remplies de gens importants occupés à conclure des affaires qui ne l'étaient pas moins.

— En deux mots, la salle est organisée comme ça. (Quart de tour à gauche, dans le coin.) Ça, c'est le desk Marchés émergents. On y vend des titres émis par des pays comme le Brésil, le Mexique, le Chili. Il couvre quasiment toute l'Amérique latine. (Quart de tour à droite, milieu de la salle.) À gauche on a donc les placements à haut rendement, soit des titres émis par des entreprises ayant un indice de solvabilité bas. En clair, ça veut dire que leur dette est plus risquée que celle des entreprises plus grosses et mieux établies, comme Ford, IBM, Procter & Gamble et la plupart des grands noms de l'industrie. Ceux-là sont gérés par le desk Titres de première catégorie, qui se trouve directement à leur gauche. Juste après tu as les Hypothèques, qui se passent d'explication j'espère, et contre le mur, là, c'est l'équipe Marché monétaire. Ils vendent des titres qui viennent à échéance à court terme, un an ou moins. (Quart de tour à droite, en direction d'une bande de nerds qui se terraient dans un coin.) Par là-bas on a l'équipe Produits structurés, qui cogite sur des trucs hyper compliqués. La plupart des gens y pigent que dalle, y compris la majorité de tes collègues dans cette salle. Tu finiras par savoir ce qu'ils font, parce que c'est moi qui te forme et qu'y'a pas de place pour les neuneus dans mon équipe. Enfin, juste au coin tu as le desk Marché des changes, où on échange des devises du monde entier. Si tu voyages en Europe un jour, il faudra que tu vérifies le taux de change avant de prendre des livres sterling ou des euros. C'est leur job. Capiche ? À part ça, il y a des économistes et des stratégistes éparpillés un peu partout. Toute façon, au début, tu seras surtout en relation avec des gens qui s'occupent de cours.

J'essayais d'enregistrer ce qu'il disait, mais mon cerveau semblait s'être arrêté de fonctionner à peu près au moment où il avait mentionné le Brésil. C'était officiel : j'étais foutue.

— Parlons un peu d'eux, là, a-t-il enchaîné en pointant du doigt deux rangées qui se faisaient face, les écrans surélevés formant comme un mur entre les employés pour qu'ils n'aient pas à se mater toute la journée. Voici le desk Transactions. En fait, ces types cotent et échangent les valeurs que nous, au desk Ventes, on achète et on vend pour le compte de nos clients. En tant que commerciaux, notre job consiste à faire régulièrement des propositions à ces mêmes clients et, plus généralement, à les tenir informés et à faire en sorte qu'ils soient satisfaits. Quand ils décrochent leur téléphone, ils peuvent appeler n'importe quelle boutique du quartier pour leur transaction. Le but est qu'ils nous appellent *nous*. Et comment on fait ça ? En étant des putains de bons commerciaux, voilà comment. C'est ça qu'on va t'apprendre. À être une putain de bonne commerciale. Capiche ?

J'avais la tête qui tournait, et j'aurais juré avoir entendu l'ordi de l'un des traders caqueter comme une poule au moment de pondre. Là, tout de suite.

Punaise, mais où je suis tombée ?

— Euh, c'est quoi, ce bruit ? ai-je demandé pour en avoir le cœur net, parce que si je ne venais pas vraiment d'entendre ce que je venais d'entendre, j'étais peut-être à deux doigts de faire une attaque.

— Quoi, la poule ? m'a-t-il fait.

Ouf, j'étais soulagée – et en même temps un peu affolée de voir que des bruits de basse-cour intempestifs dans une salle des marchés n'avaient pas l'air de le perturber plus que ça, apparemment.

— C'est ça, la poule, ai-je insisté.

— Certains traders ont programmé leur ordi pour faire des bruits d'animaux de la ferme quand ils ont réalisé une transaction. Ils ne peuvent pas avoir les yeux sur tout, tout le temps, c'est impossible. Alors, les effets sonores les aident à savoir où ils en sont. Du coup, t'étonnes pas si t'entends un truc qui fait meuh, ou ouaf-ouaf, ou grouic-grouic ! Il y a un petit jeune qui a mis une cloche de vache, mais c'est super agaçant. Je l'entends même dans mon sommeil, son foutu truc.

À moins de la vivre, c'était impossible de visualiser cette scène, même en prenant trois comprimés de LSD et en s'enfermant dans un placard.

Gloups.

— Alors, prête ? m'a demandé Chick en retournant à notre desk, où il passait le plus clair de son temps, malgré son bureau perso.

*Si j'étais prête ?* Je n'étais pas fichue de me souvenir d'un seul truc dans tout ce qu'il m'avait dit. J'avais besoin d'une carte et limite d'une boussole pour m'orienter. Sans compter un glossaire de la finance. Et vite fait !

J'ai failli réussir à lui demander de clarifier certains points, mais il m'a grillée une fois de plus en criant bien fort :

— OK tout le monde, écoutez-moi. Voici Alex, notre nouvelle analyste. Dites-lui bonjour et soyez sympas, mettez-la à l'aise.

Ils ont été quelques-uns à me faire un petit signe de la tête, d'autres de la main. Un gars est allé jusqu'à se lever pour me serrer la main, mais il était au téléphone en même temps alors il ne m'a pas vraiment parlé. J'ai regardé autour de moi, et remarqué qu'il n'y avait pas de poste de travail vide. Comme il n'était pas question que je m'assoie sur les genoux de quelqu'un, j'espérais bien que Chick allait me dire où j'étais censée me mettre. Quand lui-même s'est assis et qu'il a commencé à taper dans un tableau Excel gigantesque, j'ai compris que je pouvais me brosser.

Pas le choix : je devais lui demander, ou bien j'allais passer la journée debout dans l'allée comme si j'étais la mascotte de l'équipe.

— Excuse-moi, Chick, mais où devrais-je m'asseoir ? ai-je fait fébrilement.

— Tiens.

Sans quitter sa feuille de calcul des yeux, il a tendu le bras derrière lui pour attraper une chaise pliante en métal qui était posée contre le mur. Et qu'on avait dû faucher dans une maternelle, c'était pas possible. Je lui ai pris ce truc riquiqui des mains et je l'ai tenu devant moi, comme ça, l'air complètement ahuri.

— T'as pas encore de bureau à toi, m'a-t-il lancé en ne cherchant surtout pas à cacher son agacement. Faut qu'on voie où est-ce qu'on va te caser. En attendant, contente-toi de déplier la chaise derrière quelqu'un et d'observer ce qu'il fait. Tu restes un moment, ensuite, tu tournes.

Ça se bousculait dans ma tête. Comment c'était possible qu'ils n'aient pas de bureau pour moi ? C'était quand même pas comme si je m'étais pointée sans prévenir. J'avais entendu parler de la campagne de recrutement en octobre dernier. On était en juillet. En dix mois, ils n'avaient même pas réussi à me dégoter un bout de table ? Sur ces entrefaites un homme frôlant la quarantaine est arrivé, et a mis une main sur l'épaule de Chick en me zieutant comme si j'étais Titi et lui Grosminet. Il devait faire facile plus d'un mètre quatre-vingt-dix, énormes biceps, large d'épaules et des cheveux en brosse d'un blond platine. Jamais il ne m'a quitté des yeux, même s'il parlait à Chick. J'étais si mal à l'aise que je me suis prise d'une passion soudaine pour les motifs de la moquette.

— Yo, Chicky, c'est elle la bleue ? a-t-il demandé d'un accent épais et traînant, un accent du sud.

— Alex. Notre nouvelle analyste.

— Pas mal, la petite. Tu crois que je pourrais me la taper ?

— Je la sens fougueuse comme fille, alors ouais, probablement. Mais je doute qu'elle en ait envie, par contre.

— Donne-lui le temps, Chick. Donne-lui le temps. (Il s'est baissé pour prendre l'avant-dernier sandwich dans la boîte, et me l'a tendu.) Hé, Alex. Bienvenue chez Cromwell. Tiens, un sandwich pour toi.

Ses mains étaient aussi nickel que celles de Chick.

— Non merci, ça va, ai-je répondu poliment.

— Qu'est-ce qu'il y a, t'aimes pas le cochon ?

— Pardon ?

— Le cochon. Le bacon, quoi. T'es pas juive, au moins ? Si t'es pas juive, alors pourquoi ça te branche pas, le cochon ?

— Quoi ? Euh, non merci, j'ai déjà mangé. Mais je n'ai pas de problème avec le cochon, non.

— Comme tu voudras, la bleue. Ça vaut probablement mieux, toute façon. Si tu te mets à manger du bacon tous les jours, tu vas perdre ton joli petit cul musclé en un rien de temps, et personne ici veut devoir regarder une jolie nénette avec des grosses fesses. J'espère que t'as pas de troubles de l'alimentation, sinon t'es mal.

Sur ce, il a jeté le sandwich dans la boîte, m'a fait un clin d'œil et a tourné les talons.

J'ai fixé Chick en attendant qu'il dise quelque chose, n'importe quoi, pour ma défense. Mais au lieu de ça, il a sorti son portefeuille et son BlackBerry d'un tiroir, il s'est levé, il m'a donné une grande tape dans le dos et il m'a annoncé :

— Je pars jouer au golf, mais je viens au bureau demain.

Et il m'a plantée là. Je l'ai regardé partir, et j'ai eu comme l'impression de voir mon canot de sauvetage faire demi-tour alors que je me débattais dans des eaux infestées de requins. Ça faisait une heure à peine que j'étais salariée chez Cromwell et jusque-là, c'était à l'opposé de tout ce que j'avais pu imaginer.

Je suis restée debout, désespérément cramponnée à ma chaise pliante comme si c'était un doudou, et j'ai regardé avec insistance mes nouveaux collègues, mais personne n'a daigné venir se présenter. Alors je me suis mise à arpenter la première rangée comme si je remontais le couloir de la mort, jusqu'à ce qu'un homme qui ressemblait drôlement à Andy Garcia m'arrête au passage. Il avait la même peau bronzée, les mêmes cheveux noirs, les mêmes yeux rêveurs et (merci mon Dieu) un sourire.

— Hé, m'a-t-il fait en me serrant la main. Je m'appelle Drew. Ça te dirait de rester avec moi aujourd'hui ?

— Oh, vraiment ? (Je me sentais aussi soulagée que si j'avais évité in extremis d'être prise en dernier dans l'équipe pour jouer au ballon prisonnier.) Ce serait super, merci.

— Prends une chaise… Euh, pliante. Enfin bref.

Il a fait rouler son fauteuil sur le côté pour me faire de la place. J'ai regardé d'un air éberlué tous ces chiffres qui défilaient à vitesse grand V, les graphiques, les feuilles Excel, les couleurs diverses et variées qui clignotaient spasmodiquement sur ses écrans. Drew m'a souri, et il a dit :

— Tant que t'auras pas ton propre poste – et connaissant l'endroit, ça pourrait prendre un an –, tes journées se résumeront à suivre un collègue comme son ombre. Il y a plusieurs choses que tu dois savoir. (Vite, j'ai ouvert mon calepin, impatiente de recevoir ma première leçon en vente d'obligations d'État.) Primo, ne laisse pas ta chaise dans le passage, c'est le moyen le plus sûr de faire chier le monde. Rapproche-la le plus possible du bureau.

— Ça, c'est fastoche.

Pas exactement le genre de leçon que j'espérais, mais c'était mieux que rien.

— Deuzio, ne les énerve pas. Quand les gars sont occupés, ne leur pose pas de questions. Et n'essaie surtout pas de leur faire la conversation. Jusqu'à ce qu'on te connaisse un peu mieux, ça n'intéresse personne ici de te parler. Désolé, mais c'est la vérité.

— Ne parler à personne. Compris.

— Et quoi qu'il arrive, évite comme la peste Kate Katz, alias Cruella.

J'ai jeté un coup d'œil à la femme qui était assise au bout de la rangée, en train de parler au téléphone. Il faisait forcément référence à elle, vu qu'on était les deux seuls membres féminins du desk. Elle me rappelait une de mes instits en primaire – avec des fringues et une coupe plus chics, juste. Elle portait un carré court châtain, les mèches rebelles bien calées derrière les oreilles, et sa chemise blanche impeccable était rentrée dans son pantalon bleu marine. Petits diamants aux oreilles, maquillage sobre, mocassins. En clair, pas exactement l'archétype de la personne intimidante. Elle avait même l'air plutôt sympa, ai-je pensé.

— Pourquoi tu me dis ça ?

— Fais-moi confiance, sur ce coup-là. Tertio, j'imagine que

t'as remarqué le stand de café dans le couloir ?

— Oui, je l'ai vu en sortant de l'ascenseur.

— Bien. On l'appelle Papa. Me demande pas pourquoi. Fais-toi copine avec ceux qui bossent là. Tu vas passer pas mal de temps à ramener du café pour l'équipe, alors plus tu seras rapide et efficace dans cette mission, mieux ça vaudra. S'ils t'aiment bien, ils s'occuperont de toi plus vite. Pour le reste, ben, t'apprendras au fur et à mesure. Aujourd'hui, on va commencer en douceur. Je vais te montrer un peu ce qu'il y a sur ces écrans, et t'apprendre à suivre les marchés. Ça te va ?

Ça me va très bien, même. Si je pouvais, je te canoniserais, Drew.

— Merci beaucoup.

— De nada. OK, où est ta calculatrice ?

Aussitôt, j'ai brandi la machine flambant neuve que la DRH nous avait distribuée.

— Je l'ai. Qu'est-ce que je dois faire ?

Il m'a tendu la sortie papier d'un tableau rempli de colonnes de chiffres écrits en caractères si petits que j'ai dû plisser des yeux comme une grosse myope pour y voir quoi que ce soit.

— Donne-moi la moyenne pondérée de ces cours. Souviens-toi qu'ils sont mis à jour toutes les trente secondes, et donc qu'on les exprime ainsi. Il va falloir que tu les convertisses en décimales avant de faire la moyenne. Vérifie aussi les cours de base, pour être sûr qu'il n'y en ait pas de suspects. Ils devraient tous être à peu près au pair. Si ce n'est pas le cas, dis-le-moi et je revérifierai. Il y a probablement quelques erreurs, là-dedans.

— Pas de problème, je te fais ça.

Je le pensais vraiment, et je le lui aurais fait tout de suite – il suffisait juste qu'on m'explique avant ce que c'était qu'un cours de base, comment on faisait une moyenne pondérée, et comment on transformait des secondes en décimales. Dès que j'aurais pigé tout ça, je m'y mettrais.

Il m'a fait un sourire entendu.

— Tu vois pas du tout de quoi je parle, c'est ça ?

— Je, euhhhh…

Et merde.

Mes cours d'éco me paraissaient bien inutiles, tout d'un coup. J'aurais mieux fait de me spécialiser en tissage de panier traditionnel, pour ce que ça m'aidait maintenant.

— Sois honnête, Alex. Ça sert à rien de faire semblant de capter ce que je te dis, à part te mettre des bâtons dans les roues. Alors rends-toi service, et admets que tu ne sais pas.

— Tu m'aurais donné une recette de cuisine en ouzbek que ça m'aurait fait le même effet.

Drew a ri un bon coup, puis il a pris le tableau et m'a indiqué le premier chiffre dessus : 99-28.

— Regarde. La partie gauche du cours, le « 99 », c'est le cours de base. Si t'enregistres cette transaction à 98-28, le trader te dira que ton cours est « au-dessous du pair ». Tout le monde sait à quel prix les titres s'échangent, alors en général on zappe carrément cette partie-là. Pour gagner du temps, quoi. Donc, pour me donner la cotation de ce titre, le trader me dirait simplement « 28 ». Quand je t'ai demandé de rechercher les cours de base suspects, je voulais dire que si la plupart des titres s'échangent à plus ou moins 100 dollars, et que tu repères un cours entre 70 et 80, mettons, c'est probablement qu'il y a un problème.

— OK, je comprends mieux. (J'ai mis le doigt sur la partie droite de la cotation, le « 28 ».) Donc, ça, c'est ce qui est exprimé en secondes ?

— Voilà. Les titres sont cotés toutes les trente secondes, donc c'est le chiffre qu'on note ; et pour transformer tout ça en décimales, il suffit de diviser 28 par 32.

C'était des maths niveau collège, rien extraordinaire là-dedans. J'ai allumé ma calculatrice, tapé 28, appuyé sur la touche Division, puis tapé 32 et enfin pressé la touche Égal. L'écran m'a marqué : Erreur.

— Zut, je crois bien que ma calculatrice est cassée, ai-je dit à

Drew en lui montrant l'écran.

— J'imagine que t'as jamais eu de calculatrice financière entre les mains ?

— Non, on en avait des normales en cours.

— Eh bien sache que ces calculatrices ne fonctionnent pas comme les « normales ». Après chaque saisie tu dois taper sur Entrée, et tu n'appuies sur la touche de la fonction qu'à la toute fin. En clair, tu tapes 28, puis Entrée ; 32, puis Entrée ; et c'est seulement là que t'appuies sur la touche Division. C'est toujours comme ça qu'il faut procéder. Si tu veux savoir combien font 2 plus 2, tu dois faire 2, Entrée, 2, Entrée, Plus.

— Non mais sans déc', tu crois que les types qui ont inventé ça ils auraient pas pu faire comme pour toutes les calculatrices du monde libre, au lieu de nous compliquer la vie inutilement ?

— T'as pas tort. Mais moi, j'en sais foutrement rien pourquoi c'est comme ça. Tu t'y feras, t'inquiète.

— Si tu le dis.

— Bon, j'ai quelques coups de fil à passer. Tu penses que tu peux me faire ce que je t'ai demandé, maintenant ?

— Je crois que oui. Je vais essayer.

— Bien. N'hésite pas si t'as des questions mais avant tout, fais preuve de bon sens. Si je suis en train d'engueuler quelqu'un au téléphone ou de perdre de l'argent sur une transaction, je vais pas trop aimer que tu viennes geindre parce que t'arrives pas à faire marcher ce bidule.

— Compris. Merci pour ton aide. Je pensais pas avoir autant de choses à apprendre, je crois.

— Tu n'imagines même pas, La Fille, m'a-t-il répondu en gloussant, avant d'attraper son casque et d'appuyer sur un bouton.

Pour ne pas être en reste, j'ai empoigné ma stupide calculatrice financière pour m'atteler à ma première vraie mission en tant qu'employée de Cromwell Pierce.

# *Chapitre 3*

# La Fille

J'ai passé le reste du mois à bosser comme une folle. J'étais au bureau à 6 h 15 tous les matins. Je voulais faire bonne impression – à défaut d'autre chose, quoi. Je passais mes journées assise derrière les uns et les autres sur ma chaise pliante, et la plupart du temps on m'ignorait superbement. Quelques-uns se sont tout de même dévoués pour m'expliquer comment déchiffrer un nombre impressionnant d'applications, et j'ai docilement observé les chiffres qui défilaient sans cesse et dans toutes les couleurs de l'arc-en-ciel, jusqu'au vertige. J'ai appris à distinguer celles qui donnaient les cours de la Bourse, du marché obligataire, des produits dérivés, des swaps ; celles où l'on pouvait compulser le calendrier des indicateurs économiques publié ce jour-là, le taux de change des devises en temps réel, les écarts de cours ou « spreads », comme on dit dans le jargon, les cours des contrats à terme, du marché européen, asiatique. Je ne comprenais toujours pas vraiment ce que je lisais, mais je me suis forcée à étudier les chiffres qui clignotaient comme des mini-stroboscopes sur les écrans jusqu'à en avoir mal aux yeux. De temps à autre on me donnait de petites missions, ce qui posait problème vu qu'elles impliquaient toutes d'avoir accès à un poste de travail.

La seule solution était de rester tard tous les soirs, et d'emprunter l'ordi de quelqu'un pour résoudre les équations mathématiques que j'étais censée rendre le lendemain matin. En général, j'arrivais à la maison vers 20 heures, je mangeais ce qui tombait du frigo et je m'écroulais sur le lit tellement j'étais épuisée. Le visage de Liv commençait à s'estomper de ma mémoire, et je me souvenais vaguement d'avoir dit combien on allait profiter de notre appart sympa en ville – à part qu'on n'avait pas le temps, vu comme on bossait. Tous les matins j'avais droit à un quiz sur ce qui s'était passé d'important dans le monde pendant que je dormais, et ce qui avait pu faire bouger le marché durant les heures d'ouverture des Bourses asiatiques. La quantité de choses que j'étais censée savoir était tout simplement ahurissante. Je ne connaissais toujours pas le nom de mes collègues, à part Chick, Drew, Reese (Le Fan de Cochon) et Kate/Cruella. Je crois bien que personne ne connaissait le mien. Pour faire simple, ils m'appelaient « La Fille ». Le jour où je me suis rendu compte que je répondais quand on m'appelait comme ça, j'ai drôlement flippé.

Un matin particulièrement torride d'août, je luttais pour ne pas piquer du nez en écoutant un grand baraqué avec des paluches grosses comme des gants de base-ball m'expliquer par le menu les subtilités du marché obligataire. Il avait la barbe en broussaille et une lueur de gentillesse dans ses yeux marron foncé, même s'il aurait pu me broyer le crâne à mains nues, à mon humble avis. Il s'appelait Billy Marchetti, mais tout le monde l'appelait Marchetti. Le petit farceur était en train de me lancer des élastiques dans la figure pendant que je finissais l'équation qu'il venait de me donner quand tout d'un coup, un type a déboulé dans la salle et crié à tue-tête : « Pizza en bas ! »

Pas besoin de regarder ma montre, je savais exactement quelle heure il était. Chaque vendredi depuis six semaines, un gars hurlait « Pizza en bas ! » à 10 h 30 pétantes. Et chaque vendredi matin à 10 h 30 pétantes, le parquet tout entier éclatait en applaudissements comme si on était au stade et que les Yankees venaient de marquer contre les Red Sox. J'avais eu un aperçu des habitudes alimentaires un peu spéciales de la salle des marchés lors de mon premier jour chez Cromwell, avec ces centaines de sandwichs à l'œuf et au bacon dégoulinants de graisse, dévorés aussi vite qu'il était humainement possible en évitant l'étouffement. À l'époque, je n'y avais guère prêté attention. Mais c'était avant que je prenne conscience du rôle essentiel que joue la bouffe dans le monde de la haute finance. Tous les jours c'était une débauche de bagels, un délire de sandwichs, une orgie de doughnuts. Quelqu'un les apportait solennellement dans d'immenses boîtes en carton et arpentait ensuite les rangées avant de les laisser tomber tous les dix mètres, comme des mines antipersonnel. En quelques secondes, des dizaines d'hommes adultes fondaient en piqué sur ces offrandes comme des abeilles affamées sur une ruche, chopant tout ce qu'ils pouvaient choper. On ne croirait pas que des gars avec des salaires annuels à sept chiffres seraient autant émoustillés par des doughnuts gratuits. On ne croirait pas, hein.

L'heure du déjeuner chez Cromwell, c'était un peu comme l'heure du repas des animaux au zoo : ceux qui étaient rapides et forts mangeaient en premier ; ceux qui étaient petits et lents avaient plutôt intérêt à se barrer de là. Un exemple de sélection naturelle dans l'écosystème de l'homme nanti qui aurait sûrement fasciné Darwin. En plus, loin d'eux l'idée de se restreindre aux habituels restos chinois et pizzerias. S'il prenait l'envie à quelqu'un de commander pour 2 000 dollars de penne à la vodka, d'escalopes de veau parmigiana et de salades Caesar dans un resto chic qui n'assurait *pas* les livraisons, c'était le chef en personne qui se déplaçait. Des fois c'étaient du poulet frit, des côtes de porc et du pain de maïs livrés par plateaux entiers d'un célèbre restaurant de barbecue de Midtown ; d'autres, du poulet *kung pao*, *lo mein*, et tout ce qu'on pouvait trouver sur le menu d'un resto chinois ; et, à intervalles réguliers, un bon cheeseburger-frites. Une fois l'orgie passée, quand le coup de pompe de l'après-midi commençait à se faire sentir, il y avait fatalement quelqu'un pour se pointer avec des milkshakes, des sandwichs glacés ou des paquets de bonbons achetés au supermarché du coin. Quand c'était l'anniversaire de quelqu'un, les secrétaires commandaient un gros gâteau (qui croulait sous les décors en pâte à sucre, en général), *plus* des cookies au chocolat par dizaines. À ce rythme-là, et vu que je ne faisais pas partie de la catégorie femme-bionique-qui-peut-se-goinfrer-sans-prendre-un-gramme, j'allais grossir en un rien de temps. Et j'étais célibataire. Ce n'était pas bon signe. Pas bon signe du tout, même.

Ce matin-là, Chick a appuyé sur un bouton, et sa voix s'est retrouvée diffusée dans toute la salle.

— Bien reçu, Frankie. On s'en charge. Les pizzas seront livrées à domicile dans cinq minutes, sinon tu as la permission de taper mon analyste. (Il m'a pointée du doigt.) La Fille, aujourd'hui t'es mon esclave. Va chercher les pizzas, et ramène-les à Frankie. Go.

Chick croyait beaucoup à l'esprit d'entreprise, d'initiative, tout ça quoi. Jusque-là, j'avais à peu près réussi à suivre sans avoir à demander d'éclaircissements. Mais étant donné que je ne savais pas combien de pizzas j'étais censée prendre, ni avec quel argent j'étais supposée les payer, ni même qui était ce foutu Frankie, je me suis dit qu'il valait tout de même mieux me renseigner avant.

Je me suis approchée en catimini et, dans son dos, le plus gentiment possible, j'ai demandé :

— Je suis désolée, Chick. Combien de pizzas veux-tu que je rapporte ? Et comment dois-je les payer ?

— Je crois bien que mes chaussures ont besoin d'être astiquées, a-t-il répondu en examinant ses mocassins parfaitement brillants. Hé, La Brosse ! (En tournant la tête, j'ai compris qu'il appelait le cireur qui exerçait son art dans la salle des marchés.) Tu donnerais un p'tit coup sur ces pompes, mon pote ? Elles m'ont l'air un peu ternes.

L'homme en question est arrivé avec sa boîte à cirage et son minuscule tabouret, et après l'avoir déplié il s'est mis à cirer sans dire un mot.

Enfin, Chick m'a regardée comme si j'étais un moucheron agaçant. Mais il ne m'a pas répondu, non. À la place, il a hurlé par-dessus son épaule :

— Willy ! T'es dans le coin ?

Un homme qui devait avoir entre vingt-cinq et trente ans a passé la tête par-dessus un écran d'ordi dans la dernière rangée, sucette à la bouche et combiné à l'oreille. Je ne l'avais jamais remarqué : curieux, parce qu'il était plutôt mignon.

— Ouais, Chick ? a-t-il répondu tout aussi fort.

— Ramène tes fesses ici, Alex a besoin d'un baby-sitter pour aller chercher les pizzas.

Ni s'il te plaît, ni merci : juste un ordre.

Charmant.

Trente secondes après, Will passait en coup de vent devant le bureau de Chick et me faisait signe de le suivre. Il portait la sacro-sainte chemise bleue (de la célèbre nuance « bleu finance ») sous un pull anthracite léger. Il était brun aux yeux bleus et bien foutu, sans avoir l'air de passer tout son temps libre à soulever des poids à la salle de sport en s'admirant dans la glace. Mon partenaire pizza était incontestablement beau, mais pour un salarié de Cromwell, il était carrément à ranger dans la catégorie Stars de Ciné.

— Merci de venir avec moi. Je m'appelle Alex, ai-je dit en prenant un air cool pour lui serrer la main.

— Et moi c'est Will Patrick. Enchanté, Alex. T'es la nouvelle opprimée de Chick, c'est ça ?

— En gros, oui. Chick vient de t'appeler Willy. Tu préfères que je dise quoi ? Il y a tellement de surnoms à retenir, ici, je m'y perds un peu.

Il a souri, révélant une rangée de canines parfaitement blanches. On aurait pu se servir de sa bouche comme doublure dans une pub pour dentifrice.

— Appelle-moi Will, si tu veux que je te réponde. Chick est le seul à avoir le droit de m'appeler Willy sans s'en prendre une : si tu veux tout savoir, il prend un malin plaisir à me dire tous les matins que ça rime avec « zizi ». Malheureusement pour moi, quand j'étais à ta place, j'ai fait l'erreur de lui avouer que je détestais quand il me disait ça. Et maintenant je te parie que si on l'y autorise, Chick le fera mettre sur mon épitaphe.

— T'es en train de me dire que je ferais mieux de m'habituer à ce qu'on m'appelle « La Fille », c'est ça ?

— C'est ça, oui.

— Super. Sinon, combien de pizzas on est censés rapporter ?

Il m'a fait un petit sourire narquois. Quand on est arrivés dans le hall, j'en suis restée comme deux ronds de flan. Cinq livreurs nous attendaient, avec cinq tours de cartons à pizza à leurs pieds. Quand Frankie avait crié « Pizza en bas », il voulait en fait dire il voulait en fait dire « Cent pizzas en bas ». Will s'est baissé pour prendre une moitié de tour, et me l'a tendue.

— T'arriveras à en porter dix à la fois, tu penses ?

— Euh, oui. C'est-à-dire que c'est une première, pour moi.

— Va falloir t'y faire, La Fille, a-t-il dit en prenant la seconde moitié et en me décochant un sourire. On y va.

Il s'avère que j'ai toujours eu une relation compliquée avec la loi de Murphy. Vous savez, cette loi de l'emmerdement maximum, qui dit que si votre tartine beurrée doit tomber, ce sera forcément du côté du beurre. Pour une raison que je ne m'explique pas, j'ai tendance à me couvrir de honte au plus mauvais moment *et* de façon tout à fait excessive. Je me suis toujours sentie bien dans mon corps, mais demandez-moi de remonter l'aile d'une église dans une robe longue de demoiselle d'honneur et vous verrez qu'immanquablement, je trébucherai. Il est arrivé que mes talons aiguilles se prennent dans l'ourlet d'un pantalon (que je porte tout le temps) pile au moment où je passais devant un mec mignon, et j'ai déjà atterri sur les fesses au beau milieu d'un trottoir bondé de Midtown sans comprendre pourquoi. Comme si la loi de Murphy ne pouvait pas me sentir, quoi.

Partant de là, je n'étais définitivement pas celle à qui il fallait confier dix pizzas à porter à bout de bras pour monter deux escalators, prendre un ascenseur, marcher jusqu'au bout d'un couloir, monter un petit escalier, descendre un petit escalier, et arriver enfin au bureau de Frankie – où qu'il soit. Très lentement (ai-je précisé que je portais des escarpins avec dix centimètres de talon qui me faisaient un mal de chien, et une jupe crayon qui m'obligeait à marcher comme une geisha ?), j'ai suivi Will jusqu'à la salle. Il n'était que 10 h 30 : quelqu'un pouvait m'expliquer pourquoi on avait besoin de huit cents parts de pizzas à deux heures du déjeuner ?

Une éternité plus tard, on a localisé Frankie, un trader qui bossait au desk Obligations corporate, à l'autre bout de la salle. Will a déposé sa moitié de tour par terre et j'ai voulu faire pareil, sauf que tout le monde s'est rué sur moi avant que j'aie le temps de dire « ouf ». Une fois délestée, j'ai tourné les talons direction les ascenseurs, et c'est là que j'ai remarqué Will qui retournait à son bureau. Je l'ai appelé, pensant qu'il avait oublié les quatre-vingts pizzas qui nous attendaient encore en bas.

— Désolé, mais je suis juste descendu avec toi pour te montrer comment faire. Maintenant, c'est à toi de jouer.

— Sérieux, tu vas me laisser faire huit voyages de plus toute seule ? Tu vas pas m'aider ? Et comment je suis censée payer, d'abord ?

Il est parti d'un grand rire, savourant visiblement le dernier bizutage en date de la bleue. Mon petit doigt me disait que c'était loin d'être fini.

— Sérieux, non, je ne vais pas t'aider, mais j'ai foi en ta capacité à ne pas foirer le portage de pizzas. C'est les courtiers qui nous les font livrer chaque semaine. La facture leur est envoyée directement. Ravi d'avoir bavardé avec toi, La Fille. On devrait remettre ça, un de ces quatre.

Je l'ai regardé s'éloigner, dos tourné. Mais oui, bien sûr : un cadeau. La centaine de pizzas hebdomadaire. Forcément. Merde, mais comment j'allais faire pour ne pas prendre dix kilos ? Quinze minutes et huit allers-retours plus tard, j'ai balancé la dernière tour sur le bureau de Frankie et je suis retournée à ma chaise pliante, en slalomant entre cartons vides et croûtes esseulées.

— Hé, A ! ai-je entendu une voix dire derrière moi. En me retournant j'ai vu Will qui me décochait une nouvelle fois son sourire Ultra Brite, et tenait une part de pizza en l'air comme pour me porter un toast. Je n'ai pas pu m'empêcher de sourire en retour.

Chick m'avait interdit de sortir avec quelqu'un du bureau, mais il ne m'avait jamais interdit de flirter.

C'est bien ça, non ?

⁂

En septembre, après deux mois passés à jouer aux coursiers anonymes, il a commencé à me tarder d'aller à l'excursion en bateau annuelle des analystes de Cromwell. Cette mini-croisière était une tradition, apparemment. La boîte louait un yacht pour ses employés, la nouvelle fournée et quelques-uns ayant de l'ancienneté, dans le but de « renforcer l'esprit d'équipe » comme ils disaient. On partait des quais de Chelsea, et on faisait le tour de l'île de Manhattan le temps d'une soirée. Curieusement, le fait de savoir que j'allais pouvoir partager mes histoires d'horreur avec des semblables, qui comprenaient combien c'était rude d'être la nouvelle recrue au desk, me paraissait tout à coup divin.

Étant donné que Chick aurait préféré se trancher la main gauche plutôt que de passer toute une soirée coincé sur un yacht (si grand soit-il) avec une bande de blancs-becs sans aucun intérêt, il envoyait quelqu'un pour le représenter.

— Alors, mini-croisière ce soir ? m'a demandé Chick le jour J, tout en se sifflant un soda.

— Oui, d'ailleurs il faudra que je parte à 17 h 30. Ça ira, j'espère.

— No problemo. Reese y sera. Amuse-toi bien.

Super, Le Fan de Cochon venait. Moi qui avais fait exprès de l'éviter depuis mon premier jour… Je crois bien qu'il me fichait les jetons.

— Merci. Je suis sûre que ça va me plaire.

À mon arrivée sur le quai, deux serveurs en smoking blanc et nœud pap se tenaient de chaque côté de la passerelle d'embarquement, avec des coupes de champagne sur un plateau levé bien haut. Pas mal, comme accueil. Quelque part sur le pont supérieur un DJ enchaînait des classiques de la pop, suffisamment fort pour que tous ceux qui passaient par là s'arrêtent et regardent le yacht, bouche bée. J'ai repéré quelques visages familiers, mais je n'ai reconnu aucun des stagiaires en banque d'investissement. Il devait probablement y avoir cinquante ou soixante nouveaux analystes dans toute la boîte, mais j'avais déjà décidé de ne parler qu'à ceux du département Ventes et transactions, parce qu'on pourrait se raconter nos malheurs sur le parquet – au moins, on avait ça en commun. Je suis allée prendre un verre de vin blanc au bar, puis j'ai tenté une approche de mes frères dans l'inexpérience en me disant qu'on était tous dans la même galère, de toute façon.

— Salut ! ai-je couiné en me joignant à la conversation. Comme d'hab j'étais en infériorité numérique, mais cette fois-ci c'était le pompon : j'étais la seule minette dans un yacht de mecs.

— Salut, ont marmonné quelques-uns. Les autres se sont contentés de faire comme si je n'étais pas là.

— Alors, quoi de neuf les gars ? Ces deux derniers mois ont été super bizarres, non ? La chaise pliante, c'est un truc de dingue, quand même.

Tous les yeux se sont tournés vers moi, l'air surpris, comme si je venais de leur avouer que je m'étais fait enlever par des petits bonshommes verts.

— Une chaise pliante ? a répété un analyste plus expansif que la moyenne. Tu plaisantes, j'espère ?

— Mais non ! Attends, on vous fait pas asseoir sur des chaises pliantes, vous ?

— Ben non, moi j'ai un bureau. Pas toi, Dan ?

— Bien sûr que si, a répondu le Dan en question, que je reconnaissais de la formation. Comment c'est possible que t'aies pas de bureau, Alex ? C'est humiliant, ton truc. Et tu peux m'expliquer ce que tu fous toute la journée si t'as même pas d'ordinateur ?

Tout d'un coup, j'ai eu l'impression d'être au beau milieu d'un de ces rêves où l'on se pointe en cours tout nu.

— C'est que… eh ben, pour le moment… y a pas… Euh. Vous avez vraiment tous accès à un poste de travail ?

Ça ne m'avait jamais traversé l'esprit qu'être orpheline de bureau n'était pas la norme, pour les bleus.

— Ouais, Alex, on a vraiment tous un bureau et un fauteuil. Clairement, ton équipe pense que t'en mérites pas un. Ben dis donc, je voudrais pas être toi. Ça a l'air trop nul. Et sinon, les gars, vous allez au match Yale-Harvard cet automne ?

Du foot américain, quelle subtile façon de m'exclure de la conversation, Dan.

J'ai discrètement battu en retraite vers la proue, puis je me suis appuyée contre le bastingage le plus dignement possible et j'ai admiré la statue de la Liberté, telle l'exclue, la paria parmi mes pairs que j'étais. J'ai entendu quelques bribes de conversation, dans lesquelles chaque analyste tentait de prouver aux autres qu'il jouait un rôle plus important dans son équipe, qu'il avait un meilleur chef, qu'il était à un desk qui rapportait plus d'argent. Je n'allais pas jouer à ce petit jeu, pas parce que c'était typiquement masculin mais plutôt parce que j'étais certaine de perdre. J'ai décidé que la meilleure ligne de conduite à adopter était de continuer à m'empiffrer de petits fours dans mon coin et de trinquer avec ma nouvelle meilleure amie, Lady Liberty.

J'en étais à mon troisième mini-sandwich BLT (bacon-laitue-tomate, pour les non-initiés) quand j'ai senti tout d'un coup qu'on me tirait sur la queue de cheval avec un manque certain de délicatesse. En me tournant j'ai vu Reese, un grand sourire sur le visage et une crevette-mayonnaise à la main.

— La place à côté de toi est prise, La Fille ?

— Et non. Y'a personne par ici, à part moi et le cochon.

— Le quoi ?

Il s'est accoudé au bastingage pour qu'on soit au même niveau. Non seulement Reese était immense, mais c'était difficile de s'entendre avec le vent et le bruit du moteur, sans parler du boucan que faisaient ces abrutis à se vanter d'avoir accompli d'innombrables tours de force intellectuels depuis deux mois.

— Tu te souviens, le jour où j'ai commencé chez Cromwell ?

Tu m'as demandé si ça me branchait, le cochon. Eh bien sache que j'adooore le cochon. Juste pour info, ai-je insisté en lui fourrant sous le nez le reste de mon BLT.

Reese a éclaté de rire et m'a donné une petite tape sur la tête, comme un bon toutou.

— J'avais oublié, ah ah ! J'aime bien déstabiliser les petits nouveaux d'emblée. C'est un peu mon idée du test de personnalité, tu vois. Si t'avais pris la mouche je t'aurais plus jamais reparlé, par exemple. Avec les filles surtout, c'est important de savoir à qui on a affaire si on veut pas avoir d'embrouilles. Bien joué. Tu passes le test.

— Quelle chance ! Moi c'est Alex, mais mes amis m'appellent La Fille, ai-je blagué en lui tendant la main.

Pour la première fois depuis que j'avais mis les pieds sur ce bateau, je me sentais à l'aise. Reese m'a fait un grand sourire.

— Dans ce cas, enchanté La Fille. Tu peux m'appeler Reese. Comment ça se passe pour toi chez Cromwell, jusque-là ? Tu t'y plais ?

— Oh oui, je m'y plais beaucoup.

— Vraiment ? Personne te fait de misères ?

— Nan vraiment, je m'éclate. Tout est au poil.

— Tu parles, a-t-il riposté avec un petit air narquois. Pas de mensonges au premier rendez-vous, poulette. Dans ma vie j'ai de la place pour une seule menteuse éhontée, et elle est déjà prise par ma femme.

J'ai pensé qu'il ne serait pas très malin de me plaindre, alors j'ai gardé le silence.

— Je te laisserai pas partir d'ici tant que tu m'auras pas donné de réponse honnête, ma cocotte. Alors, je répète : est-ce que tu te plais chez Cromwell ?

Il était vraiment sérieux. Pas le choix, je me suis lancée.

— Eh bien, c'est juste que j'ai peur de ne pas en faire assez, ou alors qu'on ne m'aime pas. Je veux embêter personne. Je sais que je suis censée poser des questions pour apprendre, et en même temps ne pas déranger. Mais c'est pas évident, vu que j'ai toujours pas de bureau à moi.

Voilà, je l'avais dit. Maintenant, la meilleure chose à faire était probablement de sauter par-dessus bord.

— Mais pourquoi tu penses qu'on t'aime pas ? s'est esclaffé Reese. Laisse-moi te dire un truc : si tes collègues pouvaient pas te piffer, tu le saurais. Tu devrais leur demander, à ces petits jeunes, comment ça s'est passé pour eux depuis leur arrivée dans la boîte. Tu verras comme on a été sympas avec toi, en fait.

— Justement, j'ai discuté avec certains, et visiblement je suis la seule à devoir me taper la chaise pliante. À les entendre, ils ont tous un poste de travail et on leur confie de vraies missions. Moi, j'ai l'impression de n'avoir vraiment pas fait grand-chose.

— C'est pour ça que tu restes toute seule dans ton coin, au lieu de te mêler aux autres ?

— Un peu, oui.

— Ahhh, je vois. Et évidemment, t'as cru tout ce qu'ils t'ont raconté.

— Ben oui, pourquoi est-ce qu'ils mentiraient ?

— Parce que c'est des mecs, a-t-il répondu sans la moindre hésitation. Y'en a un dans le tas, c'est un sacré tocard. J'ai discuté avec lui tout à l'heure. Il ne se rend même pas compte que son équipe se paie sa fiole ouvertement. Je me serais senti mal pour lui si je n'avais pas compris au bout de deux minutes de conversation que c'était un gros con.

— C'est qui ? me suis-je dépêchée de demander, avide de découvrir quel ancien de l'Ivy League n'en jetait pas autant qu'il voulait bien le faire croire.

— Celui qui a le Lacoste orange, là. Tu le connais ?

Je me suis retournée, et je n'ai pas été exactement surprise de voir Dan entouré de sa cour. Qui n'avait pas bougé.

— Oh que oui, ai-je fait, tout sourire. Il est allé à Princeton, comme tu peux le voir à la couleur de son polo. Et juste au cas où quelqu'un ne saurait pas qu'il est allé à Princeton, il n'arrête pas de parler de la confrérie à laquelle il appartenait, il porte au moins un truc orange tous les jours et il trimbale partout un grand sac de sport avec une tête de tigre géante dessus. En résumé, il a un gros problème d'ego, celui-là.

— Poulette, si t'aimes pas les gros ego, tu t'es trompée de métier. Mais j'ai de quoi te remonter le moral quand même. Regarde bien. Hé, Tigrou ! Viens par ici.

Reese a fait de grands gestes à Dan, dont le visage s'est illuminé comme une ampoule de cent watts quand il a vu qui voulait parler avec lui. Il a enchaîné coup sur coup le redressage d'épaules, le tripotage de la boucle de ceinture, puis le lissage du col : clairement, il pensait avoir fait super bonne impression sur un cadre de Cromwell. Je n'étais pas sûre de saisir pourquoi Reese lui avait demandé de nous rejoindre mais ce que je savais, c'est que ce n'était pas des embrassades qui étaient au programme. Arrivé devant nous, Dan a serré la main de Reese en lui donnant simultanément une légère tape dans le dos. Il avait la technique, pas de doute.

— Hé, Reese, c'est ça ? On a parlé d'Alan Greenspan et de ses décisions à la tête de la Fed, tout à l'heure. (Grand sourire, puis Dan a tourné son attention vers moi.) Hé, Amber.

— Moi, c'est Alex.

— Ah oui, désolé.

Je crois pas, non.

Mais j'ai opté pour « Pas de problème ». Ça sonnait mieux.

— Ses amis l'appellent La Fille, par contre.

Reese s'amusait beaucoup, visiblement. Moi, j'étais en train de calculer mes chances de rejoindre la terre ferme à la nage sans me noyer.

— La Fille ? a répété Dan tout confus, ce qui était nouveau pour lui.

— Mais seulement ses amis, hein. Je veux dire, moi je l'appelle La Fille. Toi, tu devrais t'en tenir à Alex.

Dan a écarté le sujet d'un haussement d'épaules.

— Alors, Reese, ça fait combien de temps que tu bosses chez

Cromwell ?

— Vingt et un ans. Et toi, ça fait combien de temps que tu bosses chez Cromwell ?

— Deux mois seulement, mais je commence déjà à rapporter à la boîte, tu sais.

Reese m'a fait un clin d'œil discret.

— Oui, tu l'as déjà évoqué tout à l'heure. Raconte donc à mon amie ici présente ton exploit de la semaine dernière, quand t'as fait ta première transaction.

Alors là, j'étais tout ouïe. On lui avait permis de faire une transaction ? Je n'étais même pas autorisée à répondre au téléphone !

— C'était extra. Ils ont décidé de me pousser tout de suite dans le grand bain, quoi.

— Comment ça, le grand bain ? l'ai-je coupé.

Reese a dû faire semblant de tousser pour masquer le fou rire qui le gagnait.

— Ben tu sais, quoi, les grosses transactions. Celles qui rapportent, pas les petites de rien du tout où on peut merder parce que c'est pas grave.

— Pour l'instant, le seul truc qu'on me laisse toucher à mon desk, c'est une chaise pliante. Alors je suppose que j'en suis encore au stade de la pataugeoire, me suis-je lamentée.

— Dan, explique un peu à Alex comment t'as procédé, maintenant que tu connais les ficelles. Allez, raconte-lui toute l'histoire, comme à moi.

Dan n'en pouvait plus de tant d'attention.

— Alors en fait, il y a cette compagnie qui s'appelle Q. Communications, une grosse boîte. Et ce type avec qui je bosse, un ancien de Princeton comme moi. Il est super sympa, et il me laisse vraiment m'impliquer – c'est-à-dire qu'on était dans la même confrérie, tu comprends. Ce qui s'est passé, c'est qu'un client lui a donné un ordre d'achat, et qu'il m'a demandé de le crier au trader.

Là, j'ai bien été obligée de l'interrompre, parce que je savais qu'il mentait.

— Dan, t'as pas encore passé les exams des séries 7 et 63. T'as pas le droit d'exécuter des transactions. Y'a pas moyen qu'ils t'aient laissé faire ça. C'est illégal.

— Ben techniquement, c'est pas moi qui ai exécuté la transaction. Simplement, le client voulait nous acheter un bon paquet d'actions, et j'ai dû dire au trader de commencer à bâtir une position. Mais je n'ai pas vraiment passé l'ordre.

Reese est intervenu pour pousser Dan à finir son histoire.

— Du coup, Dan, qu'est-ce qu'il t'a dit de faire, exactement ?

— Il m'a demandé, pour que le trader m'entende, de me lever et de crier haut et fort que j'étais un gros acheteur de Q.

— T'as dit quoi ? a fait Reese en pouffant de rire.

— J'ai dit que j'étais un gros acheteur de Q. Tout le monde s'est mis à m'applaudir et à faire hourra. C'était génial.

Je l'avais souvent entendu dire, mais maintenant j'en avais la preuve : on avait beau avoir fait un tas d'études, si on n'était pas futé, *on n'était pas futé*. Dan était peut-être une tronche qui sortait de Princeton, reste qu'il n'en était pas moins un crétin.

Reese est resté planté là, bras croisés sur la poitrine, à hocher lentement la tête. Puis il s'est approché, et a posé ses mains sur les épaules de Mister Stupid.

— Dan, faut que t'apprennes à cette fillette comment les *vrais* mecs spéculent. Alors, encore une fois, montre-nous comment t'as crié ton ordre dans la salle des marchés.

— JE SUIS UN GROS ACHETEUR DE Q. ! a hurlé l'autre, tout fier.

Reese a reculé d'un pas. Il a penché la tête de côté en ne perdant jamais le contact visuel avec Dan, et le plus lentement possible, il lui a balancé :

— Si j'étais toi, Dan, je me vanterais pas d'avoir proclamé devant tout le monde ton amour immodéré pour la fesse. Je te parie que les gars qui bossent aux Actions en ont pissé de rire quand ils t'ont entendu, et qu'ils en rigolent encore.

Le corps de Dan s'est figé tout d'un coup. L'ampleur de sa bêtise venait de le frapper de plein fouet, et il a piqué un fard.

Ensuite il a tenté de faire comme s'il était invisible. Ce n'était pas le cas. Des rides se sont formées sur son front comme s'il souffrait et il nous a dit au revoir dans un murmure, en n'écorchant pas mon nom cette fois-ci. Puis il s'est éloigné lentement, les épaules toutes tombantes vu qu'elles n'avaient plus l'arrogance d'un ancien de Princeton pour les relever.

J'ai gardé le silence. J'avais envie de rire mais Dan était mon égal, mon homologue dans la salle des actions. S'ils étaient capables de lui faire un truc pareil, je me demandais bien ce que mon équipe me réservait comme surprise ?

Reese s'est remis à me tapoter la tête comme un toutou.

— Alors, tu penses toujours qu'on t'aime pas, cocotte ?

— J'arrive pas à croire qu'ils lui ont fait ça.

— Vois-tu, c'est ce qui arrive quand tes collègues t'ont dans le pif. Patience, tu verras qu'on peut être vraiment méchants quand on l'a décrété. Si le pire qui te soit arrivé jusque-là c'est de ne pas avoir de bureau à toi, alors t'as pas à t'en faire. Joue le jeu, La Fille, joue le jeu.

— Mais je les connais pas, les règles de ce fichu jeu.

— Ça viendra. En attendant, fais profil bas et mets du beige… Tu vois ce que je veux dire ?

Je voyais, oui. À vrai dire, c'était la première chose que je comprenais vraiment depuis mon arrivée chez Cromwell. Je pouvais le remercier.

— OK, j'ai pigé. Et je devrais aussi continuer à aimer le cochon, c'est ça ?

— Faut toujours aimer le cochon, ma cocotte. Bon, maintenant, on desserre les mains du bastingage et on retourne se mêler aux autres. Tu bosses au département Ventes, bon Dieu ! S'il y a bien une équipe où on a pas besoin de quelqu'un qui fait tapisserie, c'est celle-là. Va déchaîner les foules, fais-toi aimer, deviens la super pote de tous ces cons qui te sortent par les yeux. Tout ça fait partie de ton nouveau job.

— Merci pour le conseil, Reese, ai-je répondu en repartant

vers la mêlée avec une confiance et un enthousiasme renouvelés. J'apprécie. Vraiment.

— Tu fais partie des nôtres maintenant, Alex. Une chose que tu dois savoir sur notre desk : on veille les uns sur les autres. Ce qui ne veut pas dire qu'on te fera pas tourner en bourrique, attention.

— Un peu comme des grands frères ?

— Exactement. Sauf qu'on est quarante.

Reese venait de me donner ma toute première leçon en finance, et c'était probablement la plus importante : si je voulais réussir, j'allais devoir apprendre à faire semblant d'apprécier des gens que je détestais.

## Chapitre 4

# Si j'avais voulu former la jeunesse de l'Amérique, je serais devenue instit

La première semaine d'octobre, je suis sortie avec Annie et Liv dans un resto jap de Soho pour fêter un événement hyper important : j'avais réussi tous mes exams. C'était vendredi soir et on était de très bonne humeur, alors on est descendues directement au bar pour s'envoyer des martinis, des sushis et des bloody mary au wasabi jusqu'à 2 heures du mat'. Heureusement qu'on avait un appart en ville, sinon Liv et moi on aurait sûrement roupillé dans le train et on se serait retrouvées en rade dans je ne sais quel bled où s'arrête le train de la ligne Metro North. Chick n'a pas vraiment tilté, par contre, quand je lui ai fièrement tendu le papier prouvant que j'avais été reçue avec des notes bien au-dessus de la moyenne. Je ne sais pas à quoi je m'attendais. Peut-être à un commentaire du genre « Bon boulot, Alex ». Ou mieux, « Prends ta journée, tu l'as mérité ». Toujours est-il qu'il s'est contenté de jeter un œil à la feuille et de lever le poing pour que je tape dedans avec le mien ; après ça il m'a laissée en plan pour aller à une réunion. J'ai essayé de ne pas me laisser abattre pour si peu.

Je me suis dit qu'avec ça j'allais peut-être enfin obtenir mon propre bureau, mais novembre est arrivé et la chaise pliante était toujours ma meilleure amie. Quelqu'un avait écrit « La Fille » au dos avec du blanco, pour m'éviter d'avoir à la chercher j'imagine. J'aurais bien aimé savoir à qui je devais ça, histoire de le remercier.

Tous les quelques jours je la déplaçais un peu plus loin dans la rangée, et prenais place entre deux nouveaux commerciaux. C'était mission impossible de me rappeler de tous les noms de mes collègues, qui avaient plusieurs pseudos, et selon l'humeur ou la météo (je ne voyais que ça) s'appelaient autrement, juste une légère variation sur le prénom, le nom de famille et/ou le surnom attitré. La totalité de mes neurones ne suffisait pas à me souvenir de tous les John, Joe, Bob et Peter, sans compter les Murph, Sully ou Fitzie – dont les prénoms étaient peut-être (*ou pas*) John, Joe, Bob ou Peter. Il y avait aussi les cas où le surnom venait carrément remplacer le prénom, en général à cause d'un détail incongru censé désigner la personne. Par exemple « Multi-céréales », en raison de sa chevelure affreusement épaisse qui faisait penser à du pain de mie vu du dessus ; mais aussi « Char d'assaut », « Caribou », « Porcherie ». Il y avait celui qu'on avait rebaptisé « Mangia » parce qu'il boulottait à longueur de journée ; et à l'autre extrême « Le Moineau », qui mangeait trois fois rien. Au rayon dessins animés, on trouvait « Shrek » (je vous laisse deviner pourquoi), « Fred Pierrafeu » et même « Dino », d'après l'animal de compagnie dans la série, qui avait été décerné à un grand dadais au cou anormalement long. Sans oublier « Chewie » (le petit nom de Chewbacca dans *La Guerre des étoiles*) pour le gars à l'excessive pilosité, et « Bébé Opossum » pour celui qui était assis au dernier rang et devait en toute probabilité avoir la pire coupe de cheveux que j'avais jamais vue. À ce qu'on m'avait dit, un jour, quelqu'un avait jugé bon de lancer à la cantonade que sa coiffure lui faisait penser à un bébé opossum qui aurait rampé sur sa tête et serait mort là. Forcément, c'était resté.

Tous portaient la tenue classique – pantalon beige, chemise bleue à motifs divers, ceinture marron – et leur ego bien en évidence. Quand ils riaient, c'était toujours fort, et ils passaient leur temps à se lancer des vannes. C'était quasiment impossible de les distinguer les uns des autres. Le seul fait de m'adresser à un collègue me faisait paniquer, depuis que j'avais appris à mes dépens qu'apostropher « Fred » parce que vous êtes persuadée que c'est son vrai prénom – et pas un surnom insultant qu'il était obligé de se coltiner à cause d'une vague ressemblance avec Fred Pierrafeu – était une très mauvaise idée. *Jarrett* l'avait très mal pris, en tout cas.

Il fallait ajouter à ça les femmes qui travaillaient sur le parquet, puisque les hommes faisaient toujours référence à elles par un autre nom que le leur. D'accord, on n'était qu'une quarantaine (sans compter ces rebelles d'assistantes administratives) pour quatre cents hommes, mais ça faisait tout de même beaucoup de noms de code à mémoriser. Il y avait « Magda », qui avait visiblement passé un peu trop de temps à bronzer sur son balcon dans sa jeunesse, comme la vieille dans *Mary à tout prix* ; et « Olive », une Brésilienne à la peau mate. Il y avait « Barbie Prison », une subtile référence aux photos d'identité judiciaire de Britney Spears (mais la ressemblance ne sautait vraiment aux yeux qu'après un certain nombre de bières) ; et aussi « La Lionne », pour une rousse qu'on avait tout le temps l'air de prendre au saut du lit. Quant à Hannah, l'assistante de Dark Vador, comme elle n'avait absolument aucun talent (même en cherchant bien), ils s'en donnaient à cœur joie et la chambraient sans pitié. Mais surtout, ils l'appelaient « Baby Gap », parce qu'ils étaient persuadés qu'elle devait se fringuer là, tellement ses habits étaient toujours courts et ultra-serrés. Il faut dire qu'elle était maigre comme un clou, et qu'elle aurait facilement pu se cacher derrière un parcmètre – sans cette énorme paire de faux seins, qui faisait clairement sa fierté. Et puis il y avait la seule autre femme de mon équipe, celle avec qui (dans ma naïveté) j'avais cru pouvoir me lier d'amitié parce qu'entre femmes, on se serre les coudes. Le premier bureau de la première rangée était occupé par Kate Katz, alias « Cruella », « La Dépeceuse de chiots » et/ou « La Veuve noire ».

Drew et quelques-uns des Bob et autres Joe m'avaient raconté son histoire. Ça faisait vingt-cinq ans qu'elle était dans le Business.

Elle était très intelligente, très dynamique, et très dure. Dans sa jeunesse, elle avait brisé des cœurs (et même des mariages, apparemment), puis s'était assagie et avait fait des enfants avant la date limite. Son mari était trader dans une autre boîte et gagnait prodigieusement bien sa vie, ce qui voulait dire qu'elle ne restait pas ici pour le fric. D'après eux, la seule raison qui expliquait qu'elle trime encore dix heures par jour et fasse le trajet chaque matin aux aurores depuis Westchester, c'était qu'elle haïssait son mari et ses gosses – ou, plus probablement, que eux la haïssaient. Jadis elle avait dû être belle, mais toutes ces années à Wall Street avaient mis son corps à rude épreuve : maintenant qu'elle avait la cinquantaine, les bourrelets s'étaient inexorablement installés, et toutes ces heures passées à souffrir en compagnie de son coach perso n'y feraient rien. Pour autant, elle avait l'air tout à fait inoffensive, et j'avais du mal à croire à toutes les horreurs que j'entendais sur elle.

— Quoi de neuf, poulette ? m'a demandé Reese un matin tout en bourrant de coups de pied ma chaise pliante, le taquin. Tu veux t'asseoir avec moi, aujourd'hui ?

— Merci Reese, mais je crois que je vais aller voir Kate. Tu sais, pour développer la solidarité féminine, tout ça.

— T'as perdu la tête ou quoi ? T'as pas écouté ce qu'on t'a raconté ? Ne fais pas ça, a-t-il insisté en faisant semblant de frémir.

— Écoute ce qu'il te dit, La Fille. C'est le Mal incarné, cette femme. Reste aussi loin que possible d'elle, est intervenu Drew.

— Ça fait quatre mois que je suis ici, les gars. Je ne suis plus l'ignare que j'étais. Je suis sûre que tout ira bien. En plus, Chick m'a dit de m'asseoir avec *tout le monde*. Donc aussi avec Kate.

— Comme tu voudras, Alex. Tu veux faire fi de mes conseils ? Très bien. Mais ne viens pas me dire ensuite que je t'aurais pas prévenue, m'a fait Reese en croisant les bras sur son ventre.

— Tu vas t'en mordre les doigts, m'a susurré Drew en voyant que je me dirigeais vers le bout de la rangée.

J'ai déplié ma chaise à côté d'elle d'un air décidé.

— Excuse-moi, Kate ? Je me demandais si je pouvais rester

avec toi ce matin, lui ai-je dit de la voix la plus enjouée possible.

C'était la première fois que je me retrouvais aussi près d'elle, et j'ai tout de suite remarqué le solitaire qu'elle portait à la main gauche : forcément, les Rangers de New York auraient pu s'en servir comme patinoire d'entraînement. Elle était très peu maquillée, et les cernes bleu nuit qu'elle avait sous les yeux la vieillissaient encore. C'était comme si elle avait capitulé. Une pointe de compassion s'est éveillée en moi. Peut-être qu'elle n'arrivait plus à jongler entre sa carrière et sa vie de famille ; ou alors qu'elle était exténuée à cause de tout ce stress et du manque de sommeil, la pauvre. C'est à ce moment-là qu'elle a pivoté sur son fauteuil pour me faire face, trèèès lentement, et que son regard s'est posé sur ma main tendue, alors que la sienne restait résolument crispée sur sa souris.

Et puis elle a ouvert la bouche.

— Excuse-moi, en quoi exactement le fait de t'ignorer depuis ton arrivée t'a indiqué que tu pouvais te permettre, justement aujourd'hui, de venir geindre sous mon nez ?

Ou peut-être qu'elle était vraiment l'incarnation du Mal et qu'elle était trop occupée à casser en deux les crayons de couleur des petits enfants pour songer à se maquiller le matin. J'ai attendu qu'elle éclate de rire et précise qu'elle plaisantait. Ou pas.

— Laisse-moi te dire une chose, fillette. Je ne suis pas payée aussi grassement que je le suis pour former la jeunesse de l'Amérique. Si j'avais voulu former la jeunesse de l'Amérique, je serais devenue une putain d'instit en maternelle. Et étant donné que tu es là depuis combien, deux jours ? (Je ne sais pas pourquoi, mais je sentais que la corriger sur ce point n'était pas une bonne idée.) Je te suggère d'apprendre deux ou trois trucs avant de revenir dans le coin. Ça t'évitera de me faire perdre mon temps avec des questions auxquelles mon cadet de douze ans saurait répondre. Maintenant, peut-être que la bande de pieds nickelés, là-bas (elle a montré d'un geste dédaigneux Drew et Reese, qui faisaient très mal semblant de ne pas écouter notre conversation), aurait pu vraiment t'aider en te donnant quelque chose d'intéressant à lire au lieu de lorgner dans ton décolleté toute la journée. Oh mais j'oubliais, je devrais sans doute être plus précise. Je parle de lire un truc qui ne contient pas de grandes photos en couleur de Tom Cruise ou de la dernière nouveauté en gloss. Ça existe vraiment, si, si, je t'assure, et probablement que ça t'aiderait d'en potasser quelques-uns, vu qu'il est évident que tu ne sais rien de rien à ce foutu job pour lequel on t'a recrutée.

Sur ce, elle a fait tourner son fauteuil, ouvert d'un geste un classeur derrière son bureau, et en a sorti toute une ribambelle de bouquins et de photocopies reliées. Ensuite elle les a fourrés dans mes bras, les empilant l'un après l'autre jusqu'à quasiment boucher mon champ de vision.

— Commençons par les fondamentaux. Apprivoiser la courbe des taux, Le B.a.-ba des obligations hypothécaires, Comment modéliser la courbe des taux de swaps ?, Les Bons du Trésor pour les nuls, Le Guide Fabozzi des produits de taux, Le Guide des indicateurs économiques, Comprendre la volatilité du marché des changes. Bûche-moi tout ça. Et quand t'auras fini, tu peux revenir me voir et alors peut-être que je daignerai te parler. À vue de nez, ça devrait bien te prendre huit à dix ans, mais t'en fais pas, je le note dans mes tablettes et on reprendra notre conversation à ce moment-là. Si tu veux vraiment travailler ici, si tu veux passer de ta chaise minable à un bureau de grande fille, je te conseille de ne même plus poser les yeux sur une publication – sauf ces livres, bien sûr – si ce n'est pas un jeune à vélo qui te la jette sur ton paillasson tous les matins. (Encore une fois, probablement pas le meilleur moment de lui faire observer que j'habitais au onzième.) Et maintenant, va enquiquiner quelqu'un d'autre. J'ai atteint mon quota de conversations pénibles pour la journée.

Et moi qui avais espéré que Cruella me prendrait sous son aile, me guiderait à travers ce dédale de testostérone dans lequel on était obligées d'évoluer toutes les deux. Ça faisait une éternité qu'elle bossait dans la finance, et il était évident que pour s'en sortir elle avait dû s'endurcir, mais elle était bien plus que ça :

elle était méchante. Je me suis prise à penser que jeune, elle avait sûrement été comme moi – novice, inexpérimentée, ne sachant pas trop comment se comporter dans ce monde ultra-masculin. Et si elle avait vraiment été comme ça, et que ses années passées sur le parquet l'avaient endurcie au point de la rendre vicieuse, exécrable et – n'ayons pas peur des mots – super flippante ? Et si c'était ce qui arrivait à *toutes* les femmes après quelques années passées dans cet environnement ? Peut-être qu'on était *obligée* d'en passer par là si on voulait faire carrière à Wall Street. Je me suis alors promis de démissionner avant de me transformer en mégère tout aigrie. Encore sous le choc, j'ai trimbalé la bibliothèque complète qu'elle venait de me refourguer jusqu'en terrain ami.

— Je t'avais prévenue, m'a fait Drew en me débarrassant.

J'ai regardé Reese, qui avait une fesse posée sur le bureau de Drew et une agrafeuse en main. Il appuyait dessus toutes les deux secondes environ, le but du jeu étant a priori de semer le plus d'agrafes possibles sur la moquette sans se faire gronder.

— Ton offre tient toujours, Reese ? Je suis prête à te supplier à genoux s'il le faut.

— Bien sûr, La Fille. T'inquiète, a-t-il fait en passant un bras protecteur autour de mes épaules. Reste avec moi et tout ira bien. Attache ta ceinture, poupée. Aujourd'hui je vais t'expliquer comment on fait marcher les téléphones.

Le mercredi de la semaine suivante, Chick m'a pointée du doigt en arrivant le matin et m'a dit :

— La Fille, tu vas devoir mettre ces modèles à jour pour nous. On a besoin des nouvelles tendances, alors vire-moi tous les titres qui sont sortis du panier pendant ce cycle. Je veux un truc propre. Insères-y les baisses à terme de la courbe des taux de swaps. Il me les faut à trois mois, à six et à douze, et mets-moi aussi les cours du marché au comptant. Comment ça se fait qu'on a pas ça là-dessus ?

— Je ne sais pas, Chick, ai-je répondu honnêtement – ne serait-ce que parce que je ne voyais pas du tout de quoi il me parlait. Je m'y mets tout de suite. Il te faut ça pour quand ?

— Demain. J'ai un tournoi de golf qui m'attend. Tu sais te servir des téléphones, n'est-ce pas ?

— Oui, Reese m'a montré l'autre jour.

Au départ, j'avais cru qu'un cours particulier sur le sujet était une perte de temps. Sans déc', il avait oublié que j'étais une fille ou quoi ? J'étais largement qualifiée pour me servir d'un téléphone et de toutes ses fonctions. Jusqu'à ce que je me rende compte que le standard de Cromwell était légèrement plus élaboré que le sans-fil auquel j'étais restée pendue la majeure partie du lycée. Le standard de Cromwell était indescriptiblement plus compliqué que ça. D'abord, il y avait différents types de lignes : appels en interne uniquement ; appels vers l'extérieur uniquement ; ligne directe du client ; desk à desk (entre le bureau de New York et nos antennes aux États-Unis et à l'étranger). Et puis il y avait le cas des boutons au-dessus desquels étaient notées des abréviations en une langue inconnue, et dont Reese m'avait dit de « ne pas me préoccuper » ; jamais je ne les touchais, ceux-là. Ils me fichaient la frousse. Le jour de ce fameux cours, j'étais restée tard pour m'exercer, en mettant ma mère et Liv à contribution. Je les avais appelées et j'avais tour à tour essayé de couper leur voix, puis la communication, de les mettre en attente, en conférence, ou encore de transférer l'appel entre elles sans leur raccrocher au nez par inadvertance. Ne le répétez à personne, mais il m'avait fallu deux heures pour tout piger.

— Parfait. Tu as la permission de t'asseoir à mon bureau pendant mon absence. J'ai laissé les docs ouverts sur mon écran, pour que tu puisses travailler à partir de là. Par contre, tu touches à ma boîte mail, je te tue. À part ça, l'équipe va avoir besoin d'aide avec les téléphones. Pour une raison obscure il y a pas mal d'absents aujourd'hui, et comme je suis pas là non plus, une autre paire de mains sera pas de trop. Tu ne réponds que lorsque c'est les lignes extérieures qui clignotent. Pas les lignes directes des clients. Capiche ?

— D'accord, Chick. Pas de souci.

— Très bien. À demain matin.

Je me suis glissée dans son fauteuil et j'ai tout de suite fermé sa boîte mail, avant de jeter un œil aux modèles en question. Il voulait ça pour demain. Génial. Il fallait prier pour que la journée soit calme, parce que moi j'avais du boulot par-dessus la tête pendant les douze heures à venir. Comme je ne maîtrisais pas encore tout le jargon de la finance et que j'étais toujours aussi nulle en Excel, ça n'allait vraiment pas être une partie de plaisir.

La matinée a été plutôt tranquille, et mes collègues ont géré sans problème les quelques coups de fil reçus pendant que je bûchais. Après avoir passé des heures à disséquer chaque formule symbole par symbole, je commençais à progresser. Et puis je ne sais pas pourquoi, vers 15 heures, c'est parti en live.

*Ça sonne, mets le casque, appuie sur le bouton rouge*, me suis-je ordonné à moi-même. La soirée passée à m'exercer sur des cobayes consentants allait enfin me servir. Mais quand même, pourquoi est-ce qu'on ne vous enseignait pas ça, à la fac ? Je me serais sentie carrément plus sûre de moi.

— Cromwell bonjour, Alex à votre écoute.

— Alex, ma voiture est pas là. Je suis là comme un con à attendre devant le club-house avec mon sac chariot, et ma voiture est pas là. J'ai l'air d'un putain de caddy. T'as pensé à me commander une voiture, hein ? Hein ?

Merde.

— Salut Chick, oui bien sûr que j'y ai pensé. Je les appelle tout de suite pour voir où elle est. Donne-moi une minute, d'accord ?

— Grrr, a-t-il grogné, ce qui devait correspondre à un « oui » dans sa langue.

Mets-le en attente, presse sur l'écouteur gauche, tape le numéro inscrit sur le post-it collé à côté du clavier de Chick et appuie sur le bouton vert.

— Bonjour, j'appelle pour vérifier la position d'une berline de luxe que j'ai commandée tout à l'heure, elle était censée prendre quelqu'un au Baltusrol Country Club il y a quelques minutes déjà. Numéro de confirmation 8 625… Oui, d'accord, dix minutes ? Comment est la circulation, par contre ? Parce qu'il s'agit de mon patron, vous comprenez, et il a zéro tolérance pour les employés qui lui mentent. Alors si en vrai c'est vingt minutes et pas dix, il faut me le dire. Dix, entendu. Super. Merci.

Raccroche, presse sur l'écouteur droit, appuie sur le bouton rouge.

— Chef, je viens de les avoir. Ils m'ont dit que ça bouchonnait un peu, mais que la voiture serait là dans dix minutes.

— OK.

*Clic.* À peine Chick avait-il raccroché qu'une autre lumière s'est mise à clignoter.

Appuie sur le bouton rouge.

— Cromwell bonjour, Alex à votre écoute.

— Bon sang, c'est toi, a rouspété une voix clairement dégoûtée à l'idée de devoir me parler – et, hélas, familière.

— Oui, Kate. Je peux t'aider ?

— Tu peux toujours tenter, mais la probabilité que tu y arrives est désespérément faible. (J'ai fait mon plus beau doigt à l'appareil.) J'ai besoin d'une réservation au Bernardin pour quatre à 18 h 30 ce soir. Je suis en chemin pour une réunion client à Midtown. Réserve à mon nom et envoie-moi un mail de confirmation sur mon BlackBerry.

Le Bernardin ? C'est l'un des restos les plus courus de la ville. Même le foutu maire n'arriverait pas à obtenir une table trois heures à l'avance.

— Kate, je vais les appeler mais je ne sais pas si…

*Clic.* Kate avait raccroché.

J'ai chopé le *Zagat* de Chick dans le tiroir du haut de son bureau et j'ai tourné les pages du guide à toute vitesse, jusqu'à trouver le numéro du resto le plus en vogue du moment.

Appuie sur le bouton vert, compose le numéro.

— Bonjour, je vous appelle de la part de la société Cromwell.

Je me demandais s'il serait possible d'avoir une réservation pour quatre ce soir, à 18 h 30 ?

L'hôtesse a éclaté d'un rire tout à fait déplacé.

— Je suis désolée madame, mais nous sommes complets les quatre prochains mois. Si vous le souhaitez, une table s'est libérée le 29 décembre à 17 h 30. Sinon, je peux vous proposer la veille, à 22 heures.

— Merci bien, mais ce n'est pas pour moi, c'est pour Kate Katz. J'imagine que vous ne savez pas qui c'est, mais je vous assure, elle occupe un poste très important chez Cromwell Pierce. (Comprenez : celui de la tarée hystérique.) Vous ne pouvez vraiment rien faire ?

— Je suis désolée, non. Ne quittez pas, s'il vous plaît.

*Clic*. L'hôtesse a raccroché. Ils devaient avoir le même système que nous, au Bernardin.

Le téléphone s'est remis à sonner.

Ahhhh, appuie sur le bouton rouge.

— Alex bonjour, Cromwell à votre écoute. (*Attends, y'a un truc qui cloche, là.*) Je veux dire, euh… Cromwell bonjour, Alex à…

— Alex, ma voiture est toujours pas là, bordel ! m'a coupée Chick en hurlant.

À ma montre ça ne faisait que cinq petites minutes, pas dix, hein.

— D'accord chef, euh, désolé. Je les rappelle tout de suite.

Raccroche, presse sur l'écouteur gauche… Merdouille. J'étais censée le mettre en attente, à un moment donné.

Je venais de raccrocher au nez de Chick. Il allait me trucider. Un énième bouton s'est mis à clignoter et là, j'ai paniqué.

— J'ai besoin d'aide avec les téléphones ! ai-je crié comme j'avais vu faire les médecins dans *Urgences*, quand ils leur faut un chariot de réanimation fissa. Drew (mon héros) a mis son casque sur les oreilles et pris l'appel.

J'ai rappelé la boîte de location de voitures avec chauffeur.

— Bonjour, je viens juste d'appeler à propos d'une voiture

en retard. Numéro de confirmation 8 625. J'ai vraiment besoin de connaître la position exacte du véhicule en ce moment. Elle arrive ? Super, merci.

J'ai composé le numéro de portable de Chick.

— Ouais, c'est bon, elle est là. On se voit au bureau.

*Clic*. Il a raccroché.

— Alex ! a crié Drew du bout de la rangée. Cruella te fait dire de laisser tomber Le Bernardin. Elle veut une réservation à Per Se, à la place. Même heure, même nombre. J'espère que tu sais de quoi elle parle, parce que pas moi.

J'ai ouvert le tiroir pour reprendre le *Zagat*, mais il n'était plus là. J'ai farfouillé un peu partout dans les papiers de Chick à la recherche de la petite bible rouge, mais impossible de la trouver. Mon cœur battait si fort que j'ai cru qu'il allait exploser. Je me suis levée d'un bond, et le guide récalcitrant est tombé par terre. J'ai trouvé le numéro de Per Se.

Appuie sur le bouton vert, compose le numéro.

— Bonjour, oui, je voudrais réserver une table pour quatre ce soir à 18 h 30, et si vous m'aimez vous allez me dire que c'est possible. Oui, je sais que vous ne me connaissez pas, mais voyez-vous, vous parlez à quelqu'un dont la santé mentale ne tient plus qu'à un fil, et si vous me dites que vous êtes complet il se pourrait bien que je pète les plombs… C'est possible, c'est vrai ? Oh merci, merci vraiment, vous êtes un amour, monsieur. Oui. Katz, 18 h 30, pour quatre. Dieu vous bénisse.

*Clic*. J'ai raccroché. Ça faisait du bien d'être du côté des *winners*, pour une fois.

J'ai posé le casque et je me suis massé les tempes, qui m'élançaient méchamment. Le téléphone a sonné.

Pour la centième fois en une heure, j'ai hurlé dans ma tête les manips qu'il fallait faire sur ce standard digne de la NASA.

Presse sur l'écouteur droit, appuie sur le bouton rouge !

— Cromwell bonjour, Alex à votre écoute… Non Susan, je suis désolée, il n'est toujours pas revenu, mais je vous promets que je lui donnerai le message. Non je ne peux pas vous dire s'il a son portable avec lui, mais il est en réunion alors il l'a probablement éteint, de toute façon. Est-ce que c'est une urgence ? Bon, tant mieux. Dans ce cas, je promets que dès qu'il revient au bureau, je lui dis de vous appeler. Mais de rien, je vous en prie.

Clic.

— Quoi de neuf, Alex ? m'a demandé Will sur ces entrefaites, en s'affalant dans un fauteuil vide et en le faisant rouler jusqu'à moi.

— Non mais sérieux, quelqu'un peut me dire pourquoi la femme de Chip se sent obligée d'appeler trente fois par jour ? Elle a téléphoné au moins sept fois rien que les deux dernières heures. Je sais plus quoi lui dire, moi.

*Driiiiing*. La ligne de Chip.

— C'est pas possible que ce soit encore elle. C'est juste pas possible.

— Allez, m'a fait Will en prenant mon casque. Tu veux de l'aide ? Tiens. (Il a appuyé sur le bouton rouge.) Allô, bonjour ? Bien sûr, ne quittez pas.

Il a composé un numéro, appuyé sur la touche Transfert d'appel et raccroché.

— Tu viens de raccrocher au nez de Susan, là, non ?

— Nan, j'aurais jamais fait ça. Disons que j'ai transféré son appel, euh, ailleurs, m'a-t-il expliqué avec une lueur espiègle dans le regard.

— Où ça ?

— Au chinois du coin.

— C'est une blague, hein ? Dis-moi que tu viens pas de mettre la femme de Chip en communication avec Le Panda du Sichuan.

— Ben si.

— Et en quoi ça va m'aider, exactement ?

— Je te parie qu'elle appellera plus ! Je lui ai fait subtilement comprendre qu'elle était vraiment casse-couilles, à faire ça. Je viens de résoudre ton problème. Du moins l'un de tes innombrables problèmes.

Je suis partie d'un petit rire nerveux.

— J'apprécie le geste, t'es un vrai ami.

Un ami ? C'était pas un tout petit peu présomptueux, quand même ? Bravo, Alex. Le moyen parfait de passer pour une cruche.

Driiiing.

— Ohbordeldemerde !

Appuie sur le bouton rouge.

À l'autre bout, une voix sourde au fort accent, qui me dit :

— Allô, j'suis bien au pressing Fung Woo ? Vous avez bousillé ma ch'mise ! Ma ch'mise en daim, elle est toute foutue ! Vous allez raquer, moi j'vous l'dis !

— Quoi ? me suis-je exclamée, complètement désespérée. Attendez monsieur, vous avez fait un faux numéro, ce n'est pas un pressing, ici. C'est une salle des marchés.

— Espèce de pouffiasse, t'as flingué ma ch'mise en daim. Tu l'as flinguée, et tu vas la remplacer. J'l'ai payée 500 billets !

— Monsieur, je vous en prie, je vous dis que vous avez fait un faux numéro !

J'ai essayé en vain de lui faire comprendre que sa chemise en daim – quel genre d'homme portait un truc pareil, de toute façon ? – n'était pas mon problème. Voyant que je n'arrivais à rien, j'ai tourné la tête à gauche pour voir si quelqu'un pouvait venir à mon secours avec ce cinglé, et j'ai repéré Drew, Will et Marchetti à l'autre bout de la rangée qui écoutaient, une main sur un combiné, visiblement morts de rire. Alors j'ai regardé à droite et découvert Reese, debout dans un coin avec son casque, qui me fixait droit dans les yeux.

— Espèce de pouffiasse de Fille, t'as salopé ma ch'mise ! Tu vas raquer les 500 billets, et fissa !

J'ai jeté mon casque sur le bureau, et ils ont tous éclaté de rire. Un canular téléphonique perpétré par mes farceurs de collègues. Normal ? Je ne dirais pas ça, non.

— Ah ouais, d'accord ! ai-je fait en riant. Vous voulez vous payer ma tête, les gars ? Très bien, je jette l'éponge, vous gagnez ! Le score est de 1 à 0 pour l'équipe des zozos immatures. (J'ai fait semblant de me rendre en levant les bras en l'air.) Je ne réponds plus au téléphone de la journée, je crois que ma tête va exploser. Non mais qu'est-ce qui se passe, aujourd'hui ? C'est dingue !

Marchetti est venu me voir et a massé mes épaules tout endolories.

— Tout va bien, La Fille. Là, détends-toi. Tu m'as l'air toute stressée. Tu viens boire un verre avec nous, ce soir ?

— Désolée les mecs, je peux pas. Il faut que je finisse ces modèles pour Chick. Mais amusez-vous bien.

— D'accord. Bonne chance, La Fille, ont-ils répondu en chœur.

Quand ces fichus téléphones ont enfin cessé de sonner, j'ai pu me consacrer à mon boulot, en essayant de ne pas penser à ce qui se passerait si je n'arrivais pas à le terminer avant le lendemain matin.

À la fin de la journée, j'étais crevée et complètement frustrée. Certains concepts restaient très obscurs pour moi alors que j'aurais dû les avoir pigés depuis longtemps, j'en étais persuadée, et je vivais en permanence dans la crainte que Chick m'appelle pour une de ses interros surprises machiavéliques qui faisaient sa renommée sur le parquet. Je n'étais même pas foutue de lui commander une voiture correctement, bon sang. Comment étais-je censée comprendre le fonctionnement des marchés si je ne maîtrisais pas les notions de base ? Quand je me suis enfin arrêtée devant la porte de mon immeuble, j'avais une atroce migraine et je ne pensais plus qu'à prendre une douche brûlante et enfiler un survêt. Sauf qu'en entrant, le concierge m'a arrêtée pour me remettre une enveloppe qu'on avait déposée un peu plus tôt pour moi. À l'intérieur, une seule feuille de papier, pliée en trois :

*A–*

*J'ai un dîner ce soir chez Smith & Wollensky's. Tu me rejoindrais au Manchester's pour prendre une bière, après ? J'y serai à partir de 21 h 30.*

–Will

Je n'arrivais pas à croire que Will était venu à mon appartement. Je n'arrivais même pas à croire qu'il savait où j'habitais. Voire, qu'il se souvenait de mon nom tout court. Est-ce que c'était super mignon, ou bien super flippant ? Mmmm, c'était à considérer ; mais je me soucierais de ça plus tard. J'avais comme un regain d'énergie, tout d'un coup. Après avoir pris une douche vite fait, m'être changée et avoir passé quarante minutes à me battre avec un sèche-cheveux, une brosse puis un fer à lisser, je suis ressortie et me suis mise en marche d'un bon pas.

Le Manchester's était un petit pub britannique situé à l'angle de la 2e Avenue et de la 49e. Il était connu pour avoir un bon choix de bières à la pression, mais en général le minimum d'espace vital manquait pour les apprécier vraiment.

Quand je suis entrée, j'ai trouvé Will au comptoir, à côté d'une bande de hooligans européens occupés à commenter le match à la télé. Il buvait une pinte en bavardant tranquillement avec le barman, qui avait l'Union Jack tatoué sur le poignet et l'air d'avoir un paquet de dents en moins. Quand Will m'a vue, il m'a fait signe de venir, et les fans de foot se sont aimablement décalés d'un cran pour me laisser une place à côté de lui.

— Content que t'aies eu mon mot. J'étais en train de me demander combien de temps j'allais attendre avant de décréter que tu viendrais pas.

— Il est 21 h 35 et tu réfléchis déjà à ta stratégie de repli ?

— J'allais te donner jusqu'à 22 heures. Je trouve qu'une demi-heure d'attente, c'est tout à fait honorable.

— Moi je dirais plutôt quarante-cinq minutes, vu que tu n'avais aucun moyen de savoir à quelle heure j'allais lire ton message.

— C'est vrai, a-t-il répondu en dégainant son sourire Ultra Brite.

J'ai senti comme un looping dans mon ventre – ce qui n'était pas bon signe. Jamais.

— Bon. Et moi je suis contente que t'aies attendu, si tu veux tout savoir.

— Mais y'a pas de quoi. Sache que de mon côté, je suis ravi que t'aies passé le test d'endurance. Comme ça, je peux enfin te voir en dehors du bureau. Tu comprends, je devais être sûr que t'allais pas te carapater avant de me lancer.

— Qu'est-ce que t'entends par « passé le test d'endurance » ? On est en novembre. Ça fait à peine cinq mois que je suis chez Cromwell. On ne peut pas exactement parler de record.

— Et pourtant, ça frise l'exploit pour une nana. On en a eu une au desk l'an dernier qui avait l'air plutôt intelligente, mais elle a donné sa démission au bout de six semaines. Elle a pas tenu le choc. Du coup, je m'embête même plus à faire la connaissance des nouvelles tant que je suis pas certain qu'elles vont s'accrocher. C'est une perte de temps, autrement, tu comprends.

— Je ne vais nulle part.

— J'espère bien.

Comme je me suis sentie rougir, j'ai vite changé de sujet.

— Ton dîner s'est bien passé ?

— Oui, merci. Il s'agissait de mes plus gros clients, tu comprends, alors je voulais qu'ils passent un bon moment. On est allés dans un bar à cigares et après je les ai emmenés au resto, histoire de déguster un tournedos Rossini avec quelques bouteilles de bon vin. J'ai sympathisé avec le maître d'hôtel, vu la fréquence à laquelle j'y vais, tu vois. Du coup il s'est bien occupé de nous.

— Ça a l'air sympa, ai-je répondu, même si ça faisait plutôt esbroufe, sa tirade. Les pirouettes ventrales se sont calmées.

— Regarde-toi, dans ce jean. Mais c'est que tu enfreins les règles en vigueur chez Cromwell.

— Sauf qu'on est pas chez Cromwell, je te signale.

— C'est vrai. Tu es jolie, comme ça.

J'ai rougi, et les loopings ont recommencé de plus belle.

— Au fait, comment t'as su où j'habitais ?

— J'ai trouvé ton adresse dans le fichier. Tu sais, la secrétaire de Chick, Nancy ? Figure-toi qu'elle peut se montrer *très* coopérative, si on lui demande gentiment.

— C'est du harcèlement, quoi.

— Le harcèlement implique que l'attention reçue n'est pas voulue. Or, tu es là ; je présume donc que ce n'est pas le cas.

— OK, Sherlock, je m'incline.

— Alors, qu'est-ce que t'avais prévu de faire, ce soir, si t'étais pas venue me retrouver ?

— Je me tâtais pour aller courir, mais sinon rien de particulier.

— Tu cours beaucoup ?

— Oui. J'aime bien, ça m'aide à me détendre. Pour être honnête j'y allais plus souvent, avant, mais vu le nombre de fois où je reste coincée au boulot le soir, maintenant, c'est plus compliqué. Je ne sais pas comment font les gens pour rester en forme, dans ce métier. Le jour où je réussirai enfin à me traîner à la salle de sport, mes poumons vont probablement exploser.

— Ouais, mais tu devrais essayer de trouver le temps, quand même. C'est super important.

— Quoi ?

— De faire du sport. C'est vrai qu'on bouffe tout le temps au bureau, et sur la balance ça peut aller vite. Surtout pour les femmes.

*Proud Mary* passait à tue-tête, à ce moment-là. J'aime bien la musique forte, alors en temps normal ça ne m'aurait pas gênée. Mais peut-être qu'il était temps de demander au barman de baisser un peu le volume, parce que j'avais bien cru entendre Will me traiter de grosse, ce qui était impossible, n'est-ce pas ? Enfin quoi, quel genre de type invite une fille à boire un verre et lui dit ensuite qu'elle est grosse ? Surtout quand la fille en question fait du trente-six. Bon, d'accord, des fois je suis obligée de prendre un trente-huit. Mais j'ai deux robes Diane von Furstenberg et un pantalon J. Crew en trente-six dans mon armoire. Et je les porte *tout le temps*.

— Qu'est-ce que t'as dit, là ? ai-je crié par-dessus la voix de Tina Turner.

— Mais rien ! Ça arrive à tout le monde, au début. C'est impossible de ne pas prendre un peu de poids quand on bosse au desk, alors je te conseille juste de continuer à faire du sport dès que t'en as l'occasion. C'est tout.

J'ai soudain perdu tout intérêt pour ma bière light, je dois dire. J'avais envie de laisser Will en plan et de rentrer chez moi au trot pour faire une série de pompes sur le parquet du salon.

— Allez, fais pas ta susceptible. Tu es superbe. Je ne voulais pas te blesser : oublie ce que je viens de te dire.

Là, je me suis dit que j'avais le choix : soit j'étais *cette nana-là*, celle qui fait une montagne du moindre petit truc et gâche une bonne soirée exprès, soit je prenais un air dégagé et je passais à autre chose. J'ai opté pour l'air dégagé : j'allais tranquillement finir ma bière ce soir, et demain, je ne me nourrirais plus que de crackers au blé complet et je m'attacherais au tapis de course jusqu'à ce que je vomisse.

Il y a eu comme un moment de gêne, et puis :

— Écoute, je suis désolé si j'ai mis les pieds dans le plat. Je n'insinuais rien du tout, je t'assure. Tu me pardonnes ?

— D'accord, ai-je concédé. Merci.

— Dis-m'en un peu plus sur toi. Tout ce que je sais, pour l'instant, c'est que tu fais une très bonne livreuse de pizzas.

— Qu'est-ce que tu veux savoir ?

— Eh bien, commençons par le commencement. Frères, sœurs ?

— Une petite sœur, Cat. Elle sort avec le même mec depuis le lycée et va probablement nous annoncer ses fiançailles d'un jour à l'autre. On a pas grand-chose en commun, à vrai dire.

— Tu vois pas quelqu'un, en ce moment ?

— Personne. Et toi ?

Dis non. S'il te plaît-s'il te plaît-s'il te plaît.

— Bof, pas vraiment.

J'ai senti mon estomac qui recommençait à faire des sauts périlleux. Est-ce que j'enfreignais les règles de Chick en prenant un verre avec Will ? Nan, ce n'était pas vraiment un rancard : je renforçais juste mon esprit d'équipe dans un endroit insolite.

— Et sinon, comment t'as atterri chez Cromwell ? a-t-il poursuivi.

— Oh, c'est un peu un truc de famille. Mon père travaille dans une banque d'investissement. J'allais le voir au boulot quand j'étais petite, et dans ma tête c'était l'endroit le plus incroyable au monde. Toute cette énergie, tout ce monde, tout ce bruit. Depuis, j'ai toujours voulu décrocher un job dans le Business.

— Et maintenant te voilà analyste de choc à Wall Street.

— Si ma mère t'entendait… Mon job ne l'enchante pas vraiment, tu vois. Elle aurait préféré éviter qu'une de ses filles plonge dans « la fosse aux serpents », comme elle l'appelle.

— Je trouve qu'elle a bien raison. Ça me plairait pas des masses de voir ma sœur ou ma fille dans une salle des marchés, c'est clair. Te méprends pas, hein, je suis content que tu sois là, parce que t'as l'air d'être marrante et que t'es une personne agréable à regarder, comme on dit. Mais quand même, je comprends les réticences de ta mère. Des fois, les trucs qui se passent sur le parquet, les choses que t'es obligé d'entendre, c'est vraiment pas… convenable. Pour ne pas dire autre chose.

J'ai feint l'indignation.

— Comment ça, « une personne agréable à regarder » ? Scotche un poster sur le mur en face de ton ordi, si tu veux avoir un truc à regarder.

— Je pourrais mais ça deviendrait ennuyeux, au bout d'un moment. Toi, tu m'ennuies pas.

— Oh ! Merci pour le compliment.

Re-moment de gêne – quelques secondes seulement, mais qui m'ont paru des heures.

— Et toi ? Raconte-moi un peu ton histoire.

— Je suis enfant unique. J'ai grandi dans une ville du nord de la Virginie, et j'ai fait mes études à l'université de Pennsylvanie. Ça fait quatre ans maintenant que je bosse avec Chick. Je suis sous-directeur, Capricorne, et j'habite dans l'Upper West Side. Mais assez parlé de moi, s'est-il dérobé en me tendant une liasse de billets de 1 dollar extirpée de sa poche. Et si on allait au juke-box choisir quelques morceaux ? Les choix musicaux d'une personne en disent long sur elle, tu sais.

— Donc si je mets du Céline Dion ou un tube des Backstreet Boys, tu te sauves en courant, c'est ça ?

— C'est clair. Il y aura même un énorme trou en forme de Will dans le mur.

— Tu sais que tu me mets la pression, là.

— Allez, je te laisse faire. Moi, je m'occupe de la seconde tournée.

Sur ce, il m'a prise par le coude pour me mettre dans la direction du juke-box. Je me sentais tout étourdie. Ça faisait quelques mois seulement que je le connaissais, et on s'était très peu côtoyés au bureau. En résumé, je le connaissais à peine et j'avais déjà le béguin. Ça sentait carrément le roussi, là.

À mon retour, le barman posait deux autres Blue Moon devant nous. On a continué à bavarder tranquillement, et avant même de m'en apercevoir il était minuit et on avait tous les deux un coup dans le nez. Je ne savais toujours pas dire ce qu'on fabriquait exactement, mais en tout cas j'étais une fille heureuse, qui venait de passer une super soirée. On est sortis du bar et on a commencé à marcher en direction de mon appartement. Il faisait froid à cette heure-là, et j'ai regretté d'avoir tablé sur les températures anormalement élevées pour la saison – qui, en toute logique, s'étaient volatilisées avec le coucher du soleil. Sans blague, on était en novembre ! J'étais cinglée de ne pas avoir pris de manteau. J'ai croisé les bras en frissonnant.

— Tu as froid. J'allais te raccompagner à pied, mais il vaudrait peut-être mieux que tu prennes un taxi ici, tu ne crois pas ?

Je n'avais pas compris qu'il avait l'intention de me ramener. Waouh, mignon *et* gentleman : pas mal, le mélange.

— Merci pour la soirée, je me suis bien amusée, ai-je fait en remettant une mèche de cheveux derrière l'oreille.

— Moi aussi. On se voit demain, alors.

— Je serai là aux aurores, comme tous les jours que Dieu fait.

— On devrait remettre ça très vite, qu’est-ce que t’en dis ?

— Ça me plairait.

— Super, moi aussi. Alors bonne nuit, Alex.

— Ouais, toi aussi.

Et il a refermé la portière avant de repartir dans la nuit.

## Chapitre 5

# La saison des primes

Je me fiche de ce que les gens peuvent dire : il n'y a rien de mieux au monde que New York au moment de Noël. Quand on était petites Cat et moi, mes parents nous amenaient religieusement chaque année voir les Rockettes au Radio City Music Hall, avant de faire un crochet par le sapin géant qui trône devant le Rockefeller Center, et pour finir une session de lèche-vitrines féerique en remontant la 5e Avenue jusqu'à FAO Schwarz, bien emmitouflées dans nos duffle-coats. Sur les trottoirs il fallait slalomer entre les vendeurs de marrons chauds et de bretzels, et le soir l'Empire State Building s'illuminait en rouge et vert. On entend toujours dire que Noël est la fête des enfants, mais j'ai beau être adulte, j'aime toujours autant cette période de l'année. J'aime les odeurs, les couleurs, même la foule dans les magasins. J'aime les guirlandes, les couronnes accrochées aux portes, les loupiotes qui clignotent dans les arbres alignés sur le terre-plein central de Park Avenue. New York à Noël, c'est comme une overdose sensorielle.

Cette première année chez Cromwell, ça m'a fait bizarre de travailler pendant la trêve des confiseurs. Je n'avais pas encore droit aux vacances, et j'ai été bonne pour une grosse crise de nostalgie. Heureusement, si la boîte ne nous laissait pas aller dehors, elle a tout de même tenté de restituer l'esprit de Noël dedans, en dépensant sans compter pour la déco. Un sapin géant a été installé dans le hall, et d'énormes flocons de neige scintillants ont été accrochés au plafond. J'accordais un A à Cromwell pour le bel effort, mais tout de même c'était loin de remplacer le spectacle de la magie de Noël dans la rue.

Pendant ce mois-là, l'humeur dans la salle des marchés a été radicalement différente de ce que j'avais connu depuis mon arrivée. Le 31 décembre marquait non seulement la fin de l'année calendaire mais également de l'exercice comptable, ce qui signifiait une seule chose pour tous les salariés de Wall Street : la saison des primes, cette grande force fédératrice du monde de la haute finance. Si on s'échine sans râler le reste du temps, c'est qu'on a tous en tête cette première semaine de janvier, où on compte bien recevoir un chèque à six ou sept chiffres en récompense des revenus qu'on a générés pour Cromwell dans l'année. Tous les comptes avaient été arrêtés au début du mois, donc les affaires faites après le 1er décembre ne servaient à rien, en gros. Ce qui fait qu'on s'est pratiquement arrêtés de bosser. Des fêtes étaient organisées tous les soirs, et à la mi-décembre j'en pouvais déjà plus : j'avais l'impression de m'être fait renverser par le traîneau du Père Noël *et* ses huit rennes, et je n'arrivais plus à boutonner mes pantalons.

Un vendredi, ça a été au tour de notre service d'organiser une fiesta pour tout l'étage. À 16 heures pétantes, des tonnelets de bière ont fait leur apparition, et nos bureaux ont bientôt croulé sous les plateaux de fromages et les antipasti. Des serveurs sont passés dans les rangées avec des hors-d'œuvre, et mes collègues se fourraient ça dans la bouche comme si c'était des pastilles pour rafraîchir l'haleine. Un autre soir, Chick a loué un restaurant entier juste pour le desk Obligations d'État, histoire de renforcer encore un peu notre esprit d'équipe à coups de bouteilles de chianti et d'osso buco hors de prix. Commerciaux et traders se devaient d'emmener leurs clients les plus importants boire un verre, pour les remercier d'avoir fait affaire avec Cromwell cette année encore ; dans ces cas-là, la soirée finissait rarement avant minuit. Impossible de se défiler, en plus : c'était considéré comme un suicide professionnel. Une fois, j'ai tenté de décliner l'invitation à l'une des innombrables bamboulas organisées par les cadres supérieurs (auxquelles ils ne se donnaient même pas la peine d'assister, en plus), et Chick m'a répondu en termes on ne peut plus clairs que si je n'y étais pas, il ne faudrait pas m'étonner que mon badge ne fonctionne plus le lendemain. Je priais tous les matins pour survivre jusqu'au 1er janvier, en me disant qu'après cette date fatidique, je pourrais enfin régénérer quelques cellules de mon foie, qui avaient été irrémédiablement détruites pendant ce mois de bringue ininterrompue. Ça faisait plus d'un mois que je n'avais pas poussé la porte de ma salle de sport, il n'y avait pas une fringue dans laquelle je ne me sentais pas serrée, j'avais les yeux bouffis au réveil – et je n'avais que vingt-deux ans. La vache, je me demandais bien comment les vieux sortaient de là sans tomber raides morts.

Pour couronner le tout, on se caillait tout le temps. Il fait frais à longueur d'année, dans une salle des marchés : on est bien obligés, à cause de toute la chaleur générée par les ordinateurs. Si la pièce était chauffée en plus, on aurait de sérieuses chances de tout faire péter. Sauf qu'en hiver, c'est carrément inhumain. Ce mois-là, il a fait tout le temps un froid de bête sur le parquet, et on planquait tous des polaires particulièrement sexy sous nos bureaux, qu'on n'hésitait pas à sortir en cas de pic de météo glaciale.

Un matin de la fin décembre, Drew s'est approché de moi en se frottant vigoureusement les mains pour tenter de se réchauffer.

— La vache, ça caille aujourd'hui. Qu'est-ce qu'on donnerait pas pour être sur une plage de sable chaud en ce moment, hein ?

— Si je pouvais je partirais direct pour un pays du tiers-monde, du moment qu'il est proche de l'équateur, ai-je répondu, en tremblant des pieds à la tête quand j'ai senti mon mollet frôler accidentellement le pied de ma chaise en métal.

Sur ces entrefaites, Chick est revenu d'une réunion et m'a annoncé en claquant des dents :

— Roulement de tambours, A : aujourd'hui est un grand jour pour toi. Noël avant l'heure, presque.

— Pourquoi ?

— Parce qu'aujourd'hui, on te donne un bureau, a-t-il répondu en indiquant du doigt le poste de travail à côté de Drew.

— Mais c'est le bureau de Dave.

— Rectification : *c'était* le bureau de Dave. Maintenant, c'est le tien.

On aurait dit qu'on venait de m'offrir une décapotable, un sac bourré de billets verts. C'était le meilleur cadeau de Noël qu'on aurait pu me faire. Un bureau rien qu'à moi. Adios, chaise en métal !

— Waouh, Chick, me suis-je exclamée en repliant ce maudit truc et en le posant contre le mur, après avoir résisté à l'envie de le jeter direct à la poubelle. Je n'aurais jamais cru que je serais si heureuse d'avoir un pot à crayons. Et des tiroirs !

— Oui, m'a-t-il fait en prenant un air magnanime, j'aime bien faire plaisir à mes employés quand je peux.

— Qu'est-ce qui est arrivé à Dave ?

— Il est mort. Je l'ai dézingué ce matin.

Il avait dit ça le plus impassiblement du monde.

— *Quoi ?* me suis-je écriée, un peu décontenancée.

— C'est une métaphore, banane. Dézingué, viré, vidé. Bref, il est plus là, et toi tu prends son bureau. Tu peux emprunter son bloc-notes en attendant d'avoir les tiens. Je dirai à Nancy de t'en commander demain.

— Emprunter son bloc-notes ? ai-je répété quand mon regard s'est posé sur le fauteuil vide de Dave – *mon* fauteuil, désormais. Puis sur les photos de ses gosses, fièrement exposées à côté de son casque. En clair, Chick venait de licencier quelqu'un pendant les fêtes de fin d'année, et il ne semblait pas perturbé pour un sou. Esprit de Noël, quand tu nous tiens.

— Félicitations, Alex. Tu es officiellement mon nouveau pote de bureau, m'a dit Drew en faisant glisser d'un grand geste les effets personnels de Dave dans une boîte. Y a-t-il quelque chose que je devrais savoir avant que tu t'installes à un mètre de moi ? Des manies particulièrement pénibles ?

— Je crois pas, non.

— Tant mieux. Dans ce cas, bienvenue dans la rangée du

milieu. La température moyenne y est de –1 °C et il est exactement 10 h 45, heure locale.

— Il est seulement 10 h 45 ? a lancé Chick. On pourrait congeler les restes d'hier soir dans cette salle, tellement il fait froid. Je ne saurais tolérer d'avoir une équipe avec des engelures aux mains. (Il a tapé fort dans ses mains.) Yo, les gens ! J'offre la tournée chez Starbucks ce matin, alors venez passer commande auprès d'Alex. Commence par la mienne, *chica*. Tu vas me prendre un grand expresso *très* chaud, avec un trait de sirop de noisette dedans.

Mon nouveau bureau a aussitôt été envahi de collègues hurlant leurs instructions. Sauf que le problème avec les chaînes comme Starbucks, c'est que plus personne ne boit du café ordinaire. Du coup, la probabilité de noter correctement toutes les commandes de thés *chai* normal et extra-large, de cafés *mocha* saupoudrés à la cannelle, de *latte* au lait de soja ou écrémé et de doubles expressos *macchiato* était proche de zéro. Sans compter qu'au dernier moment, Reese a ajouté un cookie aux M&M's pour aller avec son cappuccino moyen.

Chick m'a tendu un billet de 100 dollars.

— Et prends un larbin avec toi, ça t'évitera de tout faire tomber et de finir à l'hôpital avec des brûlures au troisième degré.

Au moins, il reconnaissait que je n'arriverais pas à ramener des dizaines de boissons chaudes (plus un cookie géant) toute seule – et ce n'était pas une petite victoire pour le droit des employés de Cromwell.

J'ai hésité un instant avant d'aller voir Will, et puis je me suis dit « tant pis ». J'ai foncé.

— Quoi de neuf, la bleue ? m'a-t-il fait en fermant Internet. À quel honneur doit-on ta venue jusqu'à la dernière rangée ?

— Écoute, Will, Chick m'a demandé de désigner quelqu'un pour m'aider à porter les cafés. Comme tu as eu la gentillesse de venir avec moi pour les pizzas, l'autre jour, j'espérais que tu voudrais bien recommencer.

— Sauf que c'était censé rester sans lendemain, cette histoire, m'a-t-il fait avec son sens de la répartie et un petit sourire malicieux pour emballer le tout.

J'en avais les jambes en coton.

— Je t'oblige pas. Je peux demander à Drew, si t'es occupé.

— Je veux simplement mettre les choses au clair. En gros, tu me demandes de sortir avec toi, c'est ça ? a-t-il continué en levant un sourcil interrogateur, se délectant de réussir si bien à me mettre mal à l'aise.

— Pour aller au Starbucks, oui, ai-je précisé.

— Tu crois que je suis destiné à être l'andouille qui t'aidera à porter de la bouffe toute sa vie ?

— On dirait bien que oui. Alors, qu'est-ce que t'en dis ?

— No problemo, je viens avec toi. De toute façon j'ai besoin d'un *mocha* illico. Avant de mourir de froid.

— T'as commandé un *mocha* ?

— Ouais, avec de la crème fouettée dessus.

— C'est une boisson de fille, ça, non ?

— Les vrais hommes aiment quand c'est fouetté !

— Si tu le dis, ai-je susurré, n'ayant surtout pas envie de résister à la tentation du flirt.

— Arrête de faire ta crâneuse sinon je change d'avis. Allez, on y va.

À notre arrivée il y avait la queue jusque dans la rue, comme d'hab.

— On va en avoir pour un moment, ai-je soupiré. Si tu dois retourner au bureau, vas-y. Je ferai plusieurs voyages.

— Nan, je vais attendre avec toi. Toute façon c'est mort, aujourd'hui. Ça faisait deux heures que j'étais sur Internet, à commander mes cadeaux de Noël. Et puis ça fait du bien de quitter le parquet, de temps en temps.

Il a montré du doigt mon col roulé en cachemire.

— Noir, aujourd'hui ? C'est mieux, a-t-il commenté en hochant la tête d'un air approbateur.

Comment ça, c'est mieux ? Il passe son temps à noter mes

tenues dans sa tête, ou quoi ?

— Oh, merci, ai-je répondu, toute guillerette. Pantalon beige, aujourd'hui ? Comme c'est original.

— C'est-à-dire qu'à moins d'être fan du motif écossais, j'ai pas énormément d'options. C'est ça que vous faites, les filles ? Vous passez votre temps à évaluer les mecs sur le parquet ?

Alors là, il est gonflé.

— T'aimerais bien, hein ! ai-je riposté d'un air moqueur. Je t'assure que non – enfin je parle pour moi, vu qu'on ne peut pas vraiment dire que je connaisse mes collègues *féminines*. Elles, je sais pas ce qu'elles font, en réalité. Mais ça étonnerait.

— Ben vous devriez, a-t-il répondu laconiquement. On s'en prive pas, nous.

Il n'y avait plus que trois personnes devant nous, et en partant du principe qu'aucune d'entre elles n'allait commander de boissons pour un service entier, ça allait être à nous très bientôt. Juste au moment où ça commençait à devenir intéressant.

— Comment ça ?

— On classe les filles. De un à cinq.

— T'es sérieux, là ? Non mais vous sortez d'où, les mecs ?

Petit sourire facétieux, mais pas de réponse.

— Tu es en train de me dire que les gars pour qui je fais la queue en ce moment me classent selon mon apparence physique ?

— Ouais, tous les jours, même. D'ailleurs, t'obtiens toujours une meilleure note quand tu lâches tes cheveux. Ils aiment moins quand tu te fais une queue de cheval. Juste pour info.

— Je te signale qu'on bosse dans un bureau, pas dans un bar.

Non mais c'est vrai, quoi !

— T'emballe pas comme ça, t'es toujours dans le trio de tête. Je t'en aurais pas parlé, sinon.

— Donc d'après toi, je devrais être flattée ?

— Ouais, c'est un grand compliment que je te fais. Ils sont pas faciles dans l'équipe, reconnais-le.

— Vous êtes tous des satyres, tu le sais, ça ?

— Je ne parlerai qu'en présence de mon avocat.

Sur ce ça a enfin été à notre tour, et je me suis vengée d'avoir poireauté dans le froid polaire en passant une gigantesque commande. Will m'a aidée à prendre les sacs en papier au fur et à mesure qu'on les plaçait sur le comptoir, et le trajet retour s'est fait dans un silence gêné. Devant les ascenseurs, Will a tenté de me faire mordre à l'hameçon.

— Tu veux savoir à quelle place tu es, aujourd'hui ? Je te le dis, si tu veux. Ce serait carrément enfreindre les règles, mais je le ferais pour toi.

— Non merci. J'ai pas envie de savoir parce que je m'en fous, figure-toi.

— Non, tu t'en fous pas.

— Si, si, je t'assure.

— Je suis sûr que non. Ça te démange de savoir, ça se voit.

On regardait tous les deux droit devant nous, fixant les chiffres des étages qui s'allumaient les uns après les autres. Je n'ai pas répondu.

Quand on est arrivés dans la salle, les gars se sont jetés sur nous comme d'habitude, lisant tour à tour ce qu'il y avait d'écrit sur le côté des gobelets pour trouver leur commande. Dans tout ce boucan, j'ai quand même entendu une voix familière me crier :

— T'as intérêt à avoir pensé à mon cookie, ma belle !

J'ai regardé vers le bout de la rangée, et j'ai vu Reese debout avec son casque, qui tapait dans ses mains et les tendait vers moi, comme s'il se tenait prêt à attraper un ballon de foot. J'ai repéré le sachet en papier où la minette avait glissé son cookie d'un kilo, et je le lui ai lancé comme un frisbee.

— Arigato, La Fille ! a-t-il crié en mordant là-dedans comme s'il rompait un jeûne de trois jours.

Les boissons ont fini par toutes trouver preneur, et c'est là que je me suis rendu compte que j'avais oublié d'en prendre une pour moi. C'est dans ces moments-là que je hais ma vie.

Will a jeté les sacs vides dans la poubelle derrière moi, et il a remarqué la situation critique dans laquelle je me trouvais.

— Pourquoi tu t'es rien pris ? Tu vas tomber en hypothermie si tu bois pas un truc chaud !

J'ai extirpé une écharpe Burberry de ma cachette et je l'ai entortillée comme j'ai pu.

— J'ai complètement oublié. J'avais trop peur de foirer les commandes des autres.

— Oh, ben faut pas te mettre dans cet état, alors.

Il a enlevé le couvercle sur son café et en a versé la moitié dans un mug vide qui traînait sur le bureau de Drew.

— Tiens, m'a-t-il fait en me tendant la tasse fumante. Je te parie que mon *mocha* à la crème fouettée te paraît plus aussi efféminé, tout d'un coup. Je me trompe ?

J'ai pris une gorgée, et j'ai senti comme un début de dégel dans la région de mes pieds.

— Merci-merci-merci. Je m'excuse de m'être moquée de ton café.

— Y'a pas de quoi.

Il m'a tapoté dans le dos, puis s'est éloigné sans se presser. Quelques mètres plus loin, il s'est retourné tout d'un coup :

— Hé, Al ? a-t-il appelé.

— Ouais ? ai-je répondu en faisant pivoter mon fauteuil, juste à temps pour le voir lever deux doigts en l'air et me faire un grand sourire.

Sans ciller, j'ai levé mon majeur vers lui, et j'ai lancé :

— Voilà où je te classe aujourd'hui, mon pote.

Mais en fait, je me demandais si c'était Baby Gap et ses fringues taille huit ans qui me coiffait au poteau.

— Touché, Alex, a-t-il dit en riant. Touché.

Le lendemain matin, en guise de bonjour, Chick m'a fait tourner un bon coup sur mon nouveau fauteuil à roulettes.

— Écoute, La Fille, c'est pas parce que t'as un bureau

maintenant qu'il faut croire qu'on t'a relevée de tes fonctions de livreuse. T'es toujours responsable des pizzas du vendredi, et de la patrouille milkshake aussi, d'ailleurs. (Il a balancé une liasse de billets de 20 tout neufs sur mon bureau.) Pour midi, j'ai commandé au resto de sushis en bas de la rue. Je viens juste de passer le coup de fil. Ce sera prêt dans une demi-heure. Allez, va chercher.

— J'y cours, Chick. Merci encore pour le bureau.

— Mais de rien. Il était grand temps que t'en aies un, toute façon. Maintenant, tu vas vraiment pouvoir bosser.

En jetant un œil par les fenêtres, j'ai vu qu'il s'était mis à neiger à gros flocons. Punaise, ça avait l'air de tenir, en plus. J'ai regardé en direction de ma nouvelle paire de Manolo Blahnik en daim, et une grande tristesse m'a envahie, tout d'un coup. Mais je ne sais pas pourquoi, aller voir Chick pour lui annoncer que je ne pourrais pas m'acquitter de ma mission parce que je ne voulais pas flinguer mes chaussures toutes neuves m'a semblé peu judicieux.

Eh merde.

Vingt minutes plus tard, je sortais dans le blizzard, emmitouflée dans mon pashmina rose comme un paysan cachemiri. Les deux pauvres taxis encore dans la rue patinaient comme des fous sur la chaussée. Le resto de sushis n'était qu'à quelques centaines de mètres du bureau, mais j'ai mis près de dix minutes à pied. Le temps que j'arrive, j'étais trempée, j'avais les joues brûlantes à cause du froid, et le nez qui coulait comme un robinet mal fermé. Sans compter les crevasses aux lèvres à cause du vent, et un paquet de neige coincée dans les cils.

La petite Japonaise derrière le comptoir m'a vraiment prise en pitié quand elle a vu que j'essayais de décoller les glaçons qui s'étaient formés sur mes boucles d'oreilles.

— Bonjour, je viens chercher une commande au nom de Ciccone, s'il vous plaît, ai-je articulé comme j'ai pu.

Elle a hoché la tête, et mis sur le comptoir quatre grands sacs en plastique qui étaient posés derrière elle, par terre.

— Temps pas bon aujourd'hui, oui ?

— C'est vrai, il fait très froid.

Elle a regardé mes pieds.

— Mauvais jour pour aller sans chaussettes. Vous tombez malade comme ça !

Je n'avais pas exactement envie d'entamer une conversation sur les souffrances que nous, les femmes, nous sommes obligées d'endurer pour être belles, ni de commenter le fait que j'étais habillée comme un manche vu la météo, alors je me suis contentée de sourire, l'air poliment désintéressé.

— Croyez-moi, je le sais. Combien est-ce que je vous dois ?

— Ça fait 196 dollars. Espèces ou carte ?

J'ai extirpé les billets de mon porte-monnaie, réglé la dame et empoché la monnaie de Chick. Avec mes gros sacs sous le bras, j'ai dû pousser de tout mon poids sur la porte en verre pour l'ouvrir, et c'est là où j'ai réalisé : au retour, j'étais contre le vent. Youpi.

De retour dans le hall de Cromwell Pierce après le plus interminable trajet de ma jeune carrière de livreuse, je me suis mis un peu de baume au cœur en jetant un œil au tas de faux cadeaux empaquetés comme des vrais (avec rubans et tout) et méticuleusement posés sous le sapin de compète. La sécurité avait placé un tapis juste après les portes pour absorber la neige fondue et empêcher les gens de glisser, ce qui était une sage précaution, vu qu'il ne doit pas exister beaucoup de surfaces plus dangereuses qu'un sol en marbre mouillé. Dommage que j'aie été si pressée d'enlever mes chaussures trempées et de livrer pour 200 dollars de sushis. Quand j'y repense j'aurais dû marcher plus lentement, et sur toute la longueur du tapis, mais c'est facile de dire ça avec le recul.

Je n'avais pas fait trois mètres à l'intérieur que je décidais de quitter la sécurité du tapis pour contourner la foule qui ralentissait le pas, ébahie comme moi cinq secondes plus tôt devant le beau sapin de Noël. Bon, je l'avoue, ça ne fait pas partie de mon top 5 des meilleures idées de tous les temps. Une minute je marchais la tête haute dans mes beaux escarpins et mon châle super chic, et celle d'après je faisais du ski nautique au beau milieu du hall. Je n'avais rien où me rattraper, bien sûr. Enfin, rien à part l'énorme sapin et ses centaines de boules en verre. Dans ma panique, j'ai lâché les sacs de sushis, tendu le bras et trouvé une branche – sauf qu'elle n'était pas assez grosse pour supporter mon poids. J'ai senti que je commençais à tomber mais je n'ai pas lâché le foutu sapin, non. J'ai continué à me cramponner, et le pauvre arbre s'est mis à pencher dangereusement, comme un lance-pierre géant. Quand j'ai enfin cessé de m'entêter et que j'ai desserré les doigts, il est revenu en place d'un coup et la secousse a fait tomber des dizaines de décorations sur le sol en marbre, envoyant valdinguer des bouts de verre coloré dans toutes les directions. Quant à moi, je me suis retrouvée étalée de tout mon long par terre, la tête dans les faux cadeaux.

Chapeau bas, Alex ! Tu t'es surpassée, là.

Je ne saurais jamais comment ça se fait, mais les sacs de sushis m'attendaient sagement par terre, intacts. La dernière chose dont j'avais envie, c'était de devoir rapporter à Chick mes prouesses en gymnastique rythmique dans le hall d'entrée de Cromwell Pierce : une humiliation en privé (ou presque) parmi quelques inconnus valait cent fois mieux qu'une humiliation extrêmement publique parmi mes nombreux collègues. Je me suis forcée à m'asseoir, mais déjà une horde de gentlemen accourait à ma rescousse. Rouge comme une pivoine, j'ai levé une main bien haut pour stopper leur élan chevaleresque, et j'ai crié :

— Je vais bien. Très bien même, je vous assure. Vraiment.

Ils m'ont complètement ignorée, pris comme ils l'étaient dans la mission qu'ils s'étaient fixée de venir au secours de la damoiselle en détresse.

Deux hommes, la cinquantaine bien tassée, se sont penchés vers moi et m'ont agrippé sous les aisselles, me relevant d'un bond.

— Est-ce que tout va bien, mademoiselle ? Vous vous êtes fait mal ? m'ont-ils demandé, pleins de sollicitude.

— Non, ça va. Après quelques dizaines d'années de psy, j'aurai tout oublié.

L'un des hommes a entrepris d'enlever les aiguilles de pin qui s'étaient plantées dans le haut de ma cuisse, franchissant la ligne jaune qui sépare le galant du pervers, pendant que l'autre me rapportait une Manolo qui avait tenté de se faire la belle. J'ai ramassé mes sacs de bouffe le plus dignement possible, remercié mon public d'un signe de la main et, sur un coup de tête, fait une petite révérence. Quand ils se sont tous mis à siffler et à applaudir, j'ai éclaté de rire malgré moi. Je me consolais en me disant que je ne reconnaissais personne parmi les témoins de la scène, et que mon humiliation du jour n'aurait pas de conséquence. Si je ne disais rien à personne en revenant, ce serait un peu comme si ça n'était jamais arrivé, non ?

J'ai posé les sacs sur le bureau de Chick, et je suis retournée discrètement à mon fauteuil. *Respire profondément*, me suis-je ordonné. *Personne n'a rien vu. Ça aurait pu être bien pire.* Si je m'étais foulé la cheville, je crois bien que j'en aurais démissionné de honte. Les battements de mon cœur avaient à peine retrouvé un rythme sain qu'un mail est apparu dans ma boîte de réception.

***MESSAGE DE PATRICK, WILLIAM :***

*A–*

*Pas mal, ton vol plané. Je te mettrais un 8, facile. Bon, tu as perdu quelques points auprès du juge russe quand tu t'es viandée. Mais d'un autre côté, ça faisait longtemps que j'avais pas autant ri, alors merci. Je suis sûr que je vais rejouer la scène dans ma tête pendant des années, maintenant.*
*PS : Mes compliments pour le sauvetage in extremis des sushis. Je suis carrément impressionné.*

Et moi qui croyais que je m'étais humiliée incognito. C'est officiel : Dieu me déteste.

***MESSAGE DE GARRETT, ALEX :***

*W–*

*J'ai jamais pu sentir les communistes de toute façon, alors tu peux dire au juge russe d'aller se faire voir, avec sa note. Juste une question : si tu m'as vue me casser la figure, comment ça se fait que tu sois pas venu m'aider ? Merci de me tenir au courant.*

Il fallait tout de même reconnaître que je n'avais pas tort. Cendrillon n'aurait jamais accepté de se faire traiter comme ça, merde.

***MESSAGE DE PATRICK, WILLIAM :***

*A–*

*Qu'est-ce que tu voulais que je fasse exactement, te balancer sur mon épaule comme Tarzan et te porter jusqu'au dixième ? T'es une grande fille, et j'ai bien vu que tu ne t'étais pas fait mal. D'autre part, je sais pas pourquoi mais je pense que tu m'aurais envoyé bouler, si je t'avais proposé mon aide. Vrai ou faux ?*
*PS : T'es mignonne quand t'es morte de honte.*

Ah ouais ?

***MESSAGE DE GARRETT, ALEX :***

*W–*

*On saura jamais maintenant, mince ! Sinon tu viens à la fête, ce soir ?*

Je n'ai jamais eu de réponse.

La soirée que tout le monde attendait avec impatience, en cette période de Noël, c'était celle que le grand manitou Ventes et transactions chez Cromwell donnait pour le département entier dans un bar branchouille de Midtown. J'avais entendu dire qu'on y passait un super moment, et j'étais plutôt excitée à l'idée d'y aller.

À 17 h 30 pétantes, le parquet a commencé à se vider et je me suis laissé porter par le flot vers le long cortège de berlines noires qui nous attendaient devant le building pour tous nous emmener. Quand la voiture s'est arrêtée à l'angle de la 9e Avenue et de la 51e, j'ai compris pourquoi cette fête était le clou de la saison. On entendait le groupe jouer depuis le trottoir. Des hommes en pantalon écossais vert et rouge et cravate assortie (certains avaient osé le motif renne, quand même) étaient dehors, en train de fumer et de bavarder tranquillement. J'arrivais à la porte quand j'ai aperçu Drew et Marchetti qui traversaient la rue, une giga-part de pizza en main.

— Hé, Alex, m'a fait Drew avec un sourire jusqu'aux oreilles, avant de lever l'autre main pour m'en taper cinq.

— Joyeux Noël ! me suis-je exclamée. Je pensais qu'il y aurait au moins des trucs à grignoter, ce soir. J'aurais dû manger avant de venir, en fait ?

Il n'y avait pas moyen que je passe toute la nuit dehors sans rien dans le ventre. Vous allez me dire que j'aurais survécu, avec toute cette graisse récemment accumulée – mais là n'est pas la question.

— Non t'inquiète, il y a des montagnes de bouffe, là-dedans. C'est Marchetti qui voulait partir sur de bonnes bases, avant de commencer à s'enfiler des tequilas.

Sur ce, Drew m'a pris la main et traînée à l'intérieur, direction le bar. Tout le monde s'amusait, souriait, et chopait au passage des bières gratos sur les plateaux des serveuses. Dès que j'en finissais une, une autre réapparaissait dans ma main comme par magie. La piste de danse était blindée de gens qui sautaient partout, comme s'ils cherchaient à revivre leur bal de fin d'année au lycée.

Reese et Marchetti nous ont rejoints au bar, Drew et moi, et ensemble on a trinqué bruyamment à Noël.

— Ouais, poulette !

— Ouais, Reese ! Quoi de neuf ?

— Oh, pas grand-chose, La Fille, pas grand-chose.

Drew nous a tendu à chacun un *shot* de Jack Daniel's. On a retrinqué et j'ai avalé cul sec en même temps que les garçons – et tant pis si je n'avais plus de trachée demain matin –, parce que je savais que si je ne le faisais pas ils ne m'inviteraient plus jamais à boire avec eux.

On avait à peine reposé nos mini-verres qu'ils commandaient la même chose et levaient déjà le coude pour refaire cul sec. Je leur ai poliment demandé l'autorisation de passer mon tour, cette fois-ci, et ils ont été assez sympas pour m'épargner.

J'ai aperçu Chick au loin. Il m'a fait signe de venir, alors j'ai quitté mes compagnons en pleine réflexion sur un choix capital (rouge ou blanc ?) concernant le dîner.

— Salut chef, ça va ?

Une bouffée de stress est montée d'un coup : j'avais encore dû faire une boulette, pour qu'il veuille me parler maintenant. S'il y avait bien un soir où je n'avais pas envie de me faire remonter les bretelles, c'était celui-là.

— Je sais qu'à cette saison toutes les conversations tournent autour des primes, alors je voulais qu'on fasse le point sur ta situation, a-t-il commencé.

— Oh, ai-je répondu, soulagée et surprise en même temps. Je n'y ai pas droit, de toute façon, puisque ça ne fait pas encore un an que je suis dans la boîte.

— En théorie, c'est vrai. *L'entreprise* ne peut pas récompenser tes quelques mois de boulot ; mais ça ne veut pas dire que *nous* on peut pas le faire. (Il a sorti une enveloppe blanche de la poche intérieure de son veston.) Joyeux Noël, Alex.

Je l'ai ouverte et pendant un instant, j'en suis restée comme deux ronds de flan.

— Oh mon Dieu, ai-je couiné.

— Il y a 10 000 dollars là-dedans. Je te le dis comme ça, ça t'évitera de te couper en essayant de compter billet par billet. Toute l'équipe s'est cotisée pour toi. Comme c'est du liquide, tu n'as pas à te soucier de payer d'impôts dessus, donc techniquement ça fait 20 000.

— Oh mon Dieu, ai-je répété, complètement sonnée.

Dix mille dollars. En liquide.

— Chick, je sais vraiment pas quoi dire. C'est juste incroyable.

— Dans ce cas, *ça*, ça va vraiment t'en boucher un coin.

Et sans transition, il m'a mis sous le nez un chèque de 10 000 dollars en plus.

— Celui-ci, il est de moi. Tu as réussi tous tes exams et jusqu'ici, je dois dire que j'ai été épaté par tes capacités d'adaptation aux coutumes un peu spéciales du parquet. Continue comme ça, Alex, et je suis sûr qu'un brillant avenir t'attend chez Cromwell. Bon boulot, petite.

— C'est vraiment pour de vrai ? Vingt mille dollars ?

— Si seulement tous mes employés étaient aussi faciles à contenter que toi. T'en parles pas aux autres, hein. J'ai pas envie qu'on croie que je deviens ramollo avec l'âge. Tiens d'ailleurs, rends-moi ce pognon. Je te le garde. Une jeune femme ne devrait pas se balader dans Manhattan avec autant d'argent sur elle, m'a-t-il fait en partant d'un rire franc. Il rayonnait d'une fierté toute paternelle.

— Je tiendrai ma langue, promis ! ai-je riposté en pressant l'enveloppe contre moi.

J'avais une furieuse envie de le prendre dans mes bras, mais mon petit doigt me disait que j'allais me faire méchamment remballer.

— Je ne sais sincèrement pas quoi dire. J'ai le meilleur job au monde.

— L'un des meilleurs, ça c'est sûr. Il se classe probablement derrière celui d'athlète professionnel et de rockstar, mais à mon avis Wall Street remporte la troisième place haut la main.

Il a tendu le bras pour me serrer affectueusement l'épaule, puis il s'est éloigné.

Tout d'un coup j'ai aperçu Will à l'autre bout de la piste de danse, qui s'esclaffait avec des amis. J'ai fait semblant de ne pas le voir, tout en faisant une inspection express dans le miroir derrière le comptoir pour vérifier que ma coiffure n'avait pas bougé ni mon eye-liner coulé. Le rustre n'a même pas regardé dans ma direction. Il fixait un point derrière moi, en fait. Toujours dans le miroir, j'ai vu qu'il matait une jolie rousse en robe noire adossée contre le mur, qui bavardait avec des gars du desk Placements à haut rendement. Bizarre, je ne me souvenais pas de l'avoir vue sur le parquet ; et vu le peu de femmes qu'on était au bureau, j'aurais au moins dû la croiser aux toilettes ou un truc dans le genre.

— Hé, La Fille, rapporte-moi trois Bud, tu veux ? ai-je entendu Reese crier derrière moi.

Je lui ai fait un signe de tête, et je suis allée alpaguer une serveuse. Quand je suis venue lui donner son butin, il m'a dit :

— Je t'ai vue papoter avec Chick, tout à l'heure. Il t'a donné ton cadeau de Noël ?

— Oui ! Je sais pas comment vous remercier, les mecs.

— Mais tu le mérites, ma cocotte. Dépense pas tout dans un seul magasin.

— Je crois que même si je voulais, j'y arriverais pas.

— Attends quelques années, tu verras. Vingt mille dollars, ce sera de la gnognotte pour toi.

— Pas possible, j'te crois pas, ai-je répondu, en espérant secrètement qu'il ait raison. Dis, c'est qui la nana là-bas, adossée au mur ? Je la reconnais pas.

Il a bu une bonne lampée de bière, et s'est retourné pour voir de qui je parlais.

— Oh, elle. Je sais pas comment elle s'appelle. Elle bosse au bureau de Boston. Elle vient toujours à la fête de Noël, et de temps en temps dans l'année quand il y a des fêtes. Pourquoi ?

— Non, comme ça. Je me demandais, ai-je menti.

Je me suis retournée vers Will, qui regardait toujours vers elle. *Grandis un peu, Alex*, me suis-je houspillée quand j'ai senti la jalousie monter en moi. Je n'allais pas rester plantée là à le contempler, et si j'allais rejoindre les autres, j'avais peur de devoir m'enfiler encore un whisky ou que sais-je encore. Je suis donc partie en quête des toilettes des femmes, en jouant des coudes à travers un tas d'hommes en état d'ivresse.

Ils étaient trois à faire la queue devant moi quand je suis arrivée aux seules et uniques toilettes – unisexes, donc. Super. Dix minutes plus tard on n'avait pas bougé d'un pouce, et huit ou neuf gars s'étaient mis dans la file derrière moi. Je me donnais encore deux minutes avant d'aller aux toilettes de la pizzeria d'en face quand tout d'un coup la porte s'est ouverte, et la rouquine de Boston est sortie. Trois secondes après, c'était au tour d'un type que j'avais déjà vu sur le parquet. S'ensuivit alors une scène surréaliste : en passant devant les hommes qui attendaient en rang d'oignons, elle s'est fait siffler, chambrer, et même ouvertement convier à revenir aux toilettes avec l'un d'eux dans un quart d'heure. Quant au type, on lui a tapé dans la main et donné des grandes claques dans le dos. Pendant ce temps-là, moi, j'étais carrément sous le choc : yeux écarquillés, bouche ouverte, bref en violation totale d'une règle fondamentale quand on est une femme et qu'on bosse à Wall Street, à savoir rester de marbre en toutes circonstances.

— Oh oh, je crois bien qu'Alex a les boules ! a crié quelqu'un dans la queue, qui m'avait tout l'air d'être cadre. Allez, La Fille, monte pas sur tes grands chevaux. On est tous majeurs, ici, pour autant que je sache. Remets-toi ! a-t-il fait en éclatant de rire et en guettant l'approbation de ses copains.

Sans réfléchir (et sur un ton complètement irrespectueux, si l'on considérait que je m'adressais à un supérieur, techniquement), je l'ai rembarré :

— C'est pas elle qui me dégoûte, c'est *toi*.

J'ai senti les larmes qui me montaient aux yeux sans trop comprendre pourquoi.

— C'est quoi ton problème, Alex, t'es jalouse ? Les autres filles reçoivent de l'attention et pas toi ? Attends, je dis pas, t'es sexy et tout, mais y'a des catégories où tu peux pas rivaliser. Enfin, pas encore. Repose-moi la question quand j'aurai bu quelques bières de plus.

L'emmerdeur en question devait avoir dans les quarante ans, un trader sûrement. Il avait la peau du cou toute rose par rapport à sa figure, comme s'il était sur le point de faire un infarctus. À vrai dire, ça ne m'aurait pas dérangé plus que ça.

C'est là où j'ai pété un plomb.

— Peut-être, mais laisse-moi te dire un truc. Si elle et moi on devait se retrouver sur un ring, tu mériterais même pas qu'on te garde un siège au dernier rang, espèce de gros tas de merde.

À la minute où les mots sont sortis de ma bouche, je les ai regrettés.

À l'autre bout de la queue, quelqu'un a hurlé :

— Nom de Dieu, T. C., la nénette elle vient de te mettre un méchant coup dans les couilles, là !

Tous les hommes présents ont éclaté de rire, mais l'intéressé n'a pas trouvé ça drôle, forcément. Je me suis barrée de là comme une furie, j'ai arraché mon manteau de la chaise où il était resté et je me suis dirigée vers la sortie. Drew me criait de m'arrêter, mais j'étais à deux doigts de fondre en larmes et je m'étais suffisamment humiliée comme ça pour aujourd'hui. J'ai couru jusqu'au coin de la rue, tentant en vain de trouver un taxi libre. Si vous avez déjà essayé d'arrêter un taxi un soir de décembre à Manhattan, vous savez que j'avais davantage de chances de me faire ramener par un vaisseau extraterrestre. Affalée contre une voiture garée, j'étais en train de sécher mes larmes quand Drew est arrivé.

— Alex, c'est rien qu'un loser, ce type. Tu vas quand même pas te mettre dans cet état pour lui ! Qu'est-ce que t'en as à foutre, de ce qu'il pense ?

— J'arrive pas à croire qu'il ait dit ça ! Je croyais que quand on était adulte, on avait passé l'âge de rabaisser les femmes juste pour se marrer entre potes. Je croyais aussi que quand on était adulte, on se tapait pas une collègue dans des toilettes publiques. Non mais c'est quoi ce bordel ?

Drew s'est appuyé contre la voiture lui aussi, et a fourré les mains dans les poches de son pantalon.

— On est pas tous comme ça, tu sais. Malheureusement, ceux qui le sont ne cherchent pas exactement à s'en cacher, si tu vois ce que je veux dire. Pour chaque trouduc que tu rencontreras, il existe un million de mecs bien. Seulement, c'est les trouducs qui se font remarquer.

— Je viens de passer de la meilleure soirée de ma vie à la pire en moins de dix minutes. Je veux juste rentrer chez moi, maintenant.

Drew a réussi à attirer l'attention d'un chauffeur qui venait juste de s'arrêter dans l'autre sens pour s'acheter un café. La voiture jaune a fait demi-tour, et il m'a tenu la portière ouverte pendant que je grimpais sur la banquette arrière.

— Allez dors bien, Alex. Ça ira mieux demain. Promis.

Le taxi s'est éloigné du trottoir, en direction de Murray Hill.

Par ma faute, un cadre de Cromwell m'a traitée de moche, et en échange j'ai eu la bonne idée de le traiter de gros tas de merde. Ouais, c'est sûr, ça peut qu'aller mieux, demain. Vu que j'ai touché le fond.

# Chapitre 6

## Hôtel Cromwell

JE ME SUIS LEVÉE SUPER TÔT pour aller au boulot et en finir avec cette journée. Je ne me souvenais pas avoir déjà poussé les portes de Cromwell avec une telle trouille au ventre. Je me suis assise à mon bureau, j'ai allumé mon ordi et j'ai trouvé un nouveau mail dans ma boîte de réception.

***MESSAGE DE PATRICK, WILLIAM :***

*A–*

*Mais enfin qu'est-ce qui s'est passé, hier soir ? Je t'ai vue partir du bar comme une fusée. Tu vas bien ? Tout le monde dit que tu t'es engueulée avec quelqu'un.*

Juste au moment où j'allais lui répondre, un Chick furibard m'a extirpée de mon fauteuil par la queue de cheval.

— Mon bureau. Sur-le-champ, m'a-t-il simplement dit avant de tourner les talons.

Là, j'allais avoir de gros problèmes, parce que jamais il ne se servait de son bureau, sauf pour accueillir les nouveaux employés, faire les entretiens annuels avec les autres, virer ceux qui ne donnaient pas satisfaction – et avoir une petite discussion en privé avec une infime minorité. On se faisait uniquement convoquer dans le bureau de Chick quand ce qu'il avait à dire était trop choquant pour être hurlé dans une salle des marchés.

J'ai regardé autour de moi pour voir si quelqu'un avait vu que ça allait barder pour moi, mais les personnes présentes semblaient concentrées sur leurs occupations matinales. Sauf Will, qui a haussé les épaules en me regardant d'un air désolé.

Quand je suis entrée dans le bureau de Chick, une pièce où je n'avais plus mis les pieds depuis mon premier jour chez Cromwell, je l'ai trouvé debout près de la fenêtre, en train d'admirer la vue. J'ai refermé la porte tout doucement, et je me suis assise sur la chaise en face de son bureau. J'ai bien dû rester cinq minutes comme ça, à poireauter ; et quand il s'est décidé à me parler, il l'a fait de dos.

— Bon sang, qu'est-ce que je t'ai dit ?

Chick m'avait dit beaucoup de choses depuis six mois. Je ne savais absolument pas laquelle il voulait que je lui répète précisément, et je me suis dit qu'il valait mieux se taire plutôt que de dire une connerie. Alors j'ai continué à me morfondre en silence.

— J'ai dit, a commencé Chick, la voix bizarrement haut perchée. (J'ai jeté un œil du côté de la porte et du mur vitrés, en me demandant si son bureau était insonorisé ; à en voir la tête des secrétaires qui se planquaient derrière leurs écrans, ce n'était pas le cas.) Qu'est-ce que je t'ai dit, hein ? Quand t'es arrivée ici, je t'ai dit que tu ferais mieux de rendre tout de suite ton badge si ça te défrisait de bosser avec une majorité d'hommes. Qu'est-ce qui t'a pris, Alex, mais nom de Dieu qu'est-ce qui t'a pris d'insulter Tim Collins ? Figure-toi que ce gros tas de merde, comme tu dis si bien, rapporte 50 millions de dollars par an à cette boîte. Et toi, Alex, tu rapportes combien ? Hein ? Ben, vas-y, dis-le. Combien de bénéfices as-tu générés pour ce groupe depuis ton arrivée ici ?

— Aucun, Chick. Je n'ai pas encore de clients, ai-je répondu d'une toute petite voix.

— Exactement, merci. Timmy nous rapporte 50 millions par an et toi t'as déjà de la chance que je t'autorise à répondre au téléphone, mais pour une raison que jamais, tu m'entends, *jamais* je ne pigerai, t'as cru que tu pouvais te permettre de traiter l'un des meilleurs traders du service de gros tas de merde. Tu trouves ça logique, toi ? Je t'ai embauchée parce que t'étais censée être une fille intelligente, Alex, pas une tarée de féministe avec un truc débile à prouver. La seule personne à qui t'as quelque chose à prouver, c'est moi. Et la seule chose que tu m'as prouvé, hier soir, c'est que t'en as visiblement rien à foutre de ta carrière. Je venais de te donner un petit pactole pour te montrer notre reconnaissance, et c'est le seul moyen que t'as trouvé pour me remercier ? C'est mes encouragements qui te sont montés à la tête, ou quoi ? T'as cru que tout ce que je t'avais expliqué le premier jour ne s'appliquait plus ?

— Non, Chick, non ! Je suis désolée. J'ai déraillé, c'est tout. J'ai parlé sans réfléchir, je n'aurais pas dû. Qu'est-ce que je peux faire pour réparer ça ?

— Pour commencer, tu vas aller t'excuser auprès de Timmy pour lui avoir manqué de respect, et avoir oublié qu'il était au-dessus de toi de toutes les façons possibles et imaginables. Tu m'entends ? Tu vas le faire en personne et à la seconde où tu quittes ce bureau. Sinon je te promets que tu ne décrocheras plus un seul téléphone pour le restant de ta courte carrière chez Cromwell. Capiche ?

Tu plaisantes, j'espère.

— Tu veux que je le fasse personnellement ? À son bureau, devant tout le monde ?

— C'est ce que « en personne » veut dire, Alex. Oui.

Je me suis sentie obligée d'expliquer ce qui s'était passé. Quand même, Chick me connaissait suffisamment bien pour savoir que je ne me serais pas mise à insulter quelqu'un comme ça, sans raison. Je voulais qu'il soit de *mon* côté.

— Écoute, Chick, je crois que si tu connaissais toute l'histoire, tu verrais que je n'ai pas tant exagéré que ça. Il m'a dit…

— Alex ! a-t-il crié en se retournant enfin pour me faire face – mais je crois bien que j'aurais préféré continuer à parler à son dos. Je me fous de savoir ce qu'il t'a dit. Je m'en fous. Tu vas t'excuser, parce que c'est ce que je te dis de faire. Et que si t'as envie de continuer à bosser ici, tu fais ce que je te dis de faire. Bon sang, j'arrive pas à croire que j'ai déjà perdu dix minutes de ma journée avec des conneries pareilles. Je t'en donne cinq pour faire tes excuses.

D'un doigt il m'a montré la porte, et de l'autre main il a décroché son téléphone ; alors je me suis contentée de baisser la tête et de quitter son bureau la queue entre les jambes.

Je m'étais attendue à bien des choses, mais pas à devoir m'excuser personnellement auprès de Tim Collins. Bon, d'accord, j'avais peut-être vraiment poussé le bouchon, mais rien qu'à l'idée de me retrouver face à lui et de devoir lui dire de façon audible que j'étais *désolée*, j'en avais la nausée. J'ai demandé à quelqu'un de m'indiquer son bureau, qui se trouvait au fin fond de la salle des marchés. J'avais le cœur qui cognait fort. Quand je l'ai vu, il était en train d'engloutir un bagel au beurre, et de se lécher la graisse sur les doigts. Quand lui m'a vue, il a arrêté son petit manège et a croisé les bras sur sa poitrine, histoire de ne pas trop me faciliter la tâche quand même.

— Alors comme ça, on vient implorer mon pardon pour pas se faire botter les fesses par Chick ?

J'ai croisé les mains derrière mon dos pour qu'il ne voie pas combien je serrais les poings.

— Hum, ai-je balbutié, je viens te dire que je suis désolée de t'avoir parlé de cette façon. Je suis allée trop loin. Si tu acceptes, je voudrais qu'on mette ça derrière nous pour aller de l'avant.

C'est vraiment trop nul, de devoir ravaler sa fierté.

Il a grogné un coup, puis s'est tourné vers son voisin de bureau :

— T'entends ça, Sam ? a-t-il fait. C'est la nana qui m'a traité de gros tas de merde hier soir, et voilà qu'elle veut « aller de l'avant ».

— Lâche-lui la grappe, T. C. T'as plutôt du bol qu'elle te colle pas un procès au cul pour harcèlement sexuel.

— Oh, je t'en prie. C'était qu'une petite blague innocente, c'est tout. C'est elle qui en a fait toute une histoire.

Une blague ? T'es pas sérieux, là.

— Eh bien, je ne savais pas que tu plaisantais, et j'imagine que j'ai réagi un peu trop vivement. Je te dois des excuses.

— Allez, va, a-t-il ordonné. Oublie ça. Mais si tu veux un conseil, décoince un peu. Sinon tu tiendras pas un an, ici.

Je suis retournée à mon bureau avec la désagréable impression d'avoir besoin d'une seconde douche. J'allais ouvrir mon calepin et enfin commencer ma journée quand j'ai vu un grand café de chez Starbucks posé dessus. Sur le côté du gobelet, les petites cases « écrémé » et « mocha » avaient été cochées.

— C'est toi qui es allé me chercher ça ? ai-je demandé à Drew, prête à lui faire un gros bisou pour ce geste silencieux de solidarité.

— Non, j'étais en téléconférence, là.

En regardant mes mails, j'ai trouvé un second message de Will.

***MESSAGE DE PATRICK, WILLIAM :***

*A–*

*J'ai l'impression qu'un petit remontant ne te ferait pas de mal, ce matin. J'espère que ça te rendra le sourire. On m'a raconté ce qui s'était passé. Collins est un enfoiré, n'y pense plus.*
*PS : Si le café ne suffit pas, on pourrait peut-être prendre un verre ? Tu me donnes ton numéro de portable ?*

*–W*

Je me suis pris la tête pendant dix minutes pour lui faire la réponse parfaite, celle qui allait lui montrer ma reconnaissance, sans pour autant paraître trop empressée ou intéressée. C'est toujours difficile de faire passer le ton, dans un mail. Tous ceux qui ont déjà eu une relation par Internet le savent.

***MESSAGE DE GARRETT, ALEX :***

*W–*

*Ça me dirait bien. C'est le 203-555-5820.*

Parfait.

Drew a fait rouler son fauteuil jusqu'à moi.

— Alors, c'est moche comment ?

— Sur une échelle de un à dix ? Neuf. Chick m'a obligée à m'excuser publiquement. J'ai dû aller là-bas et dire que j'étais désolée, comme si c'était moi qui avais fait quelque chose de mal. J'aurais dû la fermer, d'accord. Mais quand même, merde !

— Alex ! a hurlé Chick en se rasseyant à son poste de travail. J'ai fait un tel bond que j'ai failli en tomber de mon fauteuil.

Punaise. Quoi, encore ?

— Oui, chef ? ai-je demandé, pétrifiée.

— Les gars du Marché de capitaux lancent un nouveau produit. Ils sont en train de pondre l'argumentaire de vente pour les clients, le « pitch book », ça s'appelle. Le pitch book en question doit être impérativement terminé et expédié aujourd'hui. Et c'est toi qui vas t'en charger. Tu passes à leur desk pour me peaufiner ça avec eux. Une fois que vous avez fini, tu envoies le pitch book au service Reprographie pour une commande standard. Ça devrait leur prendre quelques heures pour tout photocopier et relier les exemplaires. Quand ils sont prêts, tu vas les chercher, tu les descends au service Courrier, et tu les mets sous pli pour envoi par FedEx dans la foulée. Ça t'apprendra à faire la maligne.

— Très bien.

— La dernière levée est à minuit. J'en ai rien à foutre si tu dois te gaver de Red Bull toute la journée pour y arriver, les pitch books partent ce soir. Capiche ?

J'ai hoché la tête vigoureusement.

— Pas de problème, ce sera fait.

J'ai foncé au desk Marché de capitaux et j'ai repéré un groupe d'hommes debout devant une forêt d'écrans.

— Bonjour, je m'appelle Alex. Chick m'a demandé de venir vous aider à terminer la présentation.

Un type aux cheveux poivre et sel m'a serré la main avec enthousiasme, et m'a fait :

— Ah, super Alex, merci d'être venue ! Ton aide va nous être précieuse. Notre boss est pas là aujourd'hui et on s'y connaît pas si bien que ça en PowerPoint, je t'avouerais. J'imagine que tu sais te servir de ce logiciel ?

— Oui, bien sûr.

Je me suis connectée sur l'un des ordis, et j'ai ouvert le dossier. On pourrait croire que ce n'était pas sorcier, comme mission – eh bien, on se tromperait. Quand une bande de banquiers hypernerveux avec des personnalités de type A, habitués à *toujours* arriver à leurs fins, sont obligés de bosser à plusieurs, et de faire des compromis sur un nombre incroyable de détails insignifiants, l'affaire se corse de manière exponentielle.

— OK, voyons voir.

Banquier Numéro Un s'est penché tout près de mon épaule, en regardant l'écran d'un air concentré.

— Quelle taille elle fait, la police ? On dirait que c'est pour les aveugles. Diminue-la, Alex, m'a-t-il demandé.

J'ai fait passer la taille de la police de quatorze à douze.

— Ah ben maintenant, c'est trop petit, a commenté un autre. Et pourquoi est-ce qu'on l'a fait carré et pas rectangulaire, le tableau du cash flow ? La diapo est rectangulaire, je vois pas pourquoi le tableau le serait pas aussi.

Banquier Numéro Deux s'est penché tout près de mon autre épaule et m'a montré du doigt ce qu'il voulait dire par rectangulaire, au cas où je ne verrais pas, hein. Il sentait le café froid, le tabac froid, et l'eau de toilette Old Spice.

Avec la souris j'ai fait glisser un coin du tableau vers la gauche, transformant le carré en rectangle (*tadam !*), puis j'ai recentré le texte.

— C'est mieux ? ai-je demandé, pleine d'espoir.

Il s'est gratté la tête, fixant l'écran d'un air songeur. C'est là que Banquier Numéro Trois a décidé de s'en mêler.

— Ben moi, j'aime pas. Pourquoi est-ce que c'est rouge ? Le rouge, ça porte malheur. Le rouge, on l'associe à des pertes, à une Bourse en baisse. C'est une couleur négative. On essaie de convaincre les gens d'acheter notre produit, là. Du rouge dans la présentation, ça pourrait leur envoyer un message subliminal négatif. Change-moi ça.

J'ai modifié le rouge en vert, ce qui me paraissait le plus logique. Si je suivais son raisonnement, le vert devait être une couleur associée aux gains, à l'argent, en un mot : positive. Il a secoué la tête, agacé.

— Qu'est-ce que tu fous, Alex ? On leur envoie pas une carte de Noël. Mets-moi ça en gris.

Du gris. Mais bien sûr.

Le premier banquier n'aimait pas la façon dont les encadrés étaient alignés. Ils étaient trop loin les uns des autres ; ensuite ils ont été trop près. La formulation n'allait pas non plus : pas assez succincte. S'ensuivit une belle partie de ping-pong sur le sous-titre, et j'ai dû changer « nous pouvons » en « nous pourrons » je ne sais combien de fois – jusqu'à ce qu'ils arrêtent de changer d'avis, en fait.

— Les mentions légales en bas de la page devraient être en italique. Les gars du service juridique m'ont dit qu'il fallait que ce soit parfaitement lisible, s'est souvenu tout d'un coup Banquier Numéro Quatre.

— T'es sûr ? Les italiques, ça fait tellement – comment dire ? Amateur. On pourrait pas les mettre en gras, plutôt ?

Bien sûr, les italiques c'est pour les fumistes, mais les caractères gras alors là, ça fait pro. Je savais même pas que c'était fait pour être lu, ce truc.

Mais Banquier Numéro Deux avait son mot à dire, dans cette affaire.

— Si tu mets les mentions légales en gras, tu en fais le point d'attention de toute la page. C'est embêtant, ça risque de distraire le lecteur.

— Mmmm, a fait Banquier Numéro Trois en hochant la tête pensivement. Je vois ce que tu veux dire.

Vous plaisantez, j'espère ?

— Et si on soulignait, mais qu'on gardait une police normale ? a suggéré Banquier Numéro Cinq à Banquier Numéro Un, tout en frottant sa barbe naissante. On aurait dit du papier de verre, et tout mon corps s'est contracté.

— C'est ça ! Parfait. Bon boulot, les gars.

Et ils se sont donné de petites tapes dans le dos pour se féliciter d'avoir su proposer une solution aussi époustouflante.

Au secours.

J'avais souvent imaginé ce que mon père faisait à son travail quand j'étais petite, mais jamais il ne me serait venu à l'idée qu'il passait des heures à pinailler sur des trucs aussi débiles que la taille et la couleur de la police. Je me demandais si en ce moment même, à Sterling, il tourmentait un pauvre analyste de façon similaire. J'espérais sincèrement que non.

— Qu'est-ce qu'on a décidé, finalement, pour les encadrés ? a fait Banquier Numéro Un, l'air visiblement préoccupé.

Aligne-les à droite ; non, centre-les. Peut-être que ça fera plus sexy si on les place au milieu de la page par ordre décroissant de taille ? Mets-les en trois dimensions, colore-les en plus foncé, non tout compte fait colore-les en plus clair. Les flèches ne sont pas de la même taille ; fais-les plus épaisses, on les voit pas bien. En fait, il y a trop de flèches – non, finalement, il n'y en a pas assez. Il faut revoir tous les espaces, il y a un décalage, là. Les numéros de page se voient trop. Pour la police, il vaudrait mieux utiliser Times New Roman (classique, fiable) ou Arial (moderne et innovante) ?

Et encore, là, je vous fais un résumé.

Quinze minutes plus tard, ils s'étaient mis d'accord sur la première diapo. Moi, je ressemblais à une bossue sur ma chaise, et j'avais tous les muscles du dos endoloris. J'ai voulu me redresser, histoire de remettre ma colonne vertébrale dans son alignement, mais tout ce que j'ai réussi à faire, c'est pointer les seins comme une star du porno prenant la pose. Du coin de l'œil, j'ai vu l'un des types lever un sourcil intéressé. Je suis repassée vite fait à la position avachie, et je me suis résignée à un avenir solitaire de sonneuse de cloches dans une lointaine cathédrale.

— OK, ai-je lancé en faisant semblant de ne pas voir les yeux baladeurs. On passe à la page 2 ?

J'ai jeté un coup d'œil en bas de mon écran : *Diapo 2 sur 46.*

Une corde et un tabouret, vite.

Les heures défilaient, et on allait toujours aussi vite. J'ai regardé ma montre : 14 h 30. Pas étonnant qu'il arrive aux banquiers de bosser toute la nuit. Ces guignols étaient obsédés par le plus petit détail.

— J'y pense, on a pas une nouvelle présentation pour les pitch books ? m'a demandé tout d'un coup Banquier Numéro Un. Celle où le logo de l'entreprise est en haut à droite, au lieu d'être en haut à gauche ?

— C'est vrai. Mais on n'est pas obligés de s'en servir.

Oh non, s'il te plaît, le dis pas. Je t'en supplie.

— Je crois qu'on devrait la prendre quand même. Celle-ci est un peu vieillotte, je trouve. Garde la police et les autres caractéristiques de diapo en diapo, en te guidant avec les deux qu'on vient de corriger ensemble. Ensuite, tu n'auras plus qu'à aller à la reprographie et à les mettre sous pli.

— Mais je vais devoir tout reprendre depuis le début ! Je ne vais pas pouvoir faire simplement un copier-coller.

— C'est pour ça que je ne prends pas de chaise pour t'attendre. Il faut vraiment que ça parte ce soir, alors il n'y a plus de temps à perdre. Tu en laisseras un exemplaire sur le bureau de Chick, pour qu'il l'ait à la première heure lundi matin. Ah, et puis fais-m'en livrer un dès ce soir dans ma maison du Connecticut, pour que je puisse le lire pendant le week-end. Merci pour ton aide.

— Y'a vraiment pas de quoi, ai-je marmonné entre mes dents alors qu'ils s'éloignaient. J'ai balancé mes chaussures sous le bureau, remonté mes manches et je me suis préparée mentalement à passer une fin de journée assommante. Pour rester polie.

À 17 h 30 j'amenais le pitch book au service Reprographie, où on m'a informée que je pouvais repasser dans deux heures. Je suis retournée à mon bureau et vu que j'étais toute seule, j'ai lu le compte rendu hebdomadaire de notre économiste. Autant faire quelque chose de productif tant que j'étais au calme, avant de devoir suer sang et eau pour expier ma faute.

À 19 heures, mon portable a sonné.

— Ben alors, t'es où ? s'est écriée Liv, avec en bruit de fond de la musique et des éclats de rire.

— Encore au boulot. Je hais ma vie. Tu veux bien venir m'achever en me plantant un crayon dans l'œil, s'il te plaît ?

— Merde, mais qu'est-ce que tu fous encore là-bas à 7 heures du soir ?

— Chick me punit à coups de pitch books parce que j'ai merdé. Je t'expliquerai quand je rentrerai.

— Qu'est-ce que t'as pu faire comme connerie, pour l'énerver comme ça ?

— C'est une longue histoire, et elle fait froid dans le dos. Je te raconterai tout à la maison.

— D'accord, je t'attendrai. À ton avis, t'en as jusqu'à quand ?

— J'en sais trop rien. Mais pour un moment quand même. J'ai une mise sous pli à organiser.

— Il est vraiment trop pourri, ton job.

— Figure-toi que je le sais. Allez, je te laisse. Les exemplaires devraient être bientôt reliés, et ça va me prendre un moment de tous les traîner en bas.

— OK. À plus tard, Hulk Hogan.

Clic.

J'ai refoulé des sanglots qui montaient, ce qui était très étrange pour moi. Je n'ai pas la larme facile, en général. Surtout en public, et pour que ça m'arrive deux fois en deux jours, c'était carrément surprenant. Ce boulot était tout ce que je voulais, jusqu'à hier. Aujourd'hui, eh bien aujourd'hui, tout ce que je voulais c'était me tirer d'ici vite fait et rentrer chez moi. Rien d'autre.

***

— Je viens prendre la commande pour Ciccone, ai-je annoncé en signant le registre à la reprographie à 19 h 30 pétantes. Ça faisait seulement une demi-heure que j'avais parlé avec Liv, mais ça me paraissait être une éternité.

— Ouais, a essayé de me dire le plus gaiement possible la femme derrière le comptoir, avant de pointer du doigt dix ou douze énormes boîtes derrière elle. Elles sont toutes pour vous.

— Vous dites ça pour me faire marrer, c'est ça.

— Nan. Y'en a quatre cents, en tout. Quelqu'un vient vous aider ?

— Non, ai-je soupiré. Personne ne vient m'aider.

J'ai baissé les yeux vers mes talons aiguilles en cuir verni avec bride à la cheville. Une fois de plus, j'avais fait le pire choix possible en matière de chaussures ce matin. J'avais vraiment une vie de merde, quand même.

J'ai soulevé la première boîte en grognant comme un culturiste sous le poids, et j'ai lentement commencé ma descente vers le service Courrier. Quand je suis arrivée dix minutes et un demi-litre de sueur plus tard, j'ai laissé tomber la boîte par terre à côté d'une longue table en métal qui trônait au milieu de la pièce, et je suis retournée prendre la deuxième. Le temps que j'en finisse (une heure plus tard), j'avais le dos et les bras en compote, et les cheveux collés à la nuque par la transpiration.

Va te faire foutre, Chick, ai-je pensé en envoyant bouler la dernière par terre. Je suis pas obligée d'accepter ces conneries.

En moins de deux, j'avais mis sur pied une chaîne de montage digne d'une usine de pièces détachées chinoise. À un bout, j'ai empilé les pitch books dix par dix. À côté, j'ai étalé toutes les enveloppes FedEx de la même façon, avec l'ouverture à gauche, pour faire glisser direct les exemplaires dedans. Une fois l'enveloppe fermée, je placardais une étiquette autocollante dessus. La plupart du temps elles étaient de travers, mais pour autant que je sache, je n'aurais pas de points en plus si mes enveloppes étaient jolies. Après quasiment quatre heures passées à l'isolement dans les sous-sols de Cromwell, le supplice s'est enfin terminé à 23 h 30. C'était moins une avant la levée, et j'ai speedé.

J'ai appelé quelqu'un du service et je lui ai demandé de venir illico chercher tout ce bazar, puis je suis remontée au trot pour en laisser un exemplaire sur le bureau de Chick. En retournant au pas de course vers les ascenseurs, j'ai entendu des éclats de rire et des chants qui provenaient de la salle de conférence. Bizarre, j'aurais pourtant juré être la seule couillonne encore là à cette heure-ci. La voix caractéristique d'Hannah, reprenant un tube des Black Eyed Peas – qui parlait de nichons, comme par hasard –, résonnait dans la nuit.

Qu'est-ce que… ?

Quand je suis entrée dans la pièce et que j'ai vu la scène, j'en suis restée baba. Il y avait des matelas gonflables partout par terre, et une demi-douzaine de nanas bourrées qui dansaient où elles pouvaient, quand elles ne sifflaient pas du vin dans des gobelets en carton volés au stand de café. Les filles ont eu l'air de se foutre royalement de me voir là, sauf la meneuse (Baby Gap, bien sûr), qui dansait sur la table en pyjama blanc et chaussons roses en forme de lapin. Oui c'est ça, vous avez bien lu, des chaussons roses en forme de lapin.

— C'est quoi ce bordel ? me suis-je exclamée, complètement horrifiée.

— Oh, salut, Alex ! Mes copines sont venues me voir, et comme elles habitent pas en ville et qu'on aurait jamais tenu à toutes dans mon appart riquiqui, on a décidé d'aller prendre une chambre à l'hôtel Cromwell ! C'est une bonne idée, tu trouves pas ?

— Mais t'es malade, ou quoi ? On a pas le droit de faire une soirée pyjama au bureau ! Où est-ce que t'as dégoté ça ?

Je parlais des bouteilles de vodka et de vin alignées par terre contre le mur.

— Je les planque dans le classeur derrière le bureau de Keith.

— T'as transformé le classeur de Keith en bar ?

— Oh non, j'y planque aussi des objets perso. Un sèche-cheveux, un tire-bouchon, des barres de céréales, une tenue de rechange, et même une station d'accueil pour mon iPod. Malin !

— Hannah, tu peux pas dormir ici. Et si quelqu'un te voyait ?

— On est vendredi soir. Y'a plus personne.

— Je suis bien là, moi. Figure-toi que j'ai pas fini ma journée, même.

— Ben t'as plus qu'à te joindre à nous, alors !

— Non merci. En fait, ne dis à personne que tu m'as vue. Mieux, ne dis à personne que tu me connais.

— D'accord, Alex. Comme tu voudras ! Mais si t'as envie d'un verre, n'hésite pas surtout. Et si ça te tente de rester, j'ai une brosse à dents de rechange dans le classeur.

Je suis sortie de là sans même prendre la peine de lui répondre, et je l'ai entendue qui se tournait vers ses bimbos de copines.

— Qui est partante pour un cent mètres bière, les filles ?

Je me suis engouffrée dans l'ascenseur, complètement écœurée. Non mais sans déc', est-ce que Baby Gap garderait vraiment son job si elle s'habillait dans des boutiques pour adultes ? J'ai fait un arrêt au service voiturier, avant de traîner mon corps las, endolori – et ce canal carpien qui me faisait un mal de chien – jusqu'à une berline noire garée dehors. Puis je me suis effondrée sur la banquette arrière, et j'ai fondu en larmes. Comme on était un vendredi et que j'avais fini à 23 h 45, j'avais le droit de me faire ramener gratuitement, avec les compliments de Cromwell.

Comme c'était gentil de leur part.

## *Chapitre 7*

# Bombe au saké !

SI J'AVAIS PU, J'AURAIS pris des vacances la semaine suivante. Mais ma condition de bleue m'a obligée à retourner au boulot et à endurer la léthargie qui s'empare des marchés entre Noël et le Nouvel An. Je suis arrivée à temps pour passer le réveillon en famille, mais le lendemain soir je reprenais déjà le chemin inverse, pour être au bureau le 26 au matin.

Inutile de dire que j'ai été contente de m'acheter un calendrier neuf, cette année-là. Janvier marquait le début d'un nouveau cycle riche en lucratives affaires, et tout le monde avait rechargé ses batteries pendant ces quelques jours de repos. Moi, j'étais complètement crevée, mais déterminée à tout faire pour regagner le respect de Chick. Je me suis forcée à étudier les modèles dont il se servait, pour me familiariser avec chaque titre et produit dérivé qu'on proposait. C'est à l'aide de ça qu'il suivait les opérations de ses clients et qu'il optimisait leurs performances, en leur conseillant d'acheter quand il y avait des bénéfices à faire ou, le cas échéant, de vendre pour sauver les meubles. Je faisais des heures sup tous les soirs, et dès que j'avais un moment je lisais les bouquins que Cruella m'avait prêtés. Je n'allais pas laisser T. C. faire dérailler ma carrière, et je n'allais certainement pas non plus me mettre à douter de mes capacités à cause de lui. J'étais forte, et jamais je ne permettrais à quiconque de me briser.

— La Fille, si t'avais prévu un truc ce soir, tu annules, m'a ordonné Chick un après-midi de la mi-janvier où il faisait un froid sibérien.

— D'accord, Chick, qu'est-ce qu'il te faut ?

On était jeudi, et j'espérais vraiment qu'il n'allait pas me faire rester pour une corvée à la con. J'avais un *happy hour* qui m'attendait, moi.

Chick a penché la tête sur le côté et il m'a regardée comme ça pendant un instant, l'air du type qui n'arrive pas à décider s'il a vraiment envie de dire ce qu'il est sur le point de dire.

— J'ai eu le fin mot de l'histoire, pour ce qui s'est passé à la fête de Noël.

J'ai senti ma gorge se serrer. Mince, pourquoi il me ressortait encore ce truc ?

— J'étais sincère, Chick. Je suis vraiment désolée pour ce qui est arrivé.

— Oui, on en a déjà discuté et tu as eu tort de lui sortir ça. Mais d'après ce que j'ai entendu, il a vraiment dépassé les bornes.

J'étais sans voix. C'était moi, ou Chick avait l'air de vouloir s'excuser ?

— On emmène des clients dîner au Buddha Bar, ce soir. Tu viens avec nous. Tu vas rencontrer un paquet de types importants, alors oublie pas de te donner un coup de peigne avant d'y aller. T'as pas intérêt à merder. Capiche ?

— Ouah, je suis touchée, Chick. Merci !

Il ne m'avait jamais demandé de l'accompagner en soirée. Mes autres collègues semblaient avoir un budget illimité pour ça, et brandissaient régulièrement sous le nez de leurs clients des billets au pied du terrain de basket pour aller voir les Knicks, juste derrière la base de départ pour aller voir les Yankees au stade, pile au milieu de la patinoire pour aller voir les Rangers. Quand ils les accompagnaient à un concert c'était toujours au premier rang, et ils s'absentaient souvent pour aller jouer au golf dans les Hamptons, en Californie, et même en Irlande. Sans compter les parties de pêche dans les Caraïbes, les matchs de foot dans les loges, et les dîners dans les restos les plus tendance de New York. Je n'en croyais pas mes oreilles, j'étais enfin invitée à entrer dans le cercle. Je me sentais revigorée, regonflée à bloc et surtout : réhabilitée. Par ce tout petit geste, Chick m'avait redonné confiance.

— Autre chose, Princesse Sarah.

*Eh merde, je savais bien qu'il y avait anguille sous roche. Alors quoi, je vais devoir m'asseoir à côté de T. C. et faire copain-copain ?*

Il m'a tendu deux billets.

— J'étais censé aller au concert de U2 ce week-end mais un de mes gosses est malade, alors on doit annuler. Tu peux les prendre.

Des billets pour U2 ? Il me faisait marcher, forcément. Je suis restée plantée là à le regarder, attendant qu'il me les arrache des mains et me rie au nez pour l'avoir gobé une fois de plus.

— Ben qu'est-ce qu'il y a ? T'aimes pas U2 ou quoi ?

— Tu rigoles ! me suis-je exclamée. J'adore U2 ! Tu me les offres en cadeau pour de vrai ?

— Ouais. T'es devant la scène. Dis bonjour à Bono de ma part.

— Je ne sais vraiment pas comment te remercier.

— Amuse-toi bien.

— Alors là, promis !

Liv allait tourner de l'œil quand elle apprendrait qu'on avait rancard avec Bono et The Edge ce week-end au Madison Square Garden.

J'ai eu le plus grand mal à me concentrer, après ça. J'ai décidé d'envoyer un mail à Will.

***MESSAGE DE GARRETT, ALEX :***

*W–*

*Chick vient de me demander d'aller au Buddha Bar avec lui ce soir. T'avais prévu de sortir, toi ? On pourrait peut-être aller prendre un verre après, si ça te dit.*

En temps normal, je n'aurais pas fait aussi ouvertement du plat à un mec, mais partant du fait que je lui avais donné mon numéro il y avait trois semaines de ça et qu'il ne s'en était jamais servi, je ne voyais pas où était le mal. J'ai fixé ma boîte de réception pendant les vingt minutes suivantes, en attente d'une réponse, mais visiblement je pouvais aller me faire voir. J'ai tendu le cou pour vérifier s'il était à son bureau. Effectivement il y était, et il était très occupé à lancer une balle de tennis en l'air.

Résultat, j'ai passé le reste de la journée à bûcher sur un tableau que Chick m'avait donné à revoir. J'avais jusqu'à la fin de la semaine pour le faire, mais j'ai eu envie de le finir avant qu'on parte pour lui montrer ma gratitude. À 17 heures, je me suis éclipsée aux toilettes des femmes et j'ai vidé le contenu de mon sac sur la tablette. Après inspection des dégâts, j'ai passé un kleenex sous les yeux pour ôter le mascara qui avait migré dans la zone du contour de l'œil, et remis du gloss. Je me suis recoiffée, puis regardée une dernière fois dans la glace : disparu le stress de la fin d'année, j'avais vraiment bonne mine. Au moment où je tournais les talons pour partir, Cruella a poussé la porte, et a bien pris le temps de me toiser de la tête aux pieds avant de me parler.

— On s'est mis sur son trente-et-un, à ce que je vois. Je ne savais pas que le maquillage à outrance faisait vendre des actions.

J'avais eu très peu de contact avec elle après cette première et charmante discussion à son bureau, mais à chaque fois elle avait pris un malin plaisir à me balancer une insulte bien mesquine. Depuis le pataquès avec T. C., j'avais compris qu'il valait mieux s'abstenir de répondre, *surtout* à La Dépeceuse de chiots, alors en général je faisais semblant de ne pas capter qu'elle se payait ma tête.

— Chick m'emmène dîner avec des clients ce soir, ai-je expliqué avec un sourire forcé.

Cruella a éclaté de rire démoniaque.

— Laisse-moi deviner… Je te parie que Rick sera là. Sinon pourquoi il s'embêterait à traîner une analyste qui ne connaît rien aux marchés avec lui ? Ce n'est pas comme si tu allais apporter quoi que ce soit à la conversation, tu ne crois pas ?

J'en suis restée sans voix. Non mais pourquoi elle se sentait obligée d'être salope comme ça ? J'ai fini par bégayer :

— Je… Eh bien je… Il…

*Bien joué, Alex. Tout ce que tu lui montres, là, c'est que t'es la reine des godiches.*

— Tu sais, j'étais comme toi, avant. Je croyais que tout le monde m'aimait bien parce que j'étais intelligente, parce qu'ils me *respectaient*. J'espère que tu vas vite te réveiller, fillette. Je l'espère sincèrement.

Et sans transition, elle a disparu dans une cabine.

« *J'étais comme toi, avant.* »

*Et si elle me racontait pas de craques ?*

Je me suis défendue de croire un truc pareil, parce que l'idée que mon destin soit de devenir une vieille bique était tout simplement insupportable. En revenant sur le parquet, j'ai trouvé Chick en train de choisir parmi l'une des dix cravates qu'il laissait en permanence dans le placard à manteaux pour les soirées client. Il a sifflé sur mon passage, ce qui m'a fait sourire. J'allais me rasseoir quand il a claqué des doigts et pris son blazer, avant de se diriger vers la sortie. J'ai jeté un dernier coup d'œil à mes mails, mais toujours pas de réponse de Will. Dommage que Cromwell n'autorisait pas les BlackBerry pour les analystes : j'aurais pu vérifier mes mails pendant le dîner. Tant pis. *Il y aura d'autres occasions*, me suis-je raisonnée en suivant Chick dans l'ascenseur. *C'est probablement mieux comme ça. Tu dois te concentrer pour faire bonne impression.*

Arrivés sur le trottoir, on a repéré une berline noire qui attendait. Le chauffeur a fait un appel de phares, et un bras est sorti par la vitre avant pour nous faire signe de venir. Chick m'a ouvert la portière, et on s'est installés. Quand j'ai vu qui était à l'avant, j'ai failli m'étrangler. Will était en train de discuter tranquillement de la circulation avec le chauffeur, tout en tripotant la radio. Il a fini par opter pour un tube des années 1980, puis il s'est tourné vers Chick.

— Hé, Chicky, ça te rappelle pas tes années de fac, cette chanson ? Ça devait être extra d'être étudiant dans les années 1980. Mégabrushings pour les filles, coupes mulet pour les garçons. J'suis sûr que t'avais la coupe mulet, toi, nan ?

— Je t'emmerde, Willy. T'aurais pas tenu dix minutes, dans ma fac. T'aurais même pas été digne de nous apporter de l'eau à la mi-temps, putain. Ah c'est sûr, tu devais crâner sur ton campus de riches, mais on joue tout simplement pas dans la même cour, toi et moi.

— J'ai entendu dire que les femmes aimaient bien les hommes de petite taille, à l'époque.

— Si je me tiens sur mon portefeuille, p'tit merdeux, je fais dix centimètres de plus que toi. C'est ça qu'elles aiment, les femmes. Continue comme ça et je te paierai une telle misère que tu pourras même plus emmener tes copines obèses au McDrive. Capiche ?

Pendant ce temps-là, j'attendais patiemment que l'un des deux remarque ma présence dans la voiture. Will ne m'avait même pas dit bonjour. Je savais qu'il avait eu mon mail, vu que j'avais mis un accusé de réception. (J'admets, c'est un peu minable ; mais il y a de quoi péter les plombs, des fois, quand on se demande si un message a bien été lu.) Ça faisait deux mois qu'on était allés prendre un verre ensemble, et si au bureau on flirtait raisonnablement – juste assez pour ne pas se faire repérer par Chick, en fait –, j'étais quand même surprise qu'il n'y ait jamais eu de suite. J'étais encore plus surprise de me retrouver dans la même voiture que lui, maintenant, et de voir qu'il ne m'adressait même pas la parole. Je ne savais pas ce qu'il cherchait à faire en m'ignorant comme ça, mais si c'était me rendre dingue, il était sur la bonne voie.

Le Buddha Bar était très mal éclairé, un truc qu'avaient en commun tous les restos branchés de New York : il y avait des bougies partout, sur les tables comme sur les banquettes, et les murs étaient peints en rouge profond. Autant dire qu'on n'y voyait pas grand-chose. Tous ceux qui bossaient là étaient beaux, bien foutus et classe dans leurs fringues noires : clairement, ils étaient là pour passer le temps en attendant de percer. Comme la plupart des restos du Meatpacking District, le bar était déjà blindé de banquiers, d'avocats et de traders qui s'adonnaient à leur sport favori (à savoir, tenter de persuader leur voisin qu'ils avaient raison), un verre à la main.

On s'est dirigés vers un groupe d'hommes âgés de trente à quarante ans, qui étaient en train de s'envoyer des bières et du scotch au comptoir en faisant un barouf de tous les diables. Question physique, rien de nouveau sous le soleil : leur tenue impeccable n'avait d'égale que leur superbe manucure. Quand ils nous ont vus arriver, ils ont tous levé leur verre et crié en chœur « Chiccckkk-yyyyyyyyy ! ». L'intéressé a fait le tour pour serrer les mains et distribuer des tapes dans le dos, pendant qu'une jolie blonde prenait sa commande (tout en me snobant méchamment). Personne ne m'a adressé la parole, même si à la façon qu'ils avaient de me regarder, j'avais un peu l'impression d'être une cacahouète dans l'enclos des éléphants, au zoo. En moins de deux, Will et Chick étaient en grande conversation avec leurs potes, et moi je m'étais subtilement fait reléguer à la périphérie du groupe. Finalement, l'un de ceux qui devaient avoir la quarantaine a arrêté de faire comme si je n'étais pas là. Le gars portait un blazer bleu marine sur une chemise blanche un peu trop ouverte à mon goût : il se prenait pour un bel étalon, clairement.

— Eh bien, qui avons-nous là ? Chick n'aurait jamais réussi à convaincre une beauté pareille de le suivre pour la soirée. Je présume que vous êtes tenue d'être ici, n'est-ce pas ?

Je lui ai fait un hochement de tête et un sourire innocent.

— Rick Kieriakis, enchanté, a-t-il fait en me tendant la main avec un grand sourire.

Chick l'a entendu se présenter. Jusque-là, je suis à peu près certaine qu'il se souvenait carrément plus de m'avoir emmenée.

— Ah, désolé Ricky. Voici Alex Garrett, notre analyste. Ça fait à peu près six mois qu'elle est dans l'équipe, et étant donné qu'elle sera un jour ton interlocutrice, je voulais que tu la rencontres en personne.

Chick a ensuite entrepris de me présenter les autres, égrenant les noms à la suite comme s'il lisait une liste de courses. J'ai serré les mains à la chaîne, et fait un gros effort sur moi pour entendre, et surtout me rappeler qui était qui. Au final, ça donnait : Kevin, Brian, Sal, Nate, Skip, Petey, et Rick, donc. Ces gars-là étaient bruyants, sapés comme des princes, et visiblement très impressionnés (par eux-mêmes). Dans un bar new-yorkais, on reconnaîtrait ceux qui bossent dans la finance entre mille. L'un des inconvénients à passer sa vie dans une salle des marchés, c'est qu'à force de beugler tout le temps, on finit par perdre définitivement sa fameuse voix « intérieure », et en public, on peut rapidement passer pour des gens assez odieux. Même quand on y est habitué, c'est gonflant.

— Alors comme ça tu es nouvelle chez Cromwell ? m'a demandé Rick, tout d'un coup plus familier.

D'un geste assuré, il a ôté un fil bleu marine qui s'était retrouvé sur sa belle chemise blanche, avant de rajuster un bouton de manchette en argent. Il était l'objet de toutes les attentions, parmi les femmes présentes au Buddha Bar. Sa posture princière, sa veste qui tombait à la perfection, sa façon de se pavaner, tout en lui proclamait haut et fort la seule chose qu'elles avaient besoin de savoir : *Je suis riche*.

— Oui, ils m'ont embauchée juste à la fin de mes études. J'ai commencé en juillet. Je suis désolée, Chick a oublié de préciser dans quelle boîte vous bossez.

— Tu es bien effrontée, pour une commerciale qui débute, a-t-il fait en s'esclaffant. Figure-toi que je suis gestionnaire de portefeuille chez AKS.

*Merdouille*.

AKS était l'un des fonds spéculatifs (les fameux « hedge funds », dans notre jargon) les plus respectés de Wall Street. En gros, j'étais en train de parler à un dieu de la Bourse. Tout d'un coup je me suis sentie gênée, peu sûre de moi, et pas du tout à la hauteur. Chick aurait quand même pu me prévenir que je taillais une bavette avec un type pour qui se faire lécher les bottes était une seconde nature.

*Merde-merde-merde*.

Il a dû sentir ma peur parce qu'il m'a rassurée d'un ton jovial, et toujours ce sourire :

— Tu fais partie d'une bonne équipe. Il n'y a pas mieux que Chick comme collègue et comme chef. C'est le meilleur.

— J'ai beaucoup de chance, c'est vrai. Et sinon, vous travaillez chez AKS depuis longtemps ?

*Décidément tu te surpasses aujourd'hui, Alex. C'est ce que t'avais de mieux en stock ? Autant te suicider tout de suite, tu crois pas ?*

— Environ quinze ans. J'ai débuté ma carrière sur le parquet de la Chambre de commerce de Chicago, il y a bien longtemps maintenant. Un peu trop à mon goût, d'ailleurs. À la suite de ça, j'ai décidé de faire une école de commerce pour me spécialiser. Ensuite j'ai déménagé à New York, et j'ai trouvé un job dans un fonds spéculatif où je faisais à peu près la même chose que toi maintenant. Et j'en suis parti pour aller chez AKS, parce qu'on me proposait de gérer mon propre portefeuille. Profites-en maintenant, Alex. En un rien de temps tu auras quarante ans, un mari, des gosses, et une maison en banlieue.

*Et depuis quand c'est si horrible que ça, comme perspective d'avenir ? Je me demande bien où il habite. Est-ce que c'est le genre à avoir un hamac dans son jardin ?*

— Quel parcours, c'est très impressionnant !

J'avoue, je voulais me faire apprécier de Rick. Je savais que si je ne faisais pas un peu d'effet aux clients de Chick, je ne serais plus jamais invitée à dîner. Je me disais qu'il valait mieux le caresser un peu dans le sens du poil, juste par précaution. D'un air innocent, j'ai ajouté :

— J'espère que j'aurai autant de succès que vous. Est-ce que vous auriez un conseil à donner à une jeune débutante ? Chick est un mentor incroyable, mais j'aimerais beaucoup avoir le point de vue d'un client.

— Eh bien, il y a toutes sortes de façons d'arriver au sommet, dans ce milieu. Tout dépend de ce qu'on est prêt à faire.

Joignant le geste à la parole, Rick a tendu une main pour tripoter le pendentif que mes parents m'avaient offert pour mon vingt et unième anniversaire.

— Joli collier. Jolie fille.

*Ouh là. Beurk.*

— Euh, merci, ai-je répondu nerveusement.

Il a lâché ma topaze bleue, et m'a effleuré la clavicule, avant de remettre son bras là où il aurait dû rester. J'avais carrément envie de vomir. J'ai reculé d'un pas pour mettre un peu d'espace entre nous, et je me suis raclé la gorge. Il était marié, et devait en être à son sixième scotch. Franchement, il ne se rendait pas compte qu'il me fichait les jetons, à faire des trucs pareils ? Ou alors il essayait simplement d'être sympa avec la petite nouvelle ? Dans tous les cas, c'était un peu énorme et d'un coup, j'ai eu le plus grand mal à me convaincre que j'étais ici pour une vraie raison. Que je ne servais pas juste d'appât, et que les commentaires de Cruella n'étaient pas fondés.

— Après le dîner on pourrait aller au Gansevoort boire un verre, tous les deux. J'ai une chambre là-bas, a-t-il suggéré le plus normalement du monde.

Ou peut-être bien que c'était juste un gros con super relou. Des fois, ce n'était pas la peine de chercher bien loin.

La main baladeuse est repartie en excursion, cette fois-ci sur mon épaule droite, que Rick s'est mis à masser avec application. J'ai encore reculé d'un pas, et cherché des yeux Chick ou Will. Le premier était au beau milieu du cercle, occupé à raconter une énième anecdote de golf. Il faisait semblant de frapper une balle, et tous les autres se marraient. Quant au second, il avait carrément disparu du tableau. Fantastique. Visiblement, il n'y avait personne pour venir à ma rescousse ; mais je n'allais pas risquer une nouvelle fois de perdre ma place en réagissant bêtement. Comme Reese l'avait dit, le b.a.-ba du commercial, c'était de faire semblant d'aimer des gens qu'on n'aimait pas. Je pouvais y arriver. Ce n'était quand même pas sorcier.

— Merci, mais je dois me lever tôt demain matin, alors je crois que je vais rentrer chez moi après le dîner.

C'était la seule réponse à peu près diplomatique qui me soit venue à l'esprit. Avant qu'il puisse répondre, Chick nous a annoncé qu'il était temps de passer à table. Quand les autres ont commencé à s'installer, je me suis rendu compte que la seule place de libre qu'il allait rester, c'était entre Chick et Rick.

*Fais chier, c'est bien ma veine, tiens.*

Chick a fait signe à la serveuse la plus proche de venir, une blonde immense avec une non moins longue queue de cheval, et des lèvres qui ne se porteraient pas plus mal si elles voyaient un peu moins souvent la seringue à collagène.

— OK, alors on va prendre au moins deux portions du bar, une grande salade Caesar, trois portions de boulettes à l'*edamame*, trois portions de canard, deux darnes de thon au grill, un grand bol de riz aux pétoncles, quelques côtes de porc et trois ou quatre rumstecks à point. Si on veut autre chose quand on aura mangé tout ça, on vous rappelle. Apportez-moi aussi trois grandes bouteilles de votre meilleur saké. Ce sera tout, poupée.

Les hommes ont levé leur verre et porté un toast, à rien de spécial – à moins que ce ne soit à eux. Ils en étaient tout à fait capables. Après ça, personne ne m'a adressé la parole pendant toute la durée du dîner. Tout ce que chaque invité faisait, c'était expliquer à son voisin de table combien il avait fait de bénéfices en plus l'an dernier, et se lamenter sur l'incompétence flagrante des petits employés. La conversation allait à un sacré rythme, et j'avais un peu l'impression d'avoir atterri à un match de tennis : je n'arrêtais pas de tourner la tête d'un côté et de l'autre, comme un robot, en essayant vainement de suivre. J'avais oublié tous les prénoms. En même temps, ce n'était pas comme si j'allais devoir m'en servir, visiblement.

Gars Numéro Un. — En ce moment, je me tâte pour acheter une bicoque à Southampton. Les prix de l'immobilier baissent, et j'en ai repéré une belle à restaurer pour trois petits millions, seulement.

Elle est pas sur la plage, mais pas loin.

Gars Numéro Deux. — À quoi ça sert de s'acheter un pied-à-terre dans les Hamptons s'il est même pas les pieds dans l'eau ? T'as pas assez de pognon pour te payer une baraque digne de ce nom, ou quoi ?

Gars Numéro Un. — Héé, va te faire foutre. J'te vois pas ouvrir ton portefeuille pour t'acheter un palace, que je sache. Qu'est-ce qui se passe ? T'as encore dépensé tout ton argent de poche dans les films pornos ?

Gars Numéro Deux. — Nan, ma femme a arrêté de me faire casquer pour les shows en live.

Gars Numéro Trois. — Et toi, Will ? T'as pas quelques histoires croustillantes à nous raconter, nous autres pauvres mecs mariés ? Comment ça s'occupe, de nos jours, un New-Yorkais mignon avec un compte en banque bien garni ?

Chick. — *Mignon* ? T'as bu combien de sakés, mec ?

Will. — Désolé, mais je vais devoir garder cette information pour moi. Je ne voudrais pas vous rendre jaloux.

Rick. — Will, mon ami, si j'ai un conseil à te donner, c'est de rester célibataire. Le mariage, c'est pour les putains de piafs. Parce que tu vois, les femmes, c'est sournois. Elles font plein d'efforts pour se bichonner jusqu'à ce que tu signes l'acte de mariage, et après ça, elles en ont plus rien à foutre. C'est violent, mon vieux. Si je devais recommencer, jamais j'appuierais sur la gâchette.

*Moi. — Hum hum, salut, moi c'est Alex. Et au cas où ça vous aurait échappé, je suis une femme, et je suis à table avec vous. Oh, et en plus de ça, je suis pas sourde. Même si je vais sérieusement finir par regretter de ne pas l'être.*

Gars Numéro Quatre. — M'en parle pas. La mienne, elle commence vraiment à me sortir par les yeux.

*Moi. — Hou hou, y'a quelqu'un ? Pour info, femme à table. Juste ici, vous me voyez ?*

Rick. — Pourquoi tu te trouves pas un nouveau hobby, dans ce cas ? On devrait tous être mieux entourés, si tu veux mon avis.

Tout d'un coup j'ai senti la main de Rick sur ma cuisse et en sursautant, j'ai fait s'entrechoquer les verres de saké éparpillés un peu partout sur la table. J'ai émigré discrètement jusqu'au bord de mon fauteuil, aussi loin de Rick et aussi près de Chick que je pouvais sans lui sauter carrément sur les genoux. Chick a décalé légèrement son fauteuil sur la droite sans rien dire, et j'ai pu me libérer des tentacules de Rick en décalant le mien d'autant. Sauf que du coup, je me suis demandé si mon chef savait ce que son copain traficotait.

Will. — Parlons d'autre chose. Je ne pense pas que ce genre de conversation intéresse particulièrement Alex.

*Moi. — Merci. Merci, merci, merci.*

Chick. — Au fait Nate, tu t'es fait Pebble Beach récemment ?

Gars Numéro Cinq. — J'y étais pas plus tard que le mois dernier. Ah, les golfs californiens. Le gazon était tellement lisse, on aurait dit qu'il sortait d'une épilation du maillot.

*Moi. — Et c'est reparti pour un tour.*

Toutes les trente secondes j'essayais d'attirer l'attention de Will, assis en face de moi, mais on aurait dit qu'il faisait exprès d'éviter mon regard. Je ne comprendrais jamais pourquoi les mecs pensent que la meilleure façon de montrer à une fille qu'elle les intéresse, c'est de l'ignorer en public. Il faudrait sérieusement envisager d'ajouter un cours là-dessus en lycée, un cours sur les dix bonnes raisons de ne pas faire ça. À l'échelle de la planète, les femmes économiseraient des millions de dollars en psychothérapie, c'est clair.

Deux heures plus tard, j'étais la seule personne relativement sobre à une table remplie de pochetrons un chouïa agressifs, qui s'amusaient présentement à faire des bombes. Leur tactique était de poser un petit verre rempli de saké en équilibre sur des baguettes, elles-mêmes en équilibre sur le bord d'une chope de Sapporo. Quand ils étaient prêts, ils hurlaient tous en même temps « Bombe au saké ! » en frappant la table du poing, ce qui faisait tomber le saké dans la bière, et après c'était à celui qui serait le plus rapide pour s'enfiler ça. Dès que les bouteilles étaient vides, la serveuse apparaissait comme par magie avec trois nouvelles dans les mains. La roublarde nous avait déjà fait le coup avec la bouffe, en remplaçant aussitôt un plat à l'identique dès qu'il était englouti. Au final, quand elle nous a apporté l'addition, Chick lui a tendu son American Express sans même y jeter un œil. Puis il m'a donné les tickets pour le vestiaire, pendant que les autres lampaient leur saké jusqu'à la dernière goutte.

— Va chercher les manteaux, La Fille.

— D'accord, je vous retrouve devant.

C'est la seule fois où on s'est parlé du dîner. Je ne voulais surtout pas savoir pourquoi c'était moi qu'il désignait pour ramener dix lourds manteaux, alors que j'étais tout de même la moins costaude de ses invités ; mais cette soirée était déjà partie en vrille depuis un moment, en ce qui me concernait. Je donnais les tickets au top model qui tenait le vestiaire à l'entrée quand j'ai eu la surprise d'entendre une voix familière derrière moi.

— Alors comme ça, tu sais aussi faire le valet de pied ? a fait Will, qui m'avait suivie jusque-là.

— Oui, c'est vrai, je n'aime pas me vanter mais le portage de manteaux est l'un de mes nombreux talents.

— Tu peux m'en dire un peu plus sur les autres ?

Will avait un sourire niais scotché sur sa figure. C'était peut-être la seule raison pour laquelle il m'accordait son attention, mais à ce stade, je m'en fichais royalement. Après ce dîner, mon niveau d'exigence était tellement bas qu'à peu près tout et n'importe quoi m'aurait rendue heureuse.

— Ce n'est pas le genre d'information que je donne à n'importe qui. Il faut la mériter.

— Et qu'est-ce qu'un mec doit faire, pour ça ?

— Tu es intelligent, Will. J'ai confiance en tes capacités à trouver la réponse par toi-même.

Je voulais lui demander pourquoi il n'avait pas répondu à mon mail, mais le reste de la bande est arrivée. Une limousine noire était garée devant le trottoir, et Chick a foncé droit dessus.

— En voiture tout le monde, la fête continue dans un endroit tenu secret. Sauf toi, A-Lias, va falloir que tu prennes un taxi. Pour toi, la soirée s'arrête ici.

Je savais pertinemment pourquoi il ne m'invitait pas à venir. Les boîtes de strip-tease se situaient dans une zone de non-droit, en soirée client, et la seule façon pour eux de s'y rendre en toute impunité, c'était de faire de leur escapade un truc exclusivement masculin. Mon petit doigt me disait que leur prochain arrêt allait se faire dans les bas-fonds sexy de New York. De mon côté, je n'étais pas mécontente de rentrer chez moi directement. La dernière fois où j'avais vu une bande de minettes en petite tenue danser sur des tables, c'était pendant ma dernière semaine de fac. Et croyez-moi, je m'en souviendrai toute ma vie.

Tout le monde a commencé à s'entasser dans la limousine, en hochant poliment la tête dans ma direction. J'ai carrément eu droit au baisemain de la part de Rick.

— J'ai été enchanté de te rencontrer, Alex. J'espère qu'on aura l'occasion de se revoir.

— Ravie également, ai-je répondu poliment.

Il a sorti un bout de papier de sa veste et l'a placé dans ma paume, en refermant ma main dessus. Sur ces entrefaites, Chick s'est approché et m'a dit avec un grand sourire :

— Bonne nuit, La Fille. À demain.

Will a attendu que Chick monte pour se tourner vers moi.

— Ça va aller, pour trouver un taxi ?

J'entendais déjà les autres qui lui criaient de se magner un peu.

— T'inquiète. Un autre de mes talents, c'est d'arriver à héler des taxis tard le soir dans les rues désertes. Amuse-toi bien.

Tout en m'éloignant, j'ai sorti mon portable et fait semblant d'appeler quelqu'un. Pourquoi il n'y aurait qu'eux qui auraient des projets pour la deuxième partie de soirée ? Je n'avais pas tourné au coin de la rue qu'un véhicule jaune freinait devant moi – un cadeau du ciel, et tant pis si ça sentait super fort dedans. J'ai déplié le petit mot de Rick (griffonné au dos d'une addition de 3 800 dollars) et j'ai lu, à la lumière de mon portable : *Si tu veux prendre du bon temps, appelle Rick au 516-555-4827.* J'en ai fait une boule, que j'ai jetée par la vitre baissée. J'allais remettre mon portable dans le sac quand il a fait un petit bip. Quoi, encore ?

**SMS DE PATRICK, WILLIAM :**
*Envoie-moi un message pour me dire que t'es bien rentrée. C'était sympa de te voir, ce soir.*

Ça avait été le dîner d'affaires le plus décevant de l'univers, je m'étais fait draguer par un homme marié et ignorée par tous les autres pendant près de trois heures. Et pourtant, quand je me suis glissée sous la couette un peu plus tard ce soir-là, je n'ai pas pu m'empêcher de sourire.

Will m'avait envoyé un texto.

J'ai répondu.

**SMS de Garrett, Alex :**

*Merci pour ton message. Je suis bien rentrée. Amuse-toi bien.*

Deux minutes après, le portable refaisait bip. Tout excitée, je l'ai ouvert en me demandant ce que Will voulait me dire d'autre. Sauf que le message ne venait pas de lui.

**SMS DE KIERIAKIS, RICK :**
*Tu me manques déjà, bisous Rick.*

Mais comment il avait fait pour avoir mon numéro, celui-là ?

*Chapitre 8*

# Go-go gadget au string

L'ÉPOQUE OÙ J'ÉTAIS ORPHELINE de bureau commençait à me manquer : au moins, en ce temps-là, je n'avais pas vraiment la pression. En mars j'étais devenue le larbin attitré de Chick, et je passais des heures sur Excel, à essayer de décoder ce que je voyais à l'écran. Les choses devaient aller vite avec lui, et ce n'était vraiment pas de bol pour moi parce que j'étais toujours aussi nulle avec Excel. J'étais encore partie pour passer la soirée au bureau.

J'ai cliqué sur une cellule, et observé attentivement la formule apparue dans la barre de texte, en haut de la feuille de calcul. Pour l'œil exercé, ces formules n'étaient probablement pas si compliquées que ça à piger ; mais moi, j'avais comme la désagréable impression de déchiffrer des hiéroglyphes. Les heures ont passé et le parquet s'est vidé petit à petit, jusqu'à ce qu'il n'y ait plus que moi, encore une fois. J'avais perdu toute notion du temps, et je commençais à avoir des troubles de la vision à force d'essayer de lire ces millions de chiffres en caractères riquiqui.

Tout d'un coup, j'ai entendu siffler derrière moi.

— La vache, mais qu'est-ce que tu fais encore là ? (J'ai levé la tête, et mes yeux fatigués ont fait la mise au point sur Will en train de tapoter l'écran de sa montre.) Il est 21 heures passées.

— Je sais, ai-je soupiré. Chick m'a demandé de faire un peu le ménage dans ce modèle et vraiment, ça doit pas être bien compliqué. Mais il y a un truc qui cloche et j'arrive pas à piger quoi. Je vais devenir aveugle, à force d'éplucher tous ces chiffres.

Je me suis laissé aller en arrière dans le fauteuil en massant mes épaules endolories, et j'ai senti mon dos craquer comme un bol de Rice Krispies quand on verse le lait dessus. Visiblement, je pouvais ajouter la scoliose à la liste des maux que ce job m'avait donnés, juste sous la cirrhose et la maladie coronarienne à un stade avancé.

— Et toi, pourquoi t'es là ?

— J'ai oublié mes clés, a-t-il expliqué en ouvrant le tiroir du haut de son bureau. J'ai eu du bol de m'en apercevoir au bar, parce que si j'avais fait tout le chemin jusqu'à chez moi pour me retrouver coincé devant la porte, j'aurais vraiment eu les boules.

— Tu m'étonnes, ai-je répondu, en songeant vaguement que je devais avoir une tête de déterrée.

— Quel est le problème, en fait ? m'a demandé Will en tirant le fauteuil de Drew à côté de moi.

— Ben, tu vois, là ? ai-je fait en indiquant la dernière colonne.

— Oui, et alors ?

— Cette formule me paraît correcte mais pour une raison obscure, ça ne marche pas. Et comme je suis coincée ici tant que j'aurais pas trouvé la solution, je vais devoir emménager au bureau.

— Nan, quand même pas, m'a-t-il rassurée. C'est juste que tu regardes ce tableau depuis trop longtemps. Tu vois pas la solution, alors qu'elle est juste là. Décale-toi.

Je me suis dépêchée de me pousser de là, et de lui laisser avec grand plaisir un accès total à mon clavier.

— Tout ce que t'as à faire, c'est enlever le cours de base, multiplier la décimale par 32, et remettre le cours de base. Ensuite tu fais Ctrl C pour copier la formule, tu sélectionnes le reste de la colonne, tu fais Alt E, S et F pour coller la formule dans les autres cellules, et c'est bon.

*Bien sûr. Mais pourquoi est-ce que j'y ai pas pensé plus tôt ?*

— Je savais pas que t'étais un pro d'Excel.

— J'étais à ta place, avant. J'y ai appris deux trois trucs.

— Je te remercie, en tout cas. Tu viens de m'épargner des heures de torture.

— Heureusement que j'avais laissé mes clés, hein ?

— C'est clair. La prochaine fois que Chick me fait faire des heures sup, si tu pouvais oublier ton portefeuille, j'apprécierais.

— C'est noté. Bon, sinon, qu'est-ce que t'as prévu ce soir, maintenant que je t'ai évité un déménagement express ?

— Oh, rien de spécial. Je vais rentrer chez moi et m'effondrer sur le canapé, je suppose. C'est toujours mieux que d'être coincée ici. Et toi ?

— Je serais pas contre un petit verre de vin. Si ça t'intéresse, j'avais l'intention de prendre un plat à emporter avant de rentrer. Ça te dirait de te joindre à moi ? J'imagine que t'as pas encore eu le temps de manger ?

— À moins que tu comptes le cookie tout mou que j'ai avalé il y a deux heures, non.

— C'est bien ce que je pensais. T'es du genre poulet-brocoli ou poulet *kung pao*, toi ?

— Les deux, mon capitaine, ai-je fait en mettant mon sac à l'épaule. Ajoutes-y un ou deux nems et le marché est conclu.

On est sortis de l'immeuble sans se presser, en bavardant tranquillement, comme si on faisait ça pour la centième fois. C'est curieux, je sais, mais j'ai vraiment eu cette sensation.

Vingt minutes plus tard, il me faisait la visite commentée de son appartement de l'Upper West Side, qui était ordonné, décoré avec goût et donnait une impression de simplicité. La progression de notre relation (si on pouvait appeler ça comme ça) était très étrange. On était sortis ensemble une fois il y avait quatre mois de ça, et voilà que je me retrouvais à dîner chez lui de façon impromptue : et pourtant, il n'avait pas l'air de penser qu'on n'appliquait pas exactement les règles en matière de séduction. En même temps qu'est-ce que j'en savais, moi, de ces règles ? Mon dernier petit ami en date était un garçon de ma confrérie qui savait à peine expliquer les études qu'il faisait. Il n'y avait pas exactement de quoi comparer.

J'ai posé le sac contenant notre repas sur le comptoir de la cuisine.

— Il est super, ton appart.

— Oui, l'immeuble était un entrepôt avant, alors les plafonds sont plus hauts et les fenêtres plus grandes que d'habitude.

Il a mis deux assiettes sur la table basse, et débouché une bouteille prise dans la mini-cave à vin qu'il avait dans le couloir. J'ai ouvert les boîtes en carton, et la bonne odeur est venue me rappeler que j'avais la mégadalle.

Will nous a servis, on s'est assis l'un à côté de l'autre, et on a attaqué.

— Je pensais pas que ça donnait autant faim, de corriger des tableaux Excel. Merci de m'avoir invitée.

— Mais de rien. Je t'avouerais que ma période sous-fifre me manque pas vraiment. Tu tiens le coup ?

— Eh bien, ai-je hésité, sachant que Will et Chick étaient amis. Tu veux la version officielle ou officieuse ?

— T'es assise sur mon canapé, je te rappelle. Dans tous les cas, cette conversation restera strictement confidentielle.

— Ça va pas trop mal, ma foi. Attention, hein, Chick et Cruella me fichent toujours autant la trouille – comme la plupart de mes collègues, d'ailleurs. J'ai tout le temps peur de faire une gaffe. La moitié du temps je sais pas de quoi je parle, et j'ai l'impression que je serai jamais assez bonne pour devenir une vraie commerciale. Ça fait six mois que je bosse au desk, et je me sens toujours aussi nulle. J'ai déjà appris plein de choses, c'est clair, mais je me sens tellement accablée quand je pense à tout ce que je sais pas encore. Tu vois ce que je veux dire ?

— Hmm hmm, a-t-il marmonné en mâchant son poulet *kung pao*, avant de le faire descendre avec une gorgée de rouge. S'il y a bien un boulot qui ne s'apprend pas en un jour, c'est celui-là. Il y a beaucoup de choses à assimiler, c'est sûr, mais si t'es intelligente, et tu l'es, t'y arriveras. Sois patiente.

— C'est juste que je m'imagine pas une seconde capable de parler des marchés comme vous le faites. J'ai beau lire un tas de trucs, la moitié du temps je reste plantée là à me dire, punaise, mais comment ils savent ça ?

— Il y en a pas un parmi nous qui savait ce qu'il faisait quand il a commencé. Fais-moi confiance, ça viendra.

— Mais combien de temps t'as mis pour sentir que tu maîtrisais la situation, et ne plus redouter de te taper la honte tout le temps ?

— Oh c'est plus qu'une question de jours, maintenant, a-t-il ironisé tout en prenant les cartons vides pour les jeter dans le sac en plastique.

Je me suis levée pour m'étirer, avant que l'engourdissement post-gueuleton s'empare de moi.

— Merci pour le dîner, et pour m'avoir écoutée me plaindre. Je sais que t'as raison. C'est juste que ça craint d'être au bas du bas de l'échelle.

— Accroche-toi.

— Tout le monde me dit ça.

— Ben alors, écoute-nous ! Avec un peu de chance, on sait même de quoi on parle. (Il s'est appuyé sur le comptoir, et s'est mis à tripoter une salière.) Ça te dirait, un autre verre ?

J'ai regardé ma montre : 22 h 45. Un peu tard pour un soir de semaine, mais tant pis. J'ai hoché la tête.

— Allez. Ça peut pas faire de mal, un petit verre.

Le soleil entrait à flots par la fenêtre, et j'ai dû plisser des yeux pour voir l'heure sur mon réveil : 8 h 29. J'ai poussé un long soupir en roulant sur le ventre, avant d'enfouir ma tête sous les coussins (qui avaient l'air drôlement plus fermes que d'habitude) et de ramener la couette sur ma tête. Tiens, elle était rêche, un peu. Curieux.

Et c'est là que j'ai entendu ce qu'aucune fille digne de ce nom n'a envie d'entendre le lendemain matin, après une soirée passée à picoler avec un collègue : sa voix.

— Tu ferais mieux de t'activer, t'es quand même super en retard. Chick va te taper sur les doigts.

*Ooooohhhhhhpuuuuutaaaaaiiiiiiiiiinnnnn.*

Avant même de m'autoriser à *penser* à l'endroit où j'avais passé la nuit, j'ai jeté un autre coup d'œil au réveil : 8 h 31. Au moins, je n'avais pas à me soucier de devoir vivre avec ce déshonneur, vu que Chick allait m'étriper.

— Merde ! Mais pourquoi ton réveil a pas sonné ? ai-je crié, complètement paniquée, avant de me débattre comme un beau diable pour m'extirper de cette couette, tout en songeant vaguement que dans mon malheur, au moins, j'avais une excuse pour me tirer de là vite fait.

— J'avais pas prévu d'invitée pour cette nuit, figure-toi.

Il a éclaté de rire en me voyant gesticuler et courir partout comme le diable de Tasmanie.

— Rigole pas. Toi aussi tu vas te faire démolir par Chick, tu sais.

— Ben non, je lui avais dit que je serais en retard, de toute façon. Je dois prendre un café avec un client à 9 h 30. Pour toi, par contre, il va peut-être falloir envisager une protection policière.

J'ai localisé mes t-shirt, pull et pantalon en boule dans un coin de la chambre, et je les ai chopés d'un geste fébrile. Dans le pire des cas, j'arriverais au boulot avec deux heures et demie de retard. Dans le meilleur, je me ferais renverser par un bus en y allant.

— C'est à cause de moi que tu te comportes comme une cinglée, ou bien juste parce que t'as les chocottes ? Hé, te sauve pas avec mon maillot des Giants !

Je me suis rendu compte à ce moment-là que je nageais dans son t-shirt, et j'ai pensé : *Au moins, t'es pas à poil*. En chemin vers la salle de bains j'ai repéré une chaussette sous la commode, je l'ai ramassée illico et j'ai foncé m'habiller, laissant juste passer un majeur à l'intention de Will avant de claquer la porte.

Pas le temps de me doucher : pas ici, et certainement pas à mon appart à l'autre bout de la ville. Du coup, pas le temps non plus d'aller chercher des fringues de rechange. En vitesse, je me suis aspergé la figure, puis j'ai remis mes fringues de la veille – sauf le string, que j'ai fourré au fond de mon sac. Devoir attendre ce soir pour me laver, je pouvais supporter ; mais il était hors de question que je porte les mêmes dessous deux jours de suite. Une fois prête, je suis sortie en trombe de la salle de bains et je me suis assise sur un fauteuil en cuir pour mettre mes bottes.

— Tu vas bien ? m'a demandé Will d'un air sincère.

— Physiquement, oui. Mentalement… Je te dirai ça plus tard.

— Bon. Je m'en veux de mettre ça sur le tapis, vu que t'as l'air à deux doigts de la crise de nerfs, mais tu vas devoir porter les mêmes sapes au bureau, aujourd'hui ?

— Bizarrement, j'ai pas pensé à prendre une tenue de rechange au cas où je me réveillerais ce matin dans un appart de l'Upper West Side avec deux heures de retard.

— Au temps pour moi, a-t-il répondu. Tu ferais mieux d'y aller. Avec un peu de chance, je te trouverai pas sur le bûcher à mon arrivée.

— Tu te crois drôle ? Et s'il me vire ?

— Nan, il va pas te virer, me rassura-t-il. Il prendra trop son pied à te torturer pour ça.

— Super.

— Je t'appelle au desk quand je suis en chemin.

— Bien sûr, appelle-moi. Je m'extasie d'avance, ai-je marmonné.

Mais il avait déjà refermé sa porte.

— Je dois me rendre à Wall Street aussi vite qu'il est humainement possible. L'arrivée en un seul morceau est facultative, ai-je ordonné au chauffeur de taxi en claquant la portière. J'ai sorti mon portable pour passer l'ignoble appel au bureau, mais en composant le numéro j'ai été accueillie par un bip familier.

La batterie était HS. J'avais couché avec Will. Mes fringues puaient la vinasse. J'avais les cheveux gras. J'avais l'air… Ben… concrètement, j'avais l'air d'être tombée du lit.

J'étais une femme morte.

J'ai monté les marches de l'escalator quatre à quatre, balancé mon badge sous le nez du type de la sécurité, jeté mon sac sur le tapis roulant et foncé sous le portique. Vous m'auriez vue taper du pied nerveusement pendant que j'attendais que mon sac passe aux rayons X. Tout d'un coup, le tapis s'est arrêté et comble de l'horreur, il est reparti dans l'autre sens, ce qui signifiait clairement que l'autre gars voulait en examiner le contenu de plus près.

— Mais enfin c'est quoi, le problème ? Y'a rien, là-dedans ! ai-je hurlé à ces deux bouffons, qui se foutaient bien de savoir que mon patron allait me passer par le goudron et les plumes à la minute où je mettrais le pied dans la salle des marchés.

— Une seconde, il y a quelque chose, là…, a-t-il fait en pointant l'écran de son stylo à bille. Bizarre… Mademoiselle, on va devoir fouiller votre sac.

— Mais c'est le même putain de sac qui passe aux rayons X tous les matins, bon sang !

— Écartez-vous, s'il vous plaît.

L'un des types m'a poussée contre le mur, tandis que deux hommes armés se sont avancés en passant délicatement des gants en latex blancs.

— Génial ! ai-je crié. C'est vraiment génial. Sans déconner, les mecs, vous choisissez justement aujourd'hui pour me soupçonner d'être une terroriste ?

— Mademoiselle, a fait le premier, perdant visiblement patience. Restez tranquille et laissez-nous fouiller votre sac. Plus vite on tire ça au clair, plus vite vous pourrez monter.

Je suis restée plantée là sans pouvoir rien faire, pendant qu'ils sortaient mon portefeuille, mon portable éteint, ma petite trousse de maquillage, mon agenda, une brosse à cheveux : le contenu de ma vie, comme autant de preuves prélevées sur une scène de crime, étalé sur du métal froid dans le hall de Cromwell Pierce.

Mon cœur s'est arrêté de battre.

*Nan, me dites pas qu'ils...*

*Ils vont quand même pas...*

*Ils oseraient pas, devant...*

*Oh, bonjour, string.*

Le type tenait ça au bout de son gant en latex, bien haut pour que son équipe le voie. Deux autres gardes lourdement armés se sont approchés, pour voir de près ce qu'ils n'avaient probablement jamais vu en vrai de leur vie : de la lingerie féminine. J'ai rongé mon frein pendant vingt bonnes secondes face à cette équipe de choc en train de reluquer ma lingerie sous toutes les coutures ; quand je n'ai plus tenu, je leur ai aboyé dessus :

— Mais qu'est-ce que vous matez, à la fin ? Vous croyez que c'est un go-go gadget au string ? Je prononce le mot magique et il se transforme en grenade à main ou en flingue et je peux aller tranquillement décimer quelques hommes d'affaires dans les étages ?

Ils savaient pertinemment qu'ils étaient à deux doigts du procès pour harcèlement sexuel, alors ils se sont calmés. Après avoir récupéré toutes mes affaires, je leur ai lancé le regard le plus méchant que j'avais en moi, j'ai pris un air carrément hautain et j'ai déclaré aussi dignement que possible :

— Allez vous faire voir, bande de nases.

Me taper la honte devant ceux qui me versent mon salaire, OK ; mais devant des faux flics qui sont payés pour envahir sans vergogne mon espace personnel, il ne faut pas pousser.

Même La Fille a ses limites.

Trois minutes plus tard j'arrivais à mon poste de travail, sous les applaudissements de mes chers collègues. Je me suis écroulée dans mon fauteuil. Drew a commencé par pouffer, puis son hilarité est allée crescendo et il a fini par hurler de rire sous mon nez comme un barjo prêt pour la camisole.

— Arrête de te payer ma tête. C'est pas marrant, là ! Chick

va me buter. Qu'est-ce que je fais ? ai-je lâché en prenant un air implorant.

— Désolé mais tu peux numéroter tes abattis, mon amie. T'as enfreint la règle dite de « la preuve de vie ».

— La preuve de *quoi* ? me suis-je exclamée, terrifiée. Comment c'était possible que je n'aie jamais entendu parler de ça ? Ce n'était pas dans le manuel, j'en étais sûre et certaine.

— La règle de la preuve de vie. Ça la fout déjà mal si t'es en retard et que tu rates la publication des indicateurs économiques à 8 h 30, mais si t'appelles pas avant 8 h 15 pour le prévenir que t'es encore en vie et que t'arrives, il te tue de ses propres mains.

— Mais personne m'en a jamais parlé, de ce machin ! me suis-je lamentée.

— J'imagine que tout le monde croyait que tu savais, ou alors que tu serais jamais assez bête pour te pointer à une heure pareille. L'un ou l'autre, à mon avis.

— Tu m'aides pas, là ! me suis-je énervée. Sérieux, Drew, dis-moi quoi faire.

— Je sais pas quoi te dire, Alex. Mais tu serais sympa de pas traîner dans les parages. J'ai pas envie de me prendre une beigne, moi.

J'ai jeté un œil à l'horloge murale : 9 h 20.

*Punaise, mais comment ça a pu m'arriver ?*

— Hé, attends une minute, a-t-il fait d'un ton inquisiteur, tout en agitant son index de haut en bas dans ma direction. Tu portais pas ce pull-là, hier ?

— Non.

— Mais si, a-t-il contesté. C'est carrément celui-là, j'en suis sûr. Même que je t'ai appelée « La Grande Citrouille » toute la journée. Me raconte pas de bobard !

J'ai cogité à toute vitesse.

— Sache que celui-ci, c'est couleur mandarine, pas orange. Ça n'a rien à voir.

*De tous les jours où je pouvais découcher, fallait que ce soit celui où j'avais un pull orange vif. Genre, ça aurait pas pu être une de ces fois où je portais du noir, non. Évidemment.*

— N'importe quoi ! s'est écrié Drew en s'esclaffant. Ah, ah ! T'es pas rentrée chez toi hier soir !

— Arrête ! ai-je hurlé. C'est pas le même, d'accord. Ils se ressemblent, mais c'est pas le même. Maintenant, tu me lâches. La journée va être assez pénible comme ça.

— D'accord, La Fille, comme tu veux. T'es pas crédible, mais OK, m'a fait Drew.

— Tiens, tiens, tiens. Et qu'est-ce qui nous vaut l'honneur de cette présence ?

Chick remontait l'allée sans se presser en direction de mon bureau, les mains dans les poches et les yeux fixés sur moi. Je me suis levée pour m'excuser.

— Chef, je suis sincèrement désolée. Je sais que ce n'est pas une excuse, mais je n'ai pas entendu le réveil sonner.

— Le problème, c'est pas juste que tu sois en retard, Alex. Le problème, c'est que t'as transgressé ma règle de la preuve de vie. J'ai pas arrêté de t'appeler, et à chaque fois je tombais sur ta messagerie.

— Ma batterie est HS, ai-je répondu dans un murmure.

— Tu sais ce que je me dis, Alex, quand une jeune femme qui travaille pour moi se pointe pas le matin, appelle pas pour dire qu'elle est en retard, et reste injoignable sur son portable pendant plus de deux heures ?

J'ai secoué la tête lamentablement.

— Je me dis que t'es morte ! a-t-il hurlé, me pétrifiant sur place. Je me dis que t'es peut-être allongée dans une morgue, ou amnésique aux urgences. Cet endroit… (Il a balayé la salle d'un grand geste circulaire, comme aurait fait la minette du *Juste Prix* pour montrer la première vitrine aux candidats.) … c'est là où on s'apercevra *en premier* de ton absence. Tu pourrais avoir disparu pendant des heures, des jours même, avant que tes amis et ta famille s'en rendent compte. Mais si t'es pas à ton bureau et qu'on a pas de nouvelles de toi, on part du principe qu'il y a un truc qui cloche. Je me donnais encore une heure avant d'envoyer les flics à ton appart. Je suis pas une putain de baby-sitter, Alex. J'ai déjà des gosses à la maison, j'en ai pas besoin en plus au boulot !

— Je… je…, ai-je balbutié, cherchant les mots mais ayant trop peur de dire quoi que ce soit.

— Et ne me redis pas que t'es désolée. J'ai déjà entendu ça. (Il a inspiré, et expiré longuement.) Je suis heureux qu'il te soit rien arrivé, Alex, mais maintenant que t'es là tu vas en baver. Déjà que je peux t'en faire baver tous les jours, si je veux… Ben aujourd'hui, devine quoi ? Tu vas *vraiment* en baver. On dirait bien que t'as oublié mes règles, Alex. Je peux te parier que tu les oublieras plus jamais.

Sans transition il est reparti vers son bureau, et moi j'en ai soupiré de soulagement.

— Ma foi, ça aurait pu être pire, a commenté Drew.

— T'es malade ? En quoi ?

— Il aurait pu remarquer, pour ton pull.

Je me suis mise au boulot pour ne pas penser à ce que Chick était en train de me concocter comme atroce punition. À 10 h 30, j'ai reçu un mail.

**MESSAGE DE PATRICK, WILLIAM :**
*Alors, comment ça s'est passé ? Toujours en vie ?*

**MESSAGE DE GARRETT, ALEX :**
*C'était cauchemardesque. Tout ça, c'est de ta faute.*

**MESSAGE DE PATRICK, WILLIAM :**
*Pour le réveil, j'assume. Mais j'y peux rien si tu me trouves irrésistible.*

**MESSAGE DE GARRETT, ALEX :**
*Va te faire foutre.*

De là où j'étais, je l'ai entendu éclater de rire. J'ai souri malgré moi.

**MESSAGE DE PATRICK, WILLIAM :**

*Tu en fais ce que t'en veux, mais sache que j'ai passé un super moment.*

***MESSAGE DE GARRETT, ALEX :***

*Moi aussi.*

J'étais dans la super-merde.

Une heure après, Chick me sifflait.

— Ramène tes fesses par ici, l'esclave. Ton portable est rechargé ?

— Oui chef, ça n'arrivera plus.

— Bonne réponse. T'es de corvée déjeuner aujourd'hui, et on s'est dit qu'on se taperait bien des sandwichs *alla parmigiana*, moitié aubergines, moitié boulettes de viande.

*OK*, ai-je pensé. *Je peux y arriver, pas de problème*. Je l'échappais belle, là. Il aurait pu m'envoyer à Chicago pour ramener des pizzas locales, s'il avait voulu. Des sandwichs italiens, c'était de la gnognotte, à côté. Les doigts dans le nez, comme mission.

— Très bien, Chick. Où dois-je les commander ?

— Dans un bouiboui d'Arthur Avenue.

— Dans le Bronx ?

— Tu connais une autre Arthur Avenue célèbre pour sa bouffe italienne ?

J'ai secoué la tête gravement.

— Will prend les commandes en ce moment, il les appelle juste après.

— C'est comme si c'était fait, Chick.

— Au fait, un dernier truc, Alex.

Un mauvais pressentiment s'est tout d'un coup insinué en moi.

— Oui, chef ?

— Je veux une meule de parmesan, en plus.

— Comment ça ? Qu'est-ce que tu entends par meule ?

— C'est pourtant clair. J'ai envie de parmesan, et tu vas me rapporter une meule. Celle de trente kilos.

Il suffisait de voir l'expression de son visage pour comprendre qu'il était on ne peut plus sérieux. Ma punition, en fait, ce n'était pas d'aller chercher le déjeuner ; ma punition, c'était de me démerder pour ramener trente kilos de fromage depuis le Bronx jusqu'à la pointe sud de Manhattan. Le déjeuner, c'était en prime.

Au moins, il fallait reconnaître qu'il faisait dans l'originalité.

— Tu pars. Tout de suite. Les sandwichs devraient être prêts le temps que t'arrives. (Il m'a tendu un post-it.) Voilà l'adresse. Alors, en résumé, tu vas chercher vingt-cinq sandwichs aux boulettes de viande, vingt-cinq sandwichs aux aubergines, et une meule de parmesan de trente kilos. Et y'a intérêt à ce que ce soit trente kilos, Alex. Je veux voir le reçu. Capiche ? J'espère que t'es pas à sec sur ta carte de crédit. Tu vas en avoir besoin.

Morte de honte, j'ai baissé la tête, pris mon sac et je suis descendue au service voiturier pour demander un véhicule. Une fois partie, j'ai écouté distraitement la radio en regardant l'East River défiler à ma droite, pendant que commençait notre longue ascension vers le nord par la voie rapide. En un éclair, j'avais réussi l'exploit de gâcher ma vie professionnelle *et* personnelle. *Pourquoi tu te fais du mal comme ça ?* me suis-je demandé. *Et puis c'est ça que t'appelles développer une relation saine avec Will ?* Tu parles. C'était hors de question, maintenant.

Enfin, on est arrivés dans le Bronx. J'ai donné l'adresse au chauffeur et je lui ai demandé de patienter pendant que j'allais chercher quelque chose.

— Pas de souci. Juste cet arrêt et ensuite on rentre chez Cromwell ?

— Oui, je dois ramener le déjeuner pour mon équipe, et aussi, euh, une meule de parmesan.

On était à un feu rouge, et le chauffeur s'est tourné d'un coup pour me regarder.

— Une quoi ?

— Une meule de parmesan, ai-je répété d'un air renfrogné.

— Ça fait dix ans que je suis chauffeur chez Cromwell, et croyez-moi, j'en ai vu des trucs bizarres. Mais celle-là, alors, je crois bien que je la mets tout en haut de ma liste.

*Oh, mais fallait pas.*

Il s'est garé devant un traiteur, où je me suis dépêchée d'entrer pour en finir. Un petit Italien trapu, le visage jovial et la panse bien remplie, m'a accueillie avec un sourire.

— Oui, *signorina*, qu'est-ce que je peux faire pour vous ? m'a-t-il demandé avec un accent épais comme la sauce tomate qui dégoulinait sur les escalopes de veau présentées dans la vitrine entre nous deux.

— Je viens chercher la commande au nom de Ciccone, s'il vous plaît.

— Tchiii-cooo-nééé, a-t-il répété, pour s'assurer qu'il avait bien compris ma pitoyable prononciation à l'américaine d'un nom authentiquement italien. Puis il s'est tourné vers les boîtes de sandwichs et les plateaux de jambon parmesan qui attendaient leurs propriétaires.

— Ahh, *va bene*, a-t-il dit en prenant deux grosses boîtes en carton remplies de sandwichs gigantesques bien enveloppés dans du papier alu, et en les faisant glisser sur le comptoir. Il a enlevé le papier vert qui était scotché sur l'une d'elles, et lu à voix haute ce qu'il y avait écrit dessus.

— Donc, on a vingt-cinq boulettes de viande et vingt-cinq aubergines. *Va bene ?*

J'ai hoché la tête.

— Ça fera 227 dollars en tout. Espèces ou carte ?

J'ai sorti mon American Express, et je l'ai délicatement placée sur le comptoir.

— Carte, mais il me faut autre chose, en fait, ai-je annoncé tout en tripotant nerveusement mon bracelet de montre. Il me faut… une meule de parmesan.

Il a fait un petit signe de tête, imperturbable.

— Bien sûr, combien vous en voulez ? (Il a ouvert la vitrine devant lui et en a sorti un gros morceau de fromage, qu'il a placé sur sa planche à découper.) Montrez-moi la taille, à peu près.

— Non, en fait, il me faut la meule entière. Une meule de trente kilos, si vous avez.

— De trente kilos ? s'est-il exclamé d'une voix rauque, les yeux ronds comme des billes. *Mamma mia*, mais comment vous allez faire pour transporter trente kilos de *parmigiano* ?

— J'ai une voiture qui m'attend dehors. Peut-être que vous pourriez m'aider à la mettre à l'arrière, si ça ne vous dérange pas ?

— Vous allez caser mon *parmigiano* dans une voiture ?

— J'espère y arriver, en tout cas.

— Ça va revenir cher une meule tout entière, *signorina.*

— Je sais, ai-je soupiré en indiquant d'un geste ma carte de crédit, que j'étais sur le point de faire chauffer comme rarement.

L'Italien a pris sa calculatrice, et a entrepris d'ajouter pour trente kilos de lait caillé à ma note.

— OK, il y en a pour 984,61 dollars, *signorina*, mais j'arrondis parce que vous êtes mignonne, d'accord ?

— Neuf cent quatre-vingt-quatre dollars ? ai-je répété, incrédule.

*La vache, c'est carrément une nouvelle garde-robe ! C'est au moins neuf très bons dîners au resto dans le centre de Manhattan ! C'est pratiquement une moitié de loyer !*

— Eh oui, c'est ce que ça coûte trente kilos de *parmigiano*. Ah, j'allais oublier de compter les sandwichs, a-t-il fait en prenant ma carte.

J'ai fait un rapide calcul dans ma tête : en tout, je m'en sortais pour plus de 1 200 dollars. J'ai bien cru que j'allais vomir sur place.

— Gino et moi, on vous apporte le fromage jusqu'à la voiture.

— Super, merci, ai-je répondu en me retenant de pleurer. Mes sandwichs sous le bras, je suis sortie sur le trottoir.

— Alors, z'en avez eu pour combien ? a crié le chauffeur par la vitre avant, tout en appuyant sur le bouton qui ouvrait le coffre.

— Quasiment 1 000 dollars sans les sandwichs, ai-je dit en disposant soigneusement la marchandise. Puis je me suis postée sur le trottoir en attendant que la meule soit roulée dehors.

*C'est bien fait pour toi, tiens. Voilà ce qui arrive quand on se comporte comme la plus grosse bécasse de l'univers.*

Le chauffeur m'a gratifié d'un sifflement admiratif.

— Alors là, ça va rester dans les annales.

C'est alors que j'ai vu les deux Italiens sortir d'une allée et approcher lentement, en tenant le parmesan à bout de bras, comme si c'était une bombe à retardement. J'ai ouvert la portière et je me suis assise pour les aider à le faire glisser à l'intérieur, juste à côté de moi. Enfin, disons plutôt *sur* moi.

La banquette arrière n'était pas assez grande pour caser la meule et moi, alors j'ai bien été obligée d'en mettre une partie sur mes genoux. Les Italiens ont refermé la portière et nous ont fait de grands signes de la main. C'était parti pour le voyage retour vers Manhattan.

*Driiiing*. J'ai extirpé mon portable du sac, ce qui n'a pas été du gâteau vu que la moitié de mon corps était coincé sous du fromage. J'ai regardé le numéro avant de répondre.

*Oh punaise, quoi encore ?*

— Allô ?

— Salut, La Fille, m'a fait Marchetti. Alors c'est comment, le Bronx ?

— Sensas. Qu'est-ce qu'il y a ?

— Est-ce que t'as bien confirmé les trois cents millions de bons pour Feb Elevens de ce matin, comme je te l'avais demandé ? J'ai appelé le back-office, et ils me disent qu'ils n'ont pas encore reçu l'ordre.

— J'ai confirmé la transaction avec Tracey. Dis à Reggie de l'appeler.

— OK, merci. T'en as pour combien de temps ? On a tous faim, ici.

— Une demi-heure, si ça roule.

— Cool. Hé, raccroche pas, Kate veut te parler. Je me demande bien ce qu'elle a à te dire, a-t-il ajouté dans un murmure, avant de lui passer le combiné.

— Alex, est-ce que tu as saisi la transaction que j'ai faite ce matin pour Colony Capital ? J'ai vérifié ma boîte de réception et je n'ai rien trouvé. C'est si difficile que ça, de faire ce qu'on te demande ? C'est quand même pas bien compliqué, non, t'as juste à prendre tes dix doigts et à mettre les détails noir sur blanc.

Ça me démangeait carrément de dire à Cruella qu'elle était la seule commerciale du desk à ne pas saisir elle-même ses confirmations de transaction, et que les autres ne voyaient pas ça comme optionnel.

— Oui, Cru – je veux dire Kate. J'ai envoyé un mail à ton client avec le fichier en pièce jointe, et je t'ai mise en copie.

*Saleté de diva à l'ego surdimensionné, je vais te montrer ce que je sais faire d'autre avec mon doigt.*

J'ai attendu en silence qu'elle revérifie ses mails.

— OK, j'ai trouvé.

*Clic.*

J'ai fermé le portable et les yeux en même temps. *Tu dois juste payer ta dette*, me suis-je rappelée. *On doit tous le faire, quand on a commis une erreur.*

Le portable s'est remis à sonner.

— Oui ? ai-je fait d'un air irrité, sans pouvoir m'en empêcher.

— Bonjour ma chérie.

— Oh, bonjour maman.

*Dieu merci*, ai-je pensé. Enfin quelqu'un qui n'attend rien de moi.

— Tout va bien ? Je viens d'appeler à ton bureau et un homme m'a dit que tu faisais une chasse au trésor dans le Bronx ! Mais enfin, qu'est-ce que ça veut dire ? Tu es dans le Bronx toute seule ?

— Non maman, ne t'inquiète pas. C'est une longue histoire. Grâce à Chick, je viens d'en avoir pour plus de 1 000 dollars en fromage et sandwichs *alla parmigiana*.

— Quoi ? s'est-elle exclamée, éberluée. En *fromage* ? C'est une blague, j'espère.

— Mon imagination est loin d'être aussi débordante, malheureusement.

— Mais enfin, il est devenu fou. Pourquoi tu ne dis pas à ton patron d'aller se faire voir tu sais où ?

— Parce que c'est la seule façon de faire avancer ma carrière.

— Et quelle carrière, où l'on t'oblige à traverser tout New York pour dépenser 1 000 dollars en fromage. Il n'est pas trop tard pour commencer des études de droit, tu sais.

— Je ne démissionnerai pas, maman ! J'aime mon boulot. Aujourd'hui peut-être pas, mais d'habitude oui.

— Tu sais, Alex, la fierté est l'un des sept péchés capitaux.

— Ce n'est pas ce péché-là qui me tuera, crois-moi.

— Sois gentille, Alex. Appelle ton père au travail. Il réclame de tes nouvelles. Pas la peine de mentionner ton expédition fromagère, peut-être.

— Compte sur moi. Bisous, maman.

*Clic.*

Il n'était pas question que j'appelle mon père maintenant. Il me demanderait pourquoi je n'étais pas au desk, et je serais obligée de lui raconter des salades, sinon je m'exposerais à devoir lui expliquer ce que j'avais fait pour mériter le châtiment de la meule de parmesan. J'avais assez de problèmes comme ça, et surtout pas envie d'ajouter « menti à mon père » à la liste de mes actes déshonorants pour la journée. Elle était suffisamment longue comme ça.

J'ai refermé les yeux, et tenté d'imaginer la prochaine étape de mon supplice, qui consisterait pour Chick à m'envoyer dans une quincaillerie à perpète, histoire d'acheter une râpe à fromage taille XXL.

*Pourquoi, mais pourquoi il a fallu que je sois en retard comme ça ?*

— Oh bon sang, ai-je dit tout haut, en pianotant des doigts sur la meule. J'y avais pas pensé : comment je vais monter ce foutu truc jusqu'à la salle des marchés ?

— Facile, m'a dit le chauffeur par-dessus son épaule. Suffit de prendre un chariot et de le mettre dans l'ascenseur de service.

*L'idée de génie.*

J'ai composé le numéro de la réception de Cromwell, et demandé le service Entretien. Ensuite j'ai expliqué au monsieur que j'avais besoin d'un chariot, et aussi d'utiliser leur ascenseur, et il m'a répondu qu'il n'y avait pas problème. Il m'a même proposé de l'aide, le saint homme. Quand on a freiné devant l'immeuble, un grand gaillard en salopette bleue nous attendait patiemment sur le trottoir, chariot en main.

— Merci pour la balade, ai-je dit au chauffeur quand il nous a tous déposés, le parmesan, les boîtes en carton et moi.

— Oh non, merci à vous. Il me tarde de raconter ça à ma femme !

Je me suis tournée vers l'homme en salopette pour lui annoncer, d'un air impassible :

— C'est pour transporter ça que j'avais besoin de vous.

— Waouh, a-t-il fait en regardant la meule géante, les yeux écarquillés. C'est du parmesan ?

— Oui m'sieur, du fromage de première qualité, tout droit venu du Bronx.

Il a secoué la tête en me lançant un regard qui en disait long, et en a conclu :

— À force de rester enfermés là-haut, vous autres, vous perdez complètement le sens des réalités.

Rien à redire, là.

On a chargé la meule sur le chariot, j'ai posé les deux boîtes de sandwichs par-dessus, puis il m'a escortée jusqu'à l'ascenseur de service. Quand on est arrivés au dixième, je me suis engouffrée dans le couloir avec le chariot tout en criant « Laissez passer, je suis pressée », et des collègues pas décontenancés pour un sou se sont écartés à mesure de mon avancée. Deux gars qui bossaient au desk Marchés émergents m'ont proposé leur aide, et ils ont solennellement porté le fromage jusqu'au bureau de Chick.

Et après on dit que la galanterie, ça n'existe plus de nos jours.

Chick a cogné sur la meule.

— Combien ? Le compte y est ? a-t-il demandé.

— Oui, Chick. J'en ai eu pour 1 000 dollars de fromage, et un peu plus de deux cents pour les sandwichs.

— Mais c'est pas un problème, vu que je te paie nettement plus que ça, si je ne m'abuse ?

— Oui, ai-je couiné.

— Alors vraiment, tu peux te considérer chanceuse que je t'aie pas virée, ce qui à bien y réfléchir t'aurait coûté beaucoup plus que 1 200 billets. J'espère que t'as compris la leçon, et que tu seras plus jamais en retard comme ça ?

Lentement, j'ai hoché la tête.

— OK. Mission accomplie, dans ce cas.

Il a passé la main sous son bureau, et en a ressorti un gros couperet de cuisine.

— D'où tu sors ça ? ai-je fait, interloquée.

Il m'a souri, comme si c'était parfaitement normal qu'il conserve une arme potentielle dans son attaché-case. Mon string ne passait pas à la sécurité, mais Chick s'était débrouillé pour faire entrer un couteau en douce dans l'immeuble. Salauds de faux flics.

En silence, il a fait le tour de la meule comme un animal encerclant sa proie. Quand il a trouvé ce qu'il estimait être l'endroit parfait, il a planté son couteau dans le fromage, et a pénétré l'épaisse croûte à grand-peine.

— Maintenant, on mange.

*Chapitre 9*

# L'affaire de la machine à cochonneries

LE PRINTEMPS A MAL commencé. En avril les marchés ont soudain été très calmes, ce qui n'était guère réjouissant pour nous, forcément. Si les clients étaient frileux, nous on ne gagnait pas d'argent, et ce n'est jamais bon d'avoir une concentration en un lieu fermé d'hyperactifs grincheux ne sachant plus quoi faire de leurs dix doigts. Le parquet est vite devenu un endroit propice aux blagues potaches. Drew et Reese ont lancé les réjouissances en arrivant un matin avec un plateau et des dés sous le bras. La mise était de 10 000 dollars à chaque partie. Ils tenaient scrupuleusement les scores, mais n'alignaient pas vraiment les biffetons, bien sûr. Ça les occupait, et vraiment c'était tout ce qui comptait. Moi, je me suis mise à surfer sur le Net pour m'acheter des trucs dont je n'avais pas besoin : des trousses à maquillage, des bougies, des cadres fantaisie – en gros, uniquement des objets pouvant faire office de cadeaux de dernière minute. Il faut me comprendre, aussi : qu'est-ce qu'une fille est censée faire quand elle s'ennuie ferme et qu'on lui fourre trois ordinateurs connectés à Internet sous le nez ? On a joué au basket avec des balles en mousse et des corbeilles à papier, puis au golf, en se servant de casquettes de base-ball pour le trou et de clubs planqués un peu partout dans les placards. On a fichu la pagaille sur les bureaux des uns et des autres quand ils n'étaient pas là, et quelqu'un a fait des émules en ayant la bonne idée de planquer nos chaussures de rechange (j'ai trouvé les miennes dans le classeur de Marchetti) : résultat, on a fini par tous se piquer les bibelots qu'on accumulait sur nos bureaux et le jeu consistait ensuite à les retrouver, en général dans les endroits les plus incongrus.

Certains ont également profité de cette accalmie des marchés pour se venger des sales tours qu'on leur avait joués dans le passé. Un peu plus tôt dans le mois, je m'étais fait incendier par un trader du nom de Biff (oui, il y a vraiment des gens qui s'appellent Biff, et qui d'ailleurs ressemblent drôlement à la petite brute du même nom dans *Retour vers le futur*), pour une petite erreur commise en enregistrant une transaction. Sa réaction était complètement disproportionnée par rapport à la gravité du délit (croyez-moi), et Reese était furieux contre lui. Pour punir ce mufle d'avoir sauvagement agressé sa fidèle coéquipière, il est allé faucher l'ours en peluche qui trônait depuis toujours sur son bureau, et auquel Biff tenait énormément sans que personne sache vraiment pourquoi. Profitant que l'autre soit en réunion, Reese a concocté une superbe lettre de rançon en assemblant des mots découpés dans des magazines et des vieux numéros du *Wall Street Journal*. Le message était clair : si Biff n'offrait pas le déjeuner à tous les commerciaux *et* ne me présentait pas ses excuses, il ne reverrait plus jamais son nounours. La nouvelle a vite fait le tour, et ses clients ont commencé à l'appeler pour lui dire des trucs du genre « J'ai vu ton ours en peluche à l'arrière d'une camionnette dans la 12e Avenue, il saignait, le pauvre », ou « J'ai trouvé une tête d'ours en peluche dans une poubelle de Battery Park. J'espère du fond du cœur que c'est pas le tien ». Reese a ensuite eu l'idée d'acheter un appareil photo jetable, pour prendre des photos du kidnappé un peu partout : au stand de café, sur la photocopieuse, au service Courrier, accroché à un réverbère devant Cromwell, tenant le journal ouvert avec la date bien visible. Il les a fait développer dans un magasin à tirage immédiat, et dès que Biff s'éloignait de son bureau, il venait en poser une discretos. Reese s'est montré impitoyable, sur ce coup-là ; après avoir épuisé les photos, il a recommencé à planquer des lettres de rançon dans la mallette de Biff, dans ses tiroirs, etc. Ça a duré une semaine, l'histoire. Biff n'en pouvait plus, et il a fini par m'envoyer un mail d'excuses foireux, et dans la foulée par faire livrer du poulet frit par seaux entiers à notre desk. Le lendemain matin, Reese s'est pointé à 6 heures du mat' pour rendre le nounours, comme convenu. La victime avait un gros bandage autour de la tête, et le corps couvert de pansements.

Après cet épisode, on est passé aux blagues informatiques. Marchetti a traficoté l'ordinateur de Reese pour changer la langue en japonais. Il a fallu appeler l'assistance technique de Cromwell, et les types ont ramé une bonne heure avant de retrouver la configuration d'origine. Ce grand farceur de Chick n'était pas en reste : il avait mis de côté les dizaines de mini-muffins au maïs qui allaient avec le poulet frit, et il a décidé de s'en servir à des fins, disons, inhabituelles. Il a commencé par en mettre tout autour de mon clavier, une véritable armée de mini-muffins prêts à l'assaut. Ensuite il en a caché dans mes tiroirs, dans ma seconde paire de chaussures (que j'avais toujours à l'œil, maintenant). J'en ai trouvé dans ma trousse à maquillage, au fond de mon sac, dans les poches de mon manteau. Tous les jours, je tombais sur des mini-muffins dans des endroits plus improbables les uns que les autres, et quelle joie quand j'en ai écrasé un planqué au fond de mon escarpin, ou que j'ai trouvé des miettes coincées dans la brosse de mon mascara. Je priais pour que les affaires reprennent et que les pitreries cessent enfin. Si je ratais un muffin, on allait finir par attirer une colonie de souris.

Mais non. Drew a chipé la carte de crédit de Will, et il s'est amusé à faire livrer chez lui des trucs complètement space : des jambières de cow-boy en cuir, un fouet, une caisse entière de lubrifiant pour le corps, une tondeuse à poils de nez, des câbles de démarrage. Will a galéré ensuite pour tout renvoyer et se faire rembourser. Ce qui ne l'a pas empêché d'appeler l'hôtel à Boston où Chick devait descendre ce jour-là, pour leur dire que monsieur Ciccone avait des problèmes de dos et qu'il devait dormir à même le sol, alors ils allaient être obligés d'enlever le lit de sa chambre. Quand Chick a ouvert la porte de sa suite après sa soirée client, à minuit, il a trouvé la chambre vide à part deux coussins qui trônaient sur la moquette. Sur le coup il nous a maudits jusqu'à la neuvième génération, mais alors, qu'est-ce qu'on s'est marrés quand il nous a raconté sa nuit.

L'un de nos traders avait une aversion bien connue pour les cornichons, et refusait de manger quoi que ce soit qui avait été en contact avec, comme les hamburgers. Un matin, Drew a attendu qu'il parte se chercher un café dans le couloir pour aller verser un peu de jus (prélevé à la seringue dans un bocal acheté exprès) dans le micro de son combiné. Dès que le trader est revenu s'installer à son poste de travail, Drew a composé son numéro. Quand le trader a décroché, le liquide lui a coulé partout sur le menton et la chemise, et ni une ni deux, il a tout vomi. Le type a gardé une dent contre Drew pendant un bout de temps, après ça. Mais cette période de calme plat a quand même eu des avantages : par exemple, on avait tout le temps qu'on voulait pour approfondir certaines activités en marge du boulot.

Ma relation avec Will était tout sauf normale. Pour commencer, je n'avais pas le droit, en tant que personne saine d'esprit, d'appeler ça une relation. Depuis la nuit qu'on avait passée ensemble il y avait un mois de ça, et qui s'était soldée par un trou de 1 200 dollars dans mon compte en banque, je ne l'avais vu qu'une seule fois en dehors de Cromwell. On s'était retrouvés dans un bar de l'East Village, on avait joué au billard et bu des bières pendant quelques heures, et après ça il m'avait mise dans un taxi, direction chez moi. Ça m'allait très bien : j'étais à fond pour faire machine arrière et approcher cette histoire totalement irresponsable avec un collègue sous un autre angle, celui de la prudence. Mais ne m'inviter à sortir qu'une seule fois *et* dans un lieu public, c'était prendre ladite « prudence » un peu trop au pied de la lettre, tout de même. En temps normal, j'aurais fini par me dire qu'il n'était pas intéressé et, une fois ma fierté ravalée, je serais passée à autre chose. Là où ça se corsait, c'est que je passais le plus clair de mon temps assise à quelques mètres de lui et qu'en plus, il flirtait sans vergogne avec moi, par mails interposés. Je commençais à regretter qu'on en soit à l'ère de la technologie de pointe, en fait. Si on n'avait pas été en mesure de communiquer à longueur de journée grâce à Internet, ça aurait été plus facile de garder la tête froide. Le pigeon voyageur ne me paraissait plus être si ringard que ça, comme moyen de communication. À l'époque, ça avait dû éviter à plein de gens de péter un câble, je suis sûre.

Un matin ensoleillé de la fin avril, Marchetti s'est pointé à mon bureau et m'a brandi un bon de commande rose pâle sous le nez.

— C'est l'heure de la commande annuelle de cookies des louvettes, a-t-il chantonné gaiement.

— Les quoi ? ai-je eu le temps de dire avant que Drew m'arrache la feuille des mains et commence à y noter son nom.

— Les cookies des louvettes, chouette, s'est exclamé Drew. La fille de Marchetti est chez les scouts, et si c'est elle qui vend le plus de gâteaux dans sa meute, elle gagne un scooter ou un truc comme ça. Marchetti fait circuler le bon de commande et tout le monde en achète un peu. Quand la feuille revient dans ses mains, sa fille en a vendu assez pour gagner une putain de BMW, alors je te dis pas le scooter. C'est le genre de petites choses qu'on aime bien faire, au desk, pour rendre la vie des jeunes filles teeeellement plus agréable.

— Mais si elle veut un scooter, pourquoi est-ce que Marchetti lui en achète pas un, tout simplement ?

— C'est une question de *principe*. Tu sais, histoire d'apprendre aux jeunes que s'ils veulent vraiment quelque chose, ils doivent le mériter. Tout ça.

— L'idée de départ est très bien, mais t'as conscience qu'elle ne vend pas exactement ses cookies elle-même ?

— Qu'est-ce qu'elle t'a fait, cette pauvre louvette, pour que tu veuilles pas l'aider ?

— Mais c'est pas ça ! Je fais juste remarquer qu'il y a comme un problème dans ta théorie.

— Et qu'est-ce que tu dis de celle-là ? J'adore la variété qui s'appelle « Samoa », tu sais avec la noix de coco râpée dessus et le filet de chocolat encore par-dessus. Mmmm… Ben je pourrais pas me goinfrer si ce bon de commande atterrit pas à un moment donné sur mon bureau. C'est pas une raison suffisante pour apporter un soutien enthousiaste aux louvettes, d'après toi ?

— Je m'incline. Moi aussi j'ai un faible pour les Samoa. (J'ai ouvert mon portefeuille, pour découvrir qu'il ne contenait qu'un vieux papier de chewing-gum et quelques billets de 1 dollar.) Oups. Il faut payer maintenant, ou plus tard ?

— Non, le paiement se fait à la livraison. Pour l'instant, t'as juste à écrire ton nom, la référence des cookies et la quantité.

— Qu'est-ce que je ferais sans toi, Drew ?

— Tu serais tout le temps à l'ouest, en a-t-il conclu en finissant de remplir sa commande. Tiens, éclate-toi.

Il m'a tendu la feuille, mais Will me l'a arrachée brusquement dès que je l'ai eue en main. Décidément.

— Euh, on peut savoir ce que tu fais ? ai-je demandé, limite agacée.

— Je commande des cookies, pourquoi ?

— Et t'avais une bonne raison de pas attendre ton tour ?

— Tu sais, t'es pas obligée d'en commander si tu veux pas, Alex. Après l'histoire du parmesan, si tu préférais économiser un peu, on comprendrait.

— Nan, on comprendrait pas, a riposté Drew.

— Tu vois, ils comprendraient pas, lui ai-je fait d'un air moqueur. T'es mignon de me croire pauvre au point de pas pouvoir m'offrir trois boîtes de cookies, mais je devrais m'en sortir.

— T'as besoin d'un prêt ?

— Non !

— T'es sûre ?

— Tu commences à être un peu lourdingue, là. Remplis ce fichu bon et file-le-moi.

— Très bien. Mais si t'es vraiment dans la mouise, tu sais où me trouver.

Il a fini de gribouiller ses instructions, m'a jeté la feuille à la figure et s'en est retourné à son bureau.

C'est là que m'est venue une idée : je venais de trouver le moyen de me venger de Will pour m'avoir fait arriver en retard ce fameux matin-là. Parce que quelque part, quand même, c'était de sa faute si j'avais 1 200 dollars en moins à dépenser ce mois-ci. J'ai soigneusement rempli le bon de commande, et je suis allée le rapporter à Marchetti en riant sous cape.

— Combien de temps ils mettent les cookies, pour arriver ?

Je me sentais comme une gamine à un mois Noël : je me demandais comment j'allais faire pour patienter.

— Deux mois à peu près, m'a-t-il répondu.

— Parfait.

Les cookies de Marchetti ont déclenché une conversation sur les gâteaux en général, qui a ensuite dévié sur ceux vendus dans la machine à cochonneries, et c'est un truc aussi bête que ça qui aura donné lieu à l'un des plus gros paris de l'histoire de Cromwell.

— Impossible, Marchetti. T'arriveras jamais à bouffer tout le distributeur en une journée, l'a défié Chick d'un air rigolard, en prenant Will, Drew et Reese pour témoins.

Il était encore tôt, mais on sentait déjà que ça n'allait pas être folichon, niveau transactions.

Sauf que Marchetti était sûr de son coup.

— Chiche. Combien tu paries que je peux y arriver *aujourd'hui* ?

— T'es peut-être un vrai rital et complètement barré, Billy, mais je te dis que c'est infaisable. Ton estomac exploserait. T'as jamais vu le film *Seven* ? La scène où le tueur force le mec obèse à s'empiffrer jusqu'à ce qu'il casse sa pipe ? Ce sera toi avant la fin de la journée, et c'est sûrement pas moi qui appellerai ta femme pour lui dire que tu rentres pas parce qu'on t'a fait avaler la machine à cochonneries.

J'ai fait rouler mon fauteuil dans leur direction, histoire de ne pas être en reste.

— Nan, j'ai bien entendu ? Tu comptes boulotter tout ce qu'il y a dans la machine à cochonneries ? Il y a au moins dix variétés de chewing-gums là-dedans qui n'ont plus été touchés par la main de l'homme depuis 1989. Y'a pas moyen que t'arrives à tout manger sans gerber, c'est clair.

— Mon esclave de Fille fait une remarque intéressante, est intervenu Chick. J'avais pas pensé aux chewing-gums. Mais c'est pas de la vraie bouffe, toute façon. Alors si t'as vraiment l'intention de faire ça, tu dois ingurgiter *un* paquet de chaque dans le distributeur et non pas *tout* le distributeur, à l'exclusion des chewing-gums, en commençant à 9 h 30 précises et en finissant avant que la cloche sonne la fermeture des marchés, à 16 heures. Tu peux te mettre dans mon bureau si tu veux pas être embêté par les autres, mais Alex a pour mission de rester avec toi et de vérifier que tu fourres pas des trucs dans tes poches ou à la poubelle. Tu seras sous étroite surveillance du début à la fin. Si t'as envie de pisser, tu me le fais savoir et quelqu'un t'accompagnera. OK, on va partir avec une cagnotte de 10 000 dollars, mais j'imagine que ça va monter quand ça va se savoir. Si à n'importe quel moment de la journée tu te mets à vomir, c'est fini pour toi. Est-ce que tu acceptes ces conditions ?

Le reste de l'équipe avait entendu ce qui se tramait, et formait à présent un grand cercle autour de Marchetti et de Chick. Tout le monde s'est mis à scander « Bil-ly, Bil-ly, Bil-ly » en levant le poing en l'air. Marchetti a bombé le torse, il s'est frappé la poitrine comme un gorille et il a crié :

— Aboule la bouffe ! Mangia ! Mangia !

Et c'est ainsi que Billy Marchetti a accepté de vider la machine à cochonneries pour 10 000 dollars.

Chick a ordonné à tout le monde de sortir jusqu'au dernier dollar qu'on avait dans le portefeuille. En un éclair, on brandissait tous nos billets verts en l'air comme des mini-éventails de geishas.

Puis il s'est tourné vers moi.

— La Fille, tu ramasses le fric, tu trouves une boîte et tu ramènes un article de chaque du distributeur, y compris les bonbons à la menthe mais sans les chewing-gums. Il est 8 h 30 à ma montre. Billy, tu as une heure pour te préparer. N'oublie pas d'appeler tes clients pour leur dire que c'est Drew qui s'occupera d'eux aujourd'hui. Alex, je compte sur toi pour l'avoir à l'œil. Il ne va nulle part sauf aux toilettes, et s'il tente de tricher d'une façon ou d'une autre, tu viens me prévenir illico. *Go.*

En passant devant le desk des traders, l'un des petits jeunes a vu le tas de billets que je serrais contre moi et a fait son malin en disant à haute voix que ça rapportait pas mal finalement, de danser sur les comptoirs.

*Comme c'est original.*

Une fois devant le distributeur, j'en ai eu la preuve : il y avait des trucs là-dedans qui croupissaient depuis plus d'une décennie, obligé. Dans la rangée du haut, on trouvait le salé : les bretzels, les chips Lay's classiques, celles au goût oignon-crème, les mini-Pringles, les Doritos et les Ritz au fromage. La seconde rangée correspondait aux produits de la marque Hostess, cette belle invention américaine qui consiste à mettre le plus de sucre possible dans un gâteau, et puis à en rajouter encore – sous forme de crème fourrée, de coulis, de vermicelles colorés, de tout ce que vous pouvez imaginer, quoi. Donc, pour récapituler, il y avait là les bombes à calories répondant aux doux noms de Twinkies, Cupcakes, Devil Dogs, Ho Hos, Yodels et Snow Balls. En dessous on trouvait les mini-cookies au chocolat, au chocolat au lait, au double chocolat, au chocolat blanc (je commençais à avoir la nausée), les Oreos, et ici, à noter, un intrus (pour les rares visiteurs à penser à leur ligne) : des barres de céréales. Encore en dessous, c'était les Snickers, les M&M's au chocolat *et* à la cacahouète, les Kit-Kat, les barres de Daim et enfin les Milky Way (pour le coup, ça, c'était vraiment dedans depuis les années 1980). Et pour terminer en beauté, les chewing-gums et quatre marques de bonbons à la menthe dans la rangée du bas. J'ai posé la boîte par terre et j'ai commencé à nourrir le distributeur de billets, en appuyant sur un bouton différent à chaque fois et en balançant les cochonneries une à une dedans.

Inutile de dire que la nouvelle a vite fait le tour, et le temps que je revienne au bureau de Marchetti avec ma boîte sous le bras, la cagnotte avait grimpé à 20 000 dollars. Bien sûr, tout le monde voulait connaître précisément les règles, et savoir quelles précautions avaient été prises pour être sûr qu'il gagne à la loyale. On était à Wall Street, après tout. Ici, personne n'ouvrait son portefeuille sans être pleinement conscient des risques encourus, ni connaître tous les détails du marché.

Chick s'est levé pour prendre le micro.

— Votre attention, tout le monde. J'ai une annonce à faire concernant le pari sur la machine à cochonneries. Pour tous ceux qui veulent encore en être, vous avez jusqu'à 9 h 25 dernier délai pour me filer l'oseille.

La salle a éclaté en applaudissements bruyants, et l'instant d'après le bureau de Chick était pris d'assaut. Will s'est chargé d'enregistrer les noms et le montant de la mise par ordre alphabétique dans un tableau Excel.

— Alors, ça te change de la routine, aujourd'hui, hein ? m'a fait Will en me voyant laisser tomber la boîte par terre. On va bien se marrer.

*Se marrer ? J'ai jamais assisté à une scène aussi pathétique de ma vie.*

Drew a passé les articles en revue avec moi, et il a même dressé un inventaire « pour éviter toute confusion ». Bien sûr. Will a fait une seconde vérification et quand tout le monde a été d'accord pour dire que l'inventaire était complet et sans erreur, Chick est allé chercher ma fidèle chaise pliante dans le placard où elle avait été remisée, et il l'a placée juste derrière Billy. Ma mission était on ne peut plus claire : vérifier que Marchetti mangeait bien, cocher l'article sur la liste et garder l'emballage, qui servirait ensuite de preuve.

La vedette du jour a fait semblant de s'étirer les muscles des bras et des jambes. J'avais envie de lui dire que c'était plutôt sur la zone du ventre qu'il allait forcer, mais bon. Dans l'auditoire, c'était à peu près à cinquante-cinquante entre ceux qui pensaient qu'il était assez cinglé pour vraiment y arriver, et ceux qui pariaient qu'il allait tout dégueuler avant midi. Will m'a enfoncé son calepin dans le dos pour attirer mon attention.

— Prête ? Tu sais que si tu foires, ils t'enverront probablement sur la chaise électrique.

Le plus flippant, c'est que quelque part, je le croyais.

Quand la cloche a sonné pour annoncer l'ouverture des marchés à la Bourse, à quelques centaines de mètres de là, Billy Marchetti a ouvert le premier sachet.

Un par un, il a ingurgité les trucs les plus lourds, à savoir la rangée de gâteaux Hostess. De temps à autre, quelqu'un passait devant son bureau et s'écriait « Mangia mangia ! », « T'es vraiment un porc ! » ou encore « J'espère que t'as pris ton médoc contre le cholestérol, ce matin ». Pendant ce temps-là, je notais l'heure précise de la mise en bouche et je récupérais les emballages. Twinkies, 9 h 30 ; Cupcakes, 9 h 35 ; Ho Hos, 9 h 38. Quand une grosse fournée de sandwichs cubains est arrivée vers midi pour le reste de l'équipe, Billy a commencé à se sentir mal. Si j'en croyais ma liste, ce n'était pas étonnant. Il s'était déjà enfilé tous les gâteaux Hostess, la moitié de la rangée de salé, les deux paquets de M&M's et des cookies. Douze articles en tout. C'est à ce moment-là qu'il a décidé d'accepter l'offre de Chick et d'utiliser son bureau perso. Pas le choix, je l'ai suivi. Pendant que d'une main, il en tapait cinq à tous les collègues qu'on croisait dans le couloir, de l'autre il déboutonnait son pantalon. J'ai empilé les articles restants sur le bureau, je me suis assise dans l'une des chaises et j'ai été bien contente de pouvoir admirer l'aquarium de Chick, pour changer. De toute façon, il était évident que Billy n'avait aucune intention de se laisser déconcentrer en me parlant. Heureusement que je n'avais pas de mari ni de gosses à qui raconter ma journée en rentrant.

Au bout d'un moment – *Quand même !* –, Billy a commencé à avoir du mal à respirer, et il s'est mis à transpirer abondamment. Je lui ai demandé s'il allait bien, et il m'a répondu d'un hochement de tête tout en vidant un sachet de chips dans sa bouche : la femme de ménage allait pouvoir passer un bon coup d'aspi sur la moquette de Chick, quand ce serait fini. Selon le règlement, il pouvait boire autant d'eau qu'il voulait, mais rien d'autre. Résultat, les bouteilles en plastique vides s'entassaient tout autour du bureau. La situation est devenue critique sur le front de la transpiration. Il m'est venu à l'esprit qu'entre ça et le pantalon déboutonné, si quelqu'un nous voyait quitter ce bureau ensemble – quelqu'un qui aurait été sur une autre planète toute la matinée, ça peut toujours arriver –, j'allais devenir l'une des protagonistes d'une rumeur pour le moins croustillante. J'avais comme l'impression que se faire surprendre à moitié défringué dans un bureau avec une collègue figurait parmi les motifs de licenciement répertoriés dans le manuel. Il fallait *vraiment* que je lise ce truc.

Tout d'un coup, Drew a fait irruption dans la pièce.

— Chick m'a demandé de venir voir comment tu t'en sortais.

Un seul coup d'œil à Billy (sa chemise trempée de sueur, sa braguette ouverte, sa respiration laborieuse), et son collègue et ami a été pris d'un fou rire.

— Putain, mec, t'es mal. Regarde-toi, t'auras du bol si tu nous fais pas une crise cardiaque. Je me rendais pas compte qu'on te payait une telle misère chez Cromwell, pour que tu sois prêt à endurer tout ça dans le seul but de gagner un pauvre pari de 20 000 dollars. Est-ce qu'on a un défibrillateur, au moins, pour quand tu vas tourner de l'œil ?

Drew a fait semblant de tenir deux palettes dans ses mains et de les frotter l'une contre l'autre, en criant « Attention, on dégage ! ». Aussitôt, il a tendu les bras et fait comme s'il administrait un choc électrique à la poitrine de Billy. Je n'ai pas pu m'empêcher de pouffer de rire.

— Je vais tout finir, et quand ce sera fait, je vais te botter le cul, Drew. Alex, vire-le-moi d'ici. T'es censée être mon garde du corps, je te rappelle.

— Drew, je suis désolée mais tu vas devoir partir. Ce bureau est réservé pour une orgie de bouffe jusqu'à 16 heures.

— En fait, c'est ce que je suis venu vous dire. Billy, t'as plus jusqu'à 16 heures. Chick exige que tu retournes au parquet pour la dernière demi-heure, histoire que tout le monde puisse te voir dans la dernière ligne droite. Tu vas devenir une légende si tu réussis ce coup-là. Bon, bien sûr, si tu te plantes, tu seras obligé de déménager dans le Nebraska et de redevenir simple employé de banque.

— Va te faire foutre, Drew. Et je le pense vraiment ! lui a balancé un Billy très énervé.

— Attends, ai-je fait à Drew en l'attrapant par le bras, alors qu'il ouvrait la porte. Tu pourrais me remplacer cinq minutes ? Je meurs de faim. Tout ce que t'as à faire, c'est faire gaffe à ce qu'il vomisse pas sur le bureau de Chick et à conserver les nouveaux emballages jusqu'à mon retour. Quoi qu'il arrive, ne touche pas à ma liste. Tu vas foutre en l'air mon système, sinon.

— Pas de souci ma biche, je garde un œil sur Gros Lard pour toi.

— Merci, Drew.

— Attends ! a baragouiné Billy tout en mâchant un Snickers géant. Tu vas au stand de café, je présume ? Dis à Jashim que je veux lui emprunter un blender.

— Un blender ? Mais pour quoi faire ?

— Contente-toi de me le ramener !

— OK, t'énerve pas. Je lui demande.

Arrivée au stand, j'ai pris un bagel et un thé glacé.

— Oh, bonjour mademoiselle Alex ! m'a accueillie Jashim avec son enthousiasme habituel. Qu'est-ce qu'il vous faut, aujourd'hui ? Ça vous dirait, un milk-shake à ma façon ?

— C'est gentil, Jashim, mais pas de milk-shake, cette fois-ci. Juste le thé glacé et le bagel. Ah oui, et un blender avec ça, s'il vous plaît.

— Ça fera 3,50 dollars en tout, m'a-t-il précisé. Est-ce que vous avez bien dit qu'il vous fallait aussi un blender, mademoiselle Alex ? Je ne crois pas qu'on en vende.

— Non, c'est juste un emprunt.

Jashim a haussé les épaules.

— S'il vous faut un blender, mademoiselle Alex, je vous donne un blender.

Il a passé la tête sous son comptoir, et en a ressorti un blender avec sa prise soigneusement enroulée autour de la base. Je lui ai fait un grand sourire.

— Super, merci. J'y ferai attention.

— Je vous fais confiance, mademoiselle Alex.

À mon retour, j'ai trouvé Drew adossé contre le mur en verre, qui secouait la tête d'incrédulité en voyant Billy continuer à se bâfrer. L'intéressé avait déboutonné les trois boutons du haut de sa chemise, et son caleçon (motif écossais) était clairement visible, maintenant. Ça commençait à me mettre légèrement mal à l'aise, cette histoire. Il restait encore une heure à tirer mais si ça continuait comme ça, le temps que la cloche sonne, il se serait à poil. J'ai posé le blender par terre, à côté du canapé, et j'ai pris trois emballages des mains de Drew : Billy s'était enfilé le Snickers et deux rouleaux de bonbons à la menthe pendant mon absence, mais il avait quand même carrément ralenti le rythme. Cette fois-ci, ça sentait le sapin pour lui.

On a quitté le bureau, direction le parquet, à 15 h 30 précises. D'après ma liste, il lui restait encore le triple paquet de Kit-Kat (ils faisaient une promo en ce moment, la chance), les Doritos, deux rouleaux de bonbons à la menthe, le paquet d'Oreos, la barre de Daim et les cookies au chocolat blanc. Jamais Marchetti n'arriverait à avaler tout ça en une demi-heure : c'était humainement impossible. Je n'ai pas vraiment tilté pour le blender jusqu'à 15 h 50, quand j'ai vu qu'il le branchait à la prise derrière son bureau. Dedans, il a balancé les barres chocolatées, les bonbons, les gâteaux et les tortillas, par-dessus il a versé une petite bouteille d'eau – et c'est là où j'ai su qu'il était vraiment prêt à tout pour gagner.

*Oh non, il ferait quand même…*

*Sérieux, il va pas…*

Sans hésitation, Marchetti a appuyé sur le bouton et la machine s'est mise à tourner. Il a attendu que ça ait la texture d'une glace à moitié fondue, en partie liquide mais avec encore des gros morceaux à mâcher dedans, et il a éteint. Alors on s'est tous rassemblés autour de lui et on l'a regardé faire, d'abord bouche bée, puis émerveillés, puis surexcités, jusqu'à ce qu'il boive la dernière goutte de sa mixture à exactement 15 h 59.

Quand la cloche a sonné, il était devenu vert.

Pendant que le desk le félicitait bruyamment pour cet exploit héroïque, Chick est venu me voir pour vérification. Il a coché chaque emballage à droite de ma liste, et quand il a vu que les vingt-huit articles avaient bien été consommés comme convenu, il a repris le micro.

— Tous ceux qui ont parié que ce cinglé de Billy serait pas cap de boulotter la machine à cochonneries pendant les heures de marché, vous en êtes de votre poche. Les juges ont tranché, et tout est nickel chrome. Au décompte final, il y a 28 000 dollars dans la cagnotte. Bravo, Billy !

Sans transition, il a placé les écouteurs de son iPod tout près du micro, et on a eu droit au classique *We Are the Champions* de Queen ; pendant les cinq minutes suivantes, ça a été la folie totale sur le parquet. Je suis sûre que Billy aurait adoré voir la *standing ovation* qu'on lui faisait, sauf qu'il était trop occupé à foncer aux toilettes pour ça. Malheureusement, il a eu beau essayer très fort, il n'est pas arrivé jusque-là. Il a tout vomi sur la moquette du couloir, et ensuite il a dû se faire ramener chez lui parce qu'il se sentait mal. Mais il venait d'empocher 28 000 dollars.

*Une journée ordinaire au boulot, quoi.*

À la fin du mois de mai, il a été temps pour Liv et moi de prendre chacune notre appartement. Notre bail se terminait bientôt, et on avait toutes les deux réussi à économiser suffisamment pour vivre seules. Perso, je voulais me rapprocher de Wall Street pour ne plus avoir à faire les longs trajets quotidiens (je sais, mon seuil de tolérance avait considérablement baissé par rapport à l'an passé).

Mon problème, c'est que je n'étais pas fichue de me lever à l'heure pour prendre le métro, et tous les matins je finissais dans un taxi. À 20 dollars l'aller, je n'étais pas loin d'une meule de parmesan par mois en transport, si vous voyez ce que je veux dire. En clair, ça valait plus le coup de vivre au-dessus de la 14e Rue. J'ai trouvé un super appart dans le West Village qui allait probablement être un gouffre financier, mais à choisir, je préférais vivre dans un endroit cool *et* être endettée jusqu'au cou, plutôt que d'économiser de l'argent ailleurs. Liv a décidé quant à elle de garder l'appart de Murray Hill, et elle était drôlement contente de pouvoir déménager dans la chambre et démolir le faux mur pour avoir un vrai salon. Elle pensait que j'étais folle de mettre autant dans un loyer pour vivre en face d'une caserne de pompiers, sur l'une des avenues les plus bruyantes de New York – mais moi, je m'en fichais. J'étais tellement crevée la plupart du temps, quand je rentrais, qu'un tremblement de terre ne m'aurait probablement pas réveillée. J'étais tout excitée à l'idée de vivre seule, mais la compagnie de ma colocataire allait vraiment me manquer. Liv avait toujours un truc intéressant à raconter, et vu mes horaires de dingue, je me disais qu'on n'allait plus jamais se voir.

Notre dernière soirée ensemble à l'appart était chouette, mais teintée de nostalgie. On a commandé une pizza et, entre deux gorgées de bière, on a fourré mes affaires dans des cartons avant de les placer contre le mur de l'entrée, pour les déménageurs qui venaient le lendemain matin.

— S'il y a bien un moment où ce serait commode d'avoir un mec sous la main, c'est celui-ci, ai-je dit en soulevant à grand-peine un autre carton.

— Sans blague ! Pourquoi est-ce que t'as pas demandé à Will Du Boulot de venir à la rescousse ?

— Parce que la séance déménagement, ça suppose un niveau d'intimité que Will et moi on est très loin d'avoir atteint, figure-toi.

— Honnêtement, je comprends pas ce que tu fabriques avec lui. Enfin, avoir un mec dans les parages c'est censé avoir des avantages, non ? Sauf que quand on y pense, il y est jamais, dans les parages. Depuis le temps, tu crois pas que vous auriez dû dépasser le stade du verre et de la partie de jambes en l'air occasionnels ? Non mais sérieux, il t'appelle tous les trente-six du mois. Je pige pas. T'en demandes pas plus que ça, à un mec, quand même ? Moi, je peux te dire que si.

— Quoi, tu voudrais qu'il tue les souris et monte les meubles pour toi ?

— Parfaitement. Et aussi qu'il change les ampoules grillées. Et sorte les poubelles. S'il y a bien une raison qui me fait dire que j'ai besoin d'un mec, c'est les poubelles. J'en ai vraiment ma claque.

— Allez, Liv. *Girl power* ! lui ai-je répondu, avec un enthousiasme un peu forcé.

Parce qu'à la vérité, j'avais bien dit à Will que je déménageais, et que ça n'allait pas être de la tarte parce que je devrais faire tous les cartons en une fois. Tout ça dans le secret espoir qu'il me propose de venir – eh ben, je m'étais brossée. Depuis le temps qu'on se voyait, il n'avait toujours pas rencontré Liv ni Annie ; pour être honnête, tout ça m'agaçait. De plus en plus, je me demandais s'il était paresseux, nul en amour, ou juste bête. Quand j'en étais à ce stade, généralement, j'en concluais que ça devait être la troisième option, parce que d'après mon expérience c'était souvent le cas chez les mecs. Mais j'avoue que c'était aussi la solution de facilité : ça m'évitait de me poser des questions sur ses motivations. À bien y réfléchir finalement, ça m'emmerdait grave, cette histoire. Rien à foutre du *girl power*. J'avais mal au dos, moi.

Vers 22 h 30, on a fait une nouvelle pause bière et on s'est écroulées par terre, vu qu'on avait eu la bonne idée de poser tout notre matos de déménageuses sur le canapé. J'ai entendu le bip que fait mon portable quand j'ai un message, mais impossible de le localiser vu le bordel monstre qu'il y avait dans le salon. À force de farfouiller sous le papier bulle, Liv a fini par le trouver, et elle en a profité pour regarder le nom de l'expéditeur.

— Waouh ! s'est-elle exclamée, visiblement choquée. Mais qui c'est ce Rick ? C'est pour ça que tu voulais déménager ? Tu vois quelqu'un d'autre et tu me l'as pas dit ?

*Oh non, ça va pas recommencer.*

— Punaise, c'est pas vrai, me suis-je lamentée. Je vais vraiment finir par changer de numéro.

— Attends, c'est le client un peu chelou, là ?

— Lui-même.

— Il faut que tu mettes un terme à cette affaire, surtout maintenant que tu vas vivre seule. T'en as parlé à Chick ?

— Non ! me suis-je écriée. S'il y a bien une chose à ne pas faire, c'est d'aller pleurnicher sur l'épaule de Chick. Jusqu'ici je me suis contentée d'ignorer Rick autant que possible.

— Très mauvaise idée. Je te parie que ce genre d'homme adore les défis.

— Je m'en suis rendu compte, figure-toi. Il est de plus en plus insistant. Clairement, il va falloir que je fasse quelque chose.

— Tu m'étonnes. Écoute ça : « Suis à Manhattan pour la nuit, ne me laisse pas seul. » Tu m'expliques le rapport avec une relation professionnelle, là ? Je vois pas Chick cautionner ce genre de comportement, quand même. Il doit pertinemment savoir que la boîte s'exposerait à un procès pour harcèlement sexuel.

J'y avais déjà réfléchi, et elle avait probablement raison. Mais après le cafouillage avec Tim Collins, il n'était pas question que je me plaigne de quelqu'un d'autre auprès de Chick, et encore moins d'un de ses meilleurs clients. Ce n'était pas la première fois que j'avais affaire à un type un peu limite ; j'avais confiance en ma capacité à gérer un as de la finance esseulé à l'imagination débordante.

— T'es déjà sortie avec lui ? m'a-t-elle demandé, sceptique.

— Non.

— Et t'aurais envie ?

— Ça va pas, non !

— T'y as jamais pensé, même pas une fois ?

— Arrête, Liv, tu deviens lourde, là.

— Tu veux mon avis ? Il faut tuer ce truc dans l'œuf, avant

que ça devienne incontrôlable. T'as déjà bien assez d'une relation foireuse.

— J'ai la situation en main.

— Non, ce que t'as *sur les bras*, c'est un déséquilibré en costume cravate.

— T'as raison. Je vais m'en occuper, promis.

Et j'étais sincère, vraiment ; il me restait juste à trouver comment.

— Je peux te demander un truc ? m'a fait Liv tout d'un coup.

— Pour notre dernière soirée ensemble, tout ce que tu veux.

— T'appellerais Will pour lui demander de nous aider à soulever ces foutus cartons ? Je vais finir par me démonter le dos, moi.

— Ça va pas, non ? Pas question.

— Alex, ça devient ridicule. Votre truc, là, c'est sexe entre amis, comme on dit ; mais même sans le sexe vous restez amis, que je sache. C'est si difficile que ça de lui demander de l'aide ?

— C'est un ami *du boulot*, nuance. C'est pas comme si c'était un copain de fac que je connais depuis des années.

— Allez, s'il te plaît ! Sérieux, mon dos me fait un mal de chien. Appelle-le. Si tu veux, tu lui demandes pas *explicitement* s'il veut bien venir, tu te contentes de mentionner qu'on est dans les cartons jusqu'au cou et tu vois s'il se propose. Y'a rien de mal à ça, quand même. Et juste pour info, je pense que t'as perdu le droit de l'appeler un « ami du boulot » le jour où il t'a mise dans son lit.

— D'accord, t'as gagné. Je vais l'appeler, mais compte pas sur moi pour le supplier de venir.

— D'accord. En attendant, mes deltoïdes te disent merci.

J'ai composé son numéro, et retenu mon souffle. Mais comme d'habitude, grosse déception : je suis tombée directement sur sa messagerie. Je répondais toujours quand il m'appelait, mais pour une raison obscure, il n'avait jamais son portable avec lui quand c'était moi. Ça aussi, ça commençait sérieusement à m'énerver.

— Salut, Will, ai-je dit après le bip. C'est Alex. J'appelais juste pour voir ce que tu faisais. Moi, je suis à la maison en train de faire mes cartons, alors rappelle-moi quand tu as ce message, OK ?

— Merde, mais pourquoi ils sont toujours sur messagerie quand on a besoin d'eux ? s'est lamentée Liv en regardant ce qui restait encore à faire.

J'ai jeté un œil à tout ce bazar autour de nous, et j'ai poussé un soupir. D'un pas traînant, je suis allée décrocher mes cadres du mur, et je les ai enveloppés dans des serviettes. Puis j'ai ouvert les placards de la cuisine un par un et j'en ai sorti tout ce qui m'appartenait au rayon casseroles, verres, assiettes, etc. En enveloppant tout ça, on est tombées sur des objets qui nous ont rappelé des souvenirs de notre vie ensemble, et je me suis rendu compte qu'elle allait vraiment me manquer. Deux heures plus tard, tout était empaqueté, étiqueté, et prêt à partir.

Liv a tendu les mains au-dessus de sa tête, et s'est étiré le dos. Sa veste à capuche jaune était couverte de poussière, et ses doigts étaient sales d'avoir touché toutes ces feuilles de journal.

Au moment où elle s'est effondrée sur le canapé, mon portable a fait bip.

— Évidemment, a-t-elle soupiré. À tous les coups, c'est Will. Il a senti qu'on avait plus besoin de son aide, alors il a décidé de te rappeler. Mais comment ils font ? C'est fou, on dirait qu'ils ont un sixième sens pour ça.

J'ai exhumé le téléphone d'entre les coussins du canapé, et je l'ai ouvert.

***SMS DE KIERIAKIS, RICK :***

*J'aime les filles qui savent se faire désirer.*

— C'est pas Will. C'est encore ce Rick.

— Un vrai malade, celui-là, a-t-elle conclu en se tournant une mèche de cheveux autour du doigt.

— Ouais, c'est clair. Bon, sur ce, je vais me coucher.

J'ai posé mon portable sur la table de nuit, et avec une sensation de tristesse et de vide inattendue, je me suis endormie pour la dernière fois dans notre petit appartement de Murray Hill.

## *Chapitre 10*

# La charité qui commençait par soi-même

À L'HEURE OÙ LES BRISES PRINTANIÈRES ont fait place aux brumes de chaleur typiques de New York, Will et moi avons commencé à nous voir davantage, mais toujours en dehors du bureau pour que Chick n'en sache rien. J'en étais arrivée à me dire qu'il n'avait jamais voulu venir chez moi avant parce que j'étais en colocation. Forcément, vu que dès que j'ai emménagé dans mon nouvel appart, on s'est mis à passer plus de temps ensemble après le boulot : entre nous les choses sont devenues, disons, plus cohérentes. Bien sûr, ça ne veut pas dire grand-chose vu que jusque-là c'était tout sauf cohérent, mais je suis du genre à voir le verre à moitié plein. Il nous avait fallu sept mois pour en arriver là, mais je sentais qu'on allait enfin dans la bonne direction. On n'arrivait jamais dans le même taxi le matin, on ne repartait jamais en même temps, et on essayait de flirter le moins possible au boulot. Rien de bien sérieux, quoi, mais pour le coup je ne pouvais m'en prendre qu'à moi, vu que je flippais à l'idée de lui demander comment il voyait notre relation. Le soir on dînait tranquillement à la maison, et des fois on allait prendre une bière dans un bar de l'Upper West Side ; quand il faisait beau, on allait voir les courses de chevaux à Belmont Park, et s'il pleuvait un film au ciné. Si j'étais ravie de voir les choses se normaliser enfin, Will restait difficile à cerner, je trouvais. Il insistait pour qu'on sorte en semaine, et il avait toujours l'air un peu distant – mais je mettais ça sur le compte du stress à l'idée que Chick nous surprenne en flagrant délit. Moi aussi j'appréhendais, mais ce n'était pas comme si notre chef passait ses week-ends en ville : ça n'expliquait pas pourquoi Will était quasiment toujours injoignable à ce moment-là. C'était comme si du vendredi soir au lundi matin, il disparaissait complètement de la circulation, et j'avoue que ça me laissait perplexe. Je veux dire, moi aussi j'avais des amis, et une vie. Je ne restais pas exactement cloîtrée chez moi à attendre son coup de fil. Mais ça ne voulait pas dire non plus qu'il ne pouvait pas m'en passer un de temps en temps, non ? J'essayais de ne pas trop y penser, sinon ça me déprimait. L'une des choses que j'aimais chez Will, c'était son côté excentrique. Alors, j'ai décidé de vivre avec. Ce n'était pas comme si j'avais vraiment le choix, en même temps.

Juillet est vite arrivé, et avec le beau temps on a commencé à prendre des cocktails le soir au bord du fleuve, toujours le plus loin possible de Cromwell. Tout ça rendait ma vie perso un peu compliquée, mais je gérais. Côté boulot par contre, j'allais toujours de découverte en découverte.

L'une des traditions ancestrales de la boîte était la vente aux enchères annuelle de la salle des marchés, dont les bénéfices hallucinants étaient reversés aux bonnes œuvres. Les lots présentés allaient du parfaitement normal au complètement extravagant, et il était tout simplement impossible de dire jusqu'où grimperaient les enchères. La vente en elle-même allait avoir lieu à la fin de la journée, directement sur le parquet, et elle serait suivie d'une énorme fête quelque part dans Manhattan. Forcément, c'était l'une des journées les plus attendues de l'année.

— Vise-moi ça : 2 500 dollars pour aller jouer au golf avec Dark Vador à Shinnecock. Non mais sans déc', qui c'est qui paierait pour un truc pareil ? ai-je demandé à Drew.

— Un paquet de gens, si Baby Gap fait le caddy, a-t-il répondu en m'arrachant la brochure des mains. Y'a des trucs sympas, là-dedans. Deux billets super bien placés pour aller voir les Giants, un week-end aux Bermudes, une partie de golf dans les Hamptons, une journée spa au Mandarin Oriental…

— De quoi vous parlez ? l'a interrompu Chick, en plongeant la main dans un paquet de chips.

— De la vente, a répondu Drew.

— Ouais, c'est pas mal cette année. Je veux faire une offre pour les Bermudes, mais j'ai un truc à faire cet aprèm et je serai pas là à l'instant t. Tu sais quoi, La Fille ? Je t'appelle de mon portable et tu vas enchérir pour moi.

— Moi ? Sérieux ?

— Oui, toi. Ça te pose problème ?

— Non, bien sûr que non.

Moi, ça m'allait très bien, mais ça n'allait sûrement pas être le cas de la majorité du parquet. Chick me forçait à enfreindre l'une des règles tacites les plus sacrées de Cromwell : les femmes ne participent pas aux enchères. Car les enchères, voyez-vous, c'est un rituel de mâles, une manière discrète et néanmoins efficace de déterminer qui gagne davantage et qui gagne moins que soi. Les cadres supérieurs de Cromwell étaient particulièrement fiers de pouvoir rabattre le caquet d'un collègue en renchérissant sur lui – en d'autres termes, de lui prouver (à lui et à tous) qu'ils étaient les Maîtres de la Galaxie. Qu'ils étaient plus riches. Plus puissants. Plus beaux – dans leur tête, en tout cas. Aucune femme ne faisait d'offre, même pas Cruella. C'était peut-être même bien dans le manuel (que je n'avais toujours pas lu, bien sûr).

— On se voit ce soir sur le toit, a-t-il fait à la cantonade, avant de prendre son attaché-case et de décamper vite fait.

— Noooooooonnnnnnnnn, ai-je dit en prenant le bras de Drew et en faisant semblant de pleurer. Pourquoi il me fait ça à moi ? Pourquoi il t'a pas demandé à *toi* ?

— Parce que ce serait beaucoup moins drôle, tiens.

À 15 heures pile, l'excitation est montée d'un cran dans la salle des marchés.

— Très bien, messieurs ! a résonné la voix tonitruante de Vinny, notre commissaire-priseur maison, dans les énormes enceintes qui avaient été installées un peu partout. La vente aux enchères est mon jour préféré de l'année, chez Cromwell. Car c'est le moment où on a l'occasion de se souvenir que tout le monde n'a pas notre chance, et de rendre un peu. L'année dernière, cette salle des marchés a été très généreuse, avec 286 000 dollars récoltés. Mais je suis sûr que cette année on peut faire encore mieux !

Délire total dans la salle, au point que les murs en ont vibré. Vinny savait y faire, clairement. Il faut dire aussi qu'il se tenait debout à un pupitre en plein milieu du parquet, une casquette avec le logo de Cromwell vissée sur le crâne, et qu'il avait l'air d'avoir fait ça toute sa vie.

Un « Ouais ! » tonitruant a retenti en réponse à son discours volontaire.

— Est-ce qu'on va récolter encore plus d'argent cette année ?

— Ouais !

— Est-ce qu'on est prêt à montrer à tout le monde pourquoi Cromwell est la meilleure boutique de Wall Street ?

— Ouais !

La seule idée de susciter l'envie chez nos concurrents aurait suffi à convaincre mes collègues de faire don de leurs gosses, si Vinny le leur avait demandé. Quelques gars se sont martelé le torse comme Tarzan, au cas où on n'aurait pas compris. Perso, j'avais toujours autant de mal à m'y faire.

— Alors, que la fête commence ! Le premier lot est un casque signé par les Forty-Niners. L'équipe entière !

— Et les Giants alors ! ont hurlé certains, vexés comme des poux à l'idée que ce ne soit pas l'équipe locale qui soit représentée ici, mais celle de San Francisco.

— Je sais, je sais. Ça me fait de la peine, à moi aussi. Mais je suis sûr que parmi vous se cachent des fans refoulés des Forty-Niners. Aujourd'hui seulement, tout est permis. L'objet est mis aux enchères pour 2 000 dollars !

— Trois mille ! a crié un trader.

— Trois mille cinq cents ! a riposté un autre.

— Quatre mille ! a crié un troisième.

— Vendu ! a hurlé Vinny en donnant un coup de marteau sur son pupitre.

Tout d'un coup, j'ai vu Will arriver à mon bureau.

— Je reste avec toi, si ça te va. Je veux être aux premières loges quand ce sera ton tour.

— J'arrive pas à croire qu'il m'oblige à faire ça. Il pourrait au moins me laisser enchérir sur la journée au spa, s'il tient tant que ça à m'humilier. Je me couperais le bras droit pour aller me faire dorloter au Mandarin.

— Pourquoi tu fais pas une offre, si ça te fait envie ?

— Malheureusement, j'ai pas encore les moyens de claquer plusieurs milliers de dollars dans un massage et une pédicure.

— Comme tu voudras.

Vinny était reparti pour un tour.

— Alors ce lot-ci, les gars, il va vous coûter bonbon. C'est un bonus. Il est même pas sur la liste ! Je précise que je fais moi-même une offre. Qui est prêt à en découdre avec moi ?

— Tu vas aller au tapis, Vin ! a hurlé une voix anonyme. Je vais te faire casquer grave !

Impossible de voir qui osait parler comme ça à Vinny tellement il y avait de monde. C'était toute l'idée, j'imagine.

— Tous les jours, il vous sert votre café, il vous prépare vos milkshakes, et il vous vend des gâteaux. Aujourd'hui, il est temps de lui dire merci pour toutes ces années de dur labeur. Vous savez de qui je veux parler, le héros méconnu du parquet, notre Jashim à nous ! Qui veut payer pour emmener Jashim au restaurant ?

Sur ces entrefaites, l'intéressé est arrivé en petites foulées dans la salle, et a entrepris de tirer parti de chaque seconde de ses cinq minutes de gloire. Il a salué tout le monde avec des gestes enthousiastes, et le public le lui a bien rendu avec des « Hourra ! » et des « Ouais ! » survoltés. Pendant ce temps-là, quelqu'un avait eu la bonne idée de mettre en musique de fond la chanson de *Rocky*.

— Il va vraiment mettre Jashim aux enchères ? ai-je demandé

à Will, incrédule.

— C'est carrément tordant, nan ?

— Mais Vinny peut pas mettre un prix sur une *personne* !

— Et pourquoi pas ? On vend bien le bétail de cette manière-là.

— Je te signale que Jashim n'est pas une vache !

— Sans blague. Merci pour la clarification.

La nouvelle star du parquet a grimpé sur une chaise, et il s'est remis à faire coucou à ses fans adorés. Il avait l'air de prendre carrément son pied.

Je n'ai pas entendu le téléphone sonner, mais heureusement j'ai vu la lumière clignoter sur mon standard. Vite, j'ai mis le casque.

— Cromwell, ai-je annoncé d'une voix forte. J'ai pressé le casque contre les oreilles, en espérant que j'arriverais à entendre par-dessus tout ce boucan.

— On en est où ?

— Oh, salut Chick.

— C'est bientôt à nous ?

J'ai regardé dans la brochure.

— Le voyage aux Bermudes est le lot numéro treize. En ce moment, on enchérit sur Jashim.

— Quoi ? Jashim était même pas sur la liste !

— Et... Vendu à votre bouffeur de cochonneries préféré et le mien aussi, je veux parler du gros Billy Marchetti ! Bravo, Bill !

— Chef, Marchetti vient de dépenser 15 000 dollars pour emmener Jashim au resto.

— Je te rappelle que c'est moi qui ai calculé le montant de sa prime, l'an dernier. Crois-moi, La Fille, ce fric va pas lui manquer. Qu'est-ce qu'on a après ?

— La journée au spa. Je suis carrément jalouse de celui qui va la remporter.

— Dans ce cas, prends-la pour toi.

— Je peux pas, ça va être bien trop cher.

— C'est un acte de charité qu'on fait, A. On t'a jamais dit qu'elle devait commencer par soi-même ?

— D'accord, mais jamais je mettrais autant d'argent dans un simple massage, toute façon.

— Rappelle-moi de t'en reparler quand tu seras riche.

— Et… Vendu ! a annoncé Vinny. Quelqu'un dans l'assistance venait de casquer plus de 10 000 dollars pour emmener sa femme se faire chouchouter une journée au Mandarin. Elle avait une sacrée veine, la garce.

— Chef, c'est à nous.

J'ai pris une profonde inspiration, et je me suis préparée mentalement à la honte totale.

— Lot numéro treize : un long week-end aux Bermudes. Du soleil, du sable, et plus important encore, quatre jours *complets* loin du bureau. On va commencer par une offre très abordable à 10 000 dollars. Dix mille, quelqu'un ?

J'ai positionné le micro de mon casque au plus près de ma bouche pour être sûre que Chick m'entendrait clairement. J'avais interdiction de foirer sur ce coup-là. Je voulais pas retourner au service Courrier, moi.

— La mise aux enchères est de dix mille, Chick, lui ai-je dit calmement.

— Tu fais une offre à dix.

— Dix mille ! me suis-je époumonée.

Tout le monde s'est tourné vers moi en même temps, l'air totalement ahuri. Je voyais presque au-dessus de leur tête une bulle de bande dessinée indiquant leur pensée (la même pour tous) : *Est-ce qu'elle vient vraiment de faire… une offre ?*

Je suis restée figée sur place, avec huit cents yeux braqués sur moi. Mais j'ai tenu bon. Au bout d'un moment, j'ai vu Vinny sourire.

— Bien ! J'ai une offre d'Alex dans le fond à dix mille. Est-ce que j'entends douze mille ?

— Douze mille !

Une main s'est levée à l'autre bout de la salle.

— Douze mille ! Allez, tout le monde. On sort le portefeuille !

Seize mille, quelqu'un ?

Les yeux de Vinny étaient partout en même temps, pour être sûr de ne rater personne dans un coin.

— Ça monte à seize mille, chef.

— Tu renchéris à seize, alors.

— Seize mille ! ai-je crié.

— La vache, s'est esclaffé Will. Je pensais pas que c'était possible pour un être humain d'être aussi rouge. Ça va, Alex ?

— La ferme ! Tu vas me déconcentrer.

Je commençais à avoir mal à la tête.

— Dix-huit mille ! a crié un autre, sous les applaudissements de la salle.

— On est passé à dix-huit, ai-je murmuré dans le casque.

— Tu renchéris à vingt. Je veux ce voyage, La Fille !

— Vingt mille ! ai-je hurlé, la voix cassée.

— Alors, j'ai une offre à vingt mille d'Alex. La p'tite dame a vraiment envie d'aller à la plage, on dirait ! Allez, on monte à vingt-trois. Vingt-trois, quelqu'un ?

*S'il vous plaît, faites que ça s'arrête, aaaaahhhhh.*

— Vingt-cinq ! a retenti une voix de baryton.

Vingt-cinq ? Mais on n'avait même pas renchéri à vingt-trois. Qui est-ce qui était monté à vingt-cinq mille comme ça ? J'ai poussé Will violemment pour voir qui s'était mis dans la course à la dernière minute.

*Oh non, me dites pas que je vois ce que je suis en train de voir.*

Vinny montrait du doigt Doug Hanlon. Doug était le chef de Chick. Peut-être même le chef du chef de Chick.

— Chick, ai-je couiné. Doug Hanlon vient de faire une offre à vingt-cinq mille !

— Renchéris à trente.

Il n'était pas du genre à se laisser doubler par quelqu'un sous prétexte que son rival siégeait au conseil d'administration, clairement.

L'excitation était à son comble, et tout le monde s'est mis à taper du poing sur les bureaux. J'ai mis mes mains en porte-voix et je me suis égosillée :

— Trente mille !

Reese est arrivé à mon bureau en sautillant et en boxant dans le vide.

— Montre-leur ce que t'as dans le ventre, poulette ! Vas-y, montre-leur ! Pas de quartiers !

Pour lui faire plaisir je suis entrée dans son jeu, en faisant semblant de lui mettre un uppercut sous la mâchoire. Aussitôt, Reese s'est effondré par terre comme s'il était K.-O.

— La p'tite dame nous annonce trente mille, messieurs ! a annoncé un Vinny rayonnant depuis son pupitre. Il y a quelqu'un pour monter à trente-cinq ? Personne ? Trente mille une fois, trente mille deux fois… Et le week-end aux Bermudes est adjugé pour 30 000 dollars à Alex !

Tout le monde s'est mis à m'applaudir, à me siffler et à m'acclamer, et moi je me suis planquée sous le bureau vite fait.

— Est-ce que je l'ai eu ? s'est énervé Chick à l'autre bout du fil.

— Oui chef, pour trente mille.

— Bon boulot, Alex. Je te ramènerai un magnet pour ton frigo.

*Clic.*

Je me suis écroulée dans le fauteuil, et j'ai attendu que mon mal au crâne se calme. À tous les coups, j'étais à deux doigts de la rupture d'anévrisme.

Will m'a massé les épaules.

— Une bonne chose que ça se termine par une fête au Gansevoort, cette histoire. Je te parie que tu prendrais bien un verre, là.

— Ou alors douze. Il me tarde ce soir, j'ai entendu dire que la vue depuis le toit était assez délire.

— Bah, tu l'as déjà vue un million de fois, non ? Je croyais qu'il y avait que les touristes pour être impressionnés par ce genre de truc.

— Qu'est-ce que tu veux que je te dise, j'ai un faible pour les vues des toits de New York.

— Ah, vraiment ? Intéressant.

— Pourquoi ?

— Oh non, pour rien. Est-ce que t'as prévu d'aller au bar, après ? Je crois que Chick a prévu un truc.

— Nan, je pensais partir à 22 h 30 maxi. On se voit là-bas, alors ?

— Carrément. Tiens, au fait, j'ai un truc pour toi.

Avec un sourire entendu, Will a placé une enveloppe sur mon bureau.

— Qu'est-ce que c'est ?

— Ouvre-la.

Dedans se trouvait une grande carte élégante, sur laquelle était écrit « Bon cadeau pour une journée spa à l'hôtel Mandarin Oriental ». Ça m'a fait un coup au cœur, je dois dire.

— C'est toi qui l'as acheté ?

— Oui, pour toi. C'est plus ou moins l'anniversaire de ta première année passée chez Cromwell, non ? Et puis je me suis dit qu'avec toutes les pizzas qu'on te fait porter, un petit massage te ferait du bien.

— Oh mon Dieu ! J'arrive pas à croire que t'as fait ça pour moi. J'aimerais vraiment t'embrasser, là, maintenant. Mais sans qu'on se fasse virer. Enfin tu vois, quoi.

Il a rigolé.

— Ça te faisait envie, et l'argent va aux bonnes œuvres de toute façon. Profites-en bien. T'inquiète, je vais bien trouver un moyen pour me faire remercier.

Il m'a fait un clin d'œil et s'en est retourné à son bureau. Moi, j'ai essayé de me remettre au travail mais tout ce que j'ai réussi à faire, c'est compter les minutes jusqu'à l'heure de la fête tout en couvant des yeux le sublime cadeau que Will venait de m'offrir.

***

L'ambiance était déjà surchauffée quand je suis arrivée sur le toit. J'ai pris un verre au bar et je suis sortie sur la terrasse, en espérant y trouver des visages familiers. En passant j'ai aperçu Will en grande conversation avec un client dans un coin, et il m'a fait un petit signe de tête. Non loin de là Chick bavardait avec Rick, *la* personne que je voulais éviter ce soir, mais à ma grande horreur Chick m'a fait signe de venir. J'étais prête à faire beaucoup de choses pour lui : c'était mon chef, mon mentor et un ami, maintenant. Mais je n'allais certainement pas le laisser devenir mon maquereau, et moi la jolie fille à donner en cadeau à ses clients. Sauf que je n'avais pas exactement le choix, présentement, à part lui obéir. Je me suis plaqué un sourire grossièrement exagéré sur le visage, et je suis allée les rejoindre.

— Hé, chef, ai-je fait d'une voix chantante tout en le saluant du poing, comme il avait pris l'habitude de faire avec moi.

Je me suis tournée vers Rick. *Arrête de m'envoyer des textos, sale pervers*. Au lieu de cela, je lui ai dit poliment :

— Contente de vous revoir, Rick.

— Alex ! Ça fait bien longtemps. Tu es très en beauté ce soir.

J'ai senti son regard concupiscent me mater des pieds à la tête. *Brrr*.

— Merci.

Je savais que c'était vrai, parce que ça faisait des jours et des jours que je réfléchissais à ma tenue, sachant que Will serait là. Mais je n'avais pas pensé au fait que ce grand malade de Rick allait aussi baver sur ma robe, et c'était un effet secondaire très déplaisant je dois dire, un peu comme quand on se gave d'aspirine pour ses maux de tête et qu'on finit par se retrouver sur le billard pour une ablation de la rate.

— Alors, combien de temps vais-je encore devoir attendre avant que tu me prêtes Alex, Chick ? Elle pourrait se faire un peu les dents sur moi… tant qu'elle ne mord pas.

— Holà, vas-y mollo, Rick ! Elle n'a pas encore assez d'expérience pour avoir ses propres clients, sans parler de clients comme toi. Désolé, mon gars, mais tu vas m'avoir sur le dos pendant un bout de temps, encore.

— Quel dommage. Regarde-la, elle a l'intelligence *et* le physique. C'est un peu le Saint Graal des commerciales, quoi. Tu ne peux pas m'en vouloir d'essayer.

Chick m'a serré affectueusement l'épaule et lui a dit d'un ton paternel :

— Du calme, Rick. Tu vas finir par gêner ma protégée.

Rick s'y est mis aussi, en posant une main dans le creux de mes reins et en m'attirant à lui.

— Oh mais Alex est une grande fille, Chick. Elle n'est pas du genre timide, à ce que je vois.

Chick m'a tirée vers lui à son tour, et j'ai eu la désagréable impression d'être devenue un jouet pour chien. Mais je lui étais reconnaissante de ne pas me laisser dans la panade.

— Non, t'as raison. Mais ça veut pas dire pour autant que la chasse est ouverte pour toi, lui a-t-il fait en passant un bras protecteur dans mon dos.

J'ai vidé mon verre d'un trait.

— Très bien, je m'incline. Je vais me prendre un autre scotch. Content de t'avoir revue, Alex. Continue à bien travailler et peut-être qu'un jour Chick me laissera t'avoir pour moi tout seul.

Je mourais d'envie de lui dire que s'il recommençait à me faire du plat je lui péterais les deux jambes, mais j'étais bien obligée de la boucler. Dans ce milieu, le succès repose beaucoup sur la capacité à savoir ce qu'on peut se permettre de dire, et ce qu'il vaut mieux taire. Chick m'a tendu un autre verre de vin.

— Retourne à l'intérieur dire aux serveuses de ranger et de rentrer chez elles. On va bientôt partir, et j'ai pas du tout l'intention de les payer à siffler notre bière.

Chick était un homme on ne peut plus généreux quand on bossait dans son équipe, mais pour le reste de l'humanité, c'était « marche ou crève ».

J'ai fini par trouver les filles dans le petit couloir à côté des ascenseurs, et elles avaient dû capter le message subliminal de Chick parce qu'elles étaient déjà quasiment prêtes à partir. Du coup, j'ai fait un détour par les toilettes pour un check-up maquillage et coiffure. Je voulais être parfaite pour aller parler à Will. Sauf que mon plan a rapidement foiré quand je suis tombée sur Rick, nonchalamment appuyé contre le mur du couloir, un cure-dent à la bouche.

— Rebonsoir, Rick.

Je continuais mon chemin quand il a tendu le bras juste devant moi, m'obligeant à stopper si je ne voulais pas que sa main entre en contact direct avec mes seins. Je me suis raidie sensiblement : me retrouver coincée avec lui dans un espace confiné, ça ne me plaisait pas des masses, comme tournure des événements.

J'ai réussi à sourire, même si ça me démangeait de lui mettre mon poing dans la figure.

— Vous alliez partir ?

*Allez, dis oui.*

— Non, non.

*Eh merde.*

Il a agité le cure-dent en l'air comme s'il dirigeait un orchestre invisible.

— Je voulais juste te parler en privé.

*Dans une soirée à deux cents invités, je vois pas comment. Et au fait : merci mon Dieu.*

— Chick m'a remballé plutôt sèchement quand je lui ai demandé si tu pouvais être mon interlocutrice privilégiée. Je dirais que c'est parce qu'il te veut pour lui tout seul. Et comment l'en blâmer ?

*Bordel de merde, mais qu'est-ce que j'ai fait pour mériter ça ?*

— Euh, je suis sensible à cette offre.

J'étais surtout sensible au fait que Rick avait besoin d'être soigné – ou qu'il fallait lui augmenter les doses, le cas échéant.

— Tu verras, un jour on traitera ensemble. Je crois qu'on ferait du bon boulot ensemble. J'adorerais avoir ton avis sur les marchés – ou sur moi. L'un ou l'autre, quoi.

*Tu veux avoir mon avis sur toi ? Mais bien sûr, je te promets qu'un jour je te le donnerai.*

Sans transition il m'a mis la main au panier en guise d'au revoir, et mon corps tout entier en a frissonné de dégoût. J'ai fermé les yeux et je me suis forcée à respirer calmement. Rick avait franchi la ligne jaune, mais à peine. Pas assez pour me plaindre officiellement, en tout cas. Après tout, les mecs au boulot se mettaient tout le temps la main aux fesses ; et à bien y réfléchir, les sportifs de haut niveau aussi.

Je suis retournée dehors saluer les gens que je connaissais, histoire de chasser cette scène de film d'horreur de ma tête. Je me suis présentée à certains clients de Drew, ceux à qui je parlais au téléphone quand il était absent. J'ai cherché Will dans la foule, et j'ai fini par le repérer en grande conversation avec Baby Gap. De mieux en mieux, cette soirée. Du coup, j'ai continué à serrer des mains et à dire bonsoir, bref à me mêler comme la bonne commerciale que j'étais. Une heure plus tard, Chick est venu me trouver au bar. J'étais en train de bavarder avec quelques traders, et il m'a tordu le nez gentiment pour attirer mon attention.

— Désolé pour Rick, Alex. Contente-toi de l'ignorer. C'est un type bien, mais pour une raison que je ne m'explique pas, il aime jouer avec toi. Il te trouve drôle, et il aime bien les filles qui ont du cran. Et t'en as à revendre.

— Merci, Chick.

J'ai regardé ma montre : 22 h 30. Il était temps de partir.

— Je crois que je vais rentrer.

— D'accord, sois prudente.

De nouveau, j'ai cherché Will du regard pour lui dire au revoir, mais impossible de le repérer dans ce régiment de pantalons beiges. J'ai capitulé, et je me dirigeais vers les ascenseurs quand mon portable a sonné.

— Allô ?

— Salut, Alex. C'est Hannah.

— Hannah ? Mais t'es pas à la soirée ?

— Si, je suis juste derrière toi.

— Alors pourquoi tu m'appelles, bon sang ? (Je me suis

retournée et je l'ai vue au milieu de la salle, qui me faisait un petit signe.) T'es à même pas dix mètres de moi.

— J'ai besoin que tu me parles pendant une minute.

— Au téléphone ?

— Oui ! Juste à côté de moi il y a un client super canon, mais il m'ignore. Je veux lui faire croire que je suis importante, comme ça il me parlera.

— Mais t'es pas importante.

— Sauf qu'il le sait pas.

— Ouais ben je parierais pas trop là-dessus.

Et je lui ai raccroché au nez. Ça ne l'a pas empêchée de continuer à parler, mais quant à savoir si elle avait vraiment tilté que je n'étais plus au bout du fil, c'est une autre histoire.

Je suis sortie de l'hôtel en boitant à moitié, dans mes nouveaux escarpins. Je clopinais en direction d'un taxi que je venais de repérer quand la fenêtre d'une berline s'est baissée à quelques mètres de moi.

La tête de Will est apparue, et il m'a fait :

— T'en as mis du temps.

— Tu me dis ça comme si t'étais en train de m'attendre, lui ai-je répondu en souriant. Je te signale que je t'ai cherché partout, là-haut. Si tu m'avais dit que t'étais ici, je serais arrivée plus tôt.

— Je suis sorti en catimini. Je voulais pas que Chick nous voie partir à quelques minutes d'intervalle, tu comprends. Ça doit bien faire un quart d'heure que je poireaute. Et que je m'ennuie ferme.

— Ça, c'est parce que t'as la capacité de concentration d'un poisson rouge. Merci d'avoir attendu, sinon. Bonne idée, le coup du départ décalé, mais la prochaine fois tu pourrais peut-être, tu sais, me dire que tu m'attends en bas. Je sais que je prends des risques en te disant ça, mais en même temps ça t'éviterait de rester coincé dans une berline pendant quand même, pfiouuu, quinze bonnes minutes. Mais je dis ça, je dis rien, l'ai-je taquiné.

— Tais-toi et monte en voiture, a-t-il riposté en éclatant de rire. Tu sais que tu fais vraiment ta maligne, des fois ?

— Je croyais que c'était une des choses que t'aimais bien chez moi.

— Une parmi beaucoup d'autres, tu veux dire.

Je suis montée à l'arrière de la voiture, et j'ai été accueillie par la bonne odeur de cuir neuf.

— Ça, c'est ce que j'appelle de la galanterie.

— Je vais te border très bientôt, promis, mais d'abord je voudrais te montrer quelque chose.

— Où est-ce qu'on va ?

— Fais-moi confiance.

— La dernière fois que tu m'as dit ça, je me suis réveillée dans ton lit deux heures après la bataille.

Ça l'a fait rire, et l'instant d'après, la voiture s'est arrêtée devant un immeuble de lofts de TriBeCa.

— Où on est, là ?

— Suis-moi.

On est montés dans l'ascenseur et il a appuyé sur le bouton du dernier étage. Une fois sortis, il m'a fait monter des escaliers, puis il a ouvert une petite porte donnant sur le toit désert, et l'air embaumé de la nuit m'a caressé le visage. C'est alors que j'ai vu ce que je n'aurais jamais cru voir un jour à Manhattan : des étoiles.

Il m'a prise par la main pour me guider vers le muret qui délimitait le toit.

— *Ça*, c'est une vue des toits de New York.

Devant nous s'étendait la ville entière. La vaste étendue de Midtown, l'Empire State Building, l'Hudson d'un côté et l'East River de l'autre, la succession de ponts illuminés à l'est. Tout en bas, les voitures avançaient lentement en direction du nord, et leurs phares arrière qui s'allumaient par intermittence me faisaient penser à des guirlandes clignotantes. Je n'avais jamais rien vu d'aussi beau dans ma vie – ça surpassait même le concours de breakdance que les gars avaient organisé le mois dernier au bureau.

— Mais comment t'as fait pour avoir les clés d'ici ? ai-je murmuré d'un air ébahi, tout en tournant à trois cent soixante degrés pour admirer la vue. Quelle chance de pouvoir être seule dans la ville où on ne l'est jamais, ai-je pensé.

— Un pote à moi vit dans l'immeuble. Il m'a passé ses clés tout à l'heure, après le boulot. Quand tu m'as parlé de ton penchant pour les toits de New York, j'ai pensé que ça te plairait.

— Mais tu es plein de surprises, aujourd'hui. Je suis super gâtée.

Will a pris une chaise en plastique qui était dans un coin, et m'a fait asseoir. Il en a sorti une seconde pour lui et s'est installé à côté de moi, avant d'étirer ses longues jambes. Pendant un instant on est restés silencieux, à admirer le paysage, les lumières, les buildings qui s'élevaient comme des stalagmites géantes de la terre.

— J'aime bien te gâter. Et je t'avais dit que la vue du Gansevoort n'était pas si impressionnante que ça.

— C'est vrai que comparé à ça, c'est bof. On en oublierait presque qu'on vit dans une ville de dingues.

— Presque. Tu apprécies vraiment les choses simples, on dirait.

— Oui, je crois. On est tellement tout le temps dans l'excès, dans notre boulot, des fois c'est sympa de prendre un peu de recul et de profiter, tout simplement. Tu vois, je me dis toujours que c'est pas parce qu'un truc vaut cher que c'est nécessairement spécial. Même riche, j'aurais du mal à trouver quelque chose de plus spécial que ce toit, et il ne coûte rien.

— Euh, pas exactement : l'appart de mon pote vaut la peau du cul.

J'ai éclaté de rire.

— D'accord, alors disons qu'il ne nous coûte rien à nous !

— Eh ben voilà. Tu t'es bien amusée, à la soirée ?

— Tu parles, je me suis fait coincer par Rick Kieriakis, alors ça m'a un peu refroidie.

— Tout à fait le genre de Rick.

— Il me drague à mort, et ça fait un petit moment que ça dure. Tu sais comment il a dégoté mon numéro ? Est-ce que c'est toi qui le lui as donné ?

Je priais pour qu'il me dise non.

— Ça va pas la tête ? Je savais pas qu'il t'appelait. Comment ça se fait que tu m'en as jamais parlé ?

Il avait l'air choqué. J'aurais sûrement dû le faire plus tôt, c'est vrai ; mais inconsciemment, je devais me dire que si je le verbalisais, je ne pourrais plus ignorer le problème. Car c'en était devenu un. Et un gros.

— Non, en fait il m'envoie des messages. C'est pas le genre de truc évident à placer dans la conversation, tu sais. Mais peut-être que si tu décrochais ton téléphone quand je t'appelle, je l'aurais fait depuis longtemps.

Je m'en suis aussitôt mordu les doigts. Je me faisais penser à ces filles que je ne supporte pas, les angoissées de la vie comme je les appelle. Vous savez, celles qui ont tout le temps besoin d'attention, qui sont hyper possessives, toujours à geindre.

Will m'a fait un petit sourire en coin.

— Eh bien je suis là, maintenant. Alors, qu'est-ce qui se passe ? Quand est-ce qu'il a commencé ?

— La fameuse nuit où on est allés au Buddha Bar. Je me demandais comment il avait eu mon numéro, mais si c'est pas toi, j'imagine que c'est Chick.

— Il ferait jamais un truc pareil. Tu sais pour Rick et Cruella, n'est-ce pas ?

— Non ! Quoi ? me suis-je exclamée, troublée à l'idée d'entendre ces deux noms réunis dans la même phrase. C'était un peu mon axe du Mal perso, quand même.

— Rick et elle sortaient ensemble, à l'époque où elle était célibataire. À ce qu'on dit elle l'aimait beaucoup, mais il s'est comporté comme un vrai salaud avec elle. Je ne connais pas toute l'histoire, mais apparemment ça l'a vraiment secouée.

— Comment tu sais ça ? Je croyais avoir eu droit à tous les ragots qui existent sur elle.

— Oh, ça s'est passé il y a des années. Reese m'a dit un jour que c'est l'épisode avec Rick qui l'a transformée en vieille mégère.

Tu comprends bien que Chick le laisserait jamais te contacter. Il aurait trop peur de le voir détruire une seconde femme dans son équipe.

— T'es en train de me dire que c'est à cause de Rick si elle est devenue si méchante ?

— Apparemment, oui. Je crois qu'elle a pas toujours été comme ça, même si on a du mal à l'imaginer autrement, hein ?

— C'est clair, ai-je fait en hochant la tête.

La remarque qu'elle m'avait faite dans les toilettes des femmes ce jour-là a fait tilt, tout d'un coup. *Punaise, mais qu'est-ce qu'il a bien pu lui faire pour la rendre comme ça ?* Et tout de suite après, une pensée encore plus troublante : *Et maintenant il a jeté son dévolu sur moi.* Il fallait que je change de sujet, parce que je n'en pouvais plus de penser à ce type : il occupait déjà suffisamment comme ça mes pensées.

— À ton avis, qu'est-ce que Chick ferait s'il savait qu'on se voit, tous les deux ? ai-je demandé, tout en voyant des images super flippantes dans ma tête de ce qu'il me ferait à *moi* s'il apprenait que j'avais ignoré sciemment une de ses règles. La vache.

— Oh, toi il t'attacherait probablement à ta chaise pliante, avant de t'enfermer à clef dans un placard pendant six mois.

— Oui, c'est à peu près ce que je me disais.

Je ne voulais pas mettre la charrue avant les bœufs, comme dirait ma mère, mais ça commençait à me peser, de devoir nous cacher tout le temps comme ça. Je me suis dit que je n'avais rien à perdre à poser la question.

— Alors, qu'est-ce qu'on fait ?

— Qu'est-ce que tu veux dire ?

— Si on continue à sortir ensemble. Comment ça marche ? Je veux dire, c'est déjà pas évident de faire comme si je te connaissais à peine quand on est au boulot, mais de toute façon on peut pas continuer comme ça éternellement, tu crois pas ? C'est pas que j'en ai marre, pas du tout, c'est juste… Tu comprends, quoi.

— Moi je crois qu'on a bien le temps de se prendre la tête avec ça. T'es pas d'accord qu'on devrait profiter, pour l'instant, et aviser le moment venu ?

— Ouais, t'as raison, ai-je menti.

— Alors, t'as prévu quoi ce week-end ? m'a-t-il demandé.

— J'allais te poser la même question. T'es dans le coin ?

Vu que j'avais déjà foncé tête la première dans le mur en lui demandant pourquoi il ne m'appelait jamais le week-end, autant ravaler ma fierté jusqu'au bout et lui demander s'il ne voulait pas qu'on se voie. Quand même, à ce stade ça ne devrait vraiment pas sembler bizarre de poser cette question. Dans le meilleur des cas, on pouvait aller bruncher dimanche midi. Et au pire, je resterais toute seule chez moi pendant quarante-huit heures, ce qui me laisserait largement le temps de me pendre.

— Non, malheureusement. Je vais à Boston.

Mes épaules se sont affaissées toutes seules de déception, mais j'ai essayé de rester de bonne humeur.

— Qu'est-ce que tu vas y faire ?

— J'ai une réunion là-bas lundi matin, mais je vais passer le week-end avec un copain de la fac qui y vit. Je reviendrai par le train de lundi soir.

— Je savais pas que t'avais un client à Boston.

— Oh, je viens d'en décrocher un dans un fonds spéculatif, a-t-il répondu évasivement.

— Ah d'accord, ben c'est bien, au moins tu vas pouvoir mélanger travail et plaisir.

— Je croyais que c'était déjà ce qu'on faisait.

— T'as pas tort.

J'ai entendu le bip de mon portable. Un message. J'ai regardé ma montre, il était quasiment minuit. Avant même de l'ouvrir, je savais que c'était Rick. Personne d'autre ne m'enverrait de texto aussi tard un soir de semaine.

***SMS DE KIERIAKIS, RICK :***

*Pourquoi t'es pas venue me dire au revoir avant de partir ?*

Comme c'est original.

Punaise, je suis sûre qu'Heidi Fleiss recevait des textos plus professionnels, à l'époque où elle tenait son bordel à Hollywood. J'ai balancé mon téléphone dans le sac sans dire un mot.

Will m'a souri.

— Il commence à se faire tard, a-t-il dit d'un air réticent, tout en se passant une main dans les cheveux.

— J'ai pas envie de partir, ai-je soupiré.

— On peut revenir quand tu veux.

— D'accord. Tu diras à ton ami qu'il a interdiction de déménager.

— Je n'y manquerai pas.

— Ça t'embête pas de me ramener, t'es sûr ?

— Mais c'était pas une blague tout à l'heure, je passe vraiment la nuit chez toi.

— Très bien. Mais souviens-toi que la vue n'est pas aussi spectaculaire, de mon appart.

— Pourtant, la caserne de pompiers c'est pas mal, quand on aime bien se faire réveiller par des sirènes à 3 heures du mat'. Blague à part, je me demande comment tu fais pour supporter ça toutes les nuits.

— Je sais, j'aurais peut-être dû établir une liste des pour et des contre avant de le louer. Des fois, je suis tellement dans mon truc que je repère pas la faille, alors qu'elle se voit comme le nez au milieu de la figure. Comme pour les apparts dans le West Village.

*Et pour les mecs, aussi*, me suis-je surprise à penser.

Will m'a fait un grand sourire, et a mis son bras autour de ma taille pour descendre les escaliers.

# Chapitre 11

## La mini-ferme

Il m'aura fallu deux mois pour finir de tout déballer et me sentir enfin chez moi dans l'appart du West Village. Liv avait raison. Si on devait avoir un homme dans sa vie, autant que c'en soit un capable de jouer au déménageur si nécessaire. Sur le coup Will n'avait vraiment pas été à la hauteur, mais il s'est carrément rattrapé sur la partie *em*ménagement. Il a installé tous mes appareils électroniques, il m'a accroché les cadres, et il a même monté un nouveau meuble télé. J'ai apprécié son aide, et j'étais vraiment contente qu'il fasse de plus en plus partie de ma vie. J'étais persuadée d'avoir pris la bonne décision en prenant cet appart, malgré le loyer élevé. Mon temps de trajet était réduit, j'avais plus d'espace, et quand j'ai enfin fini par m'adapter aux allées et venues incessantes des camions de pompiers, j'ai mieux dormi. Je voyais moins mes amies qu'à l'époque où Liv et moi vivions ensemble, mais j'avais quand même quelques bonnes raisons d'être heureuse.

— Ah très bien, je voulais vous voir tous les deux, justement, nous a fait Chick un matin alors que Will et moi étions à mon bureau, en train de bavarder. Vous êtes libres ce week-end ?

— Moi, oui. Pourquoi, qu'est-ce qui se passe ? ai-je répondu.

On était au cœur de l'été, et j'aurais dû avoir des projets sympas et fun à attendre avec impatience, sauf qu'en fait non. Annie et Liv avaient prévu d'aller dans les Hamptons, mais j'avais décliné l'invitation pour pouvoir profiter un peu de mon nouvel appartement. Et aussi de Will – du moins l'espérais-je.

— Moi aussi, je suis libre, a répondu Will. J'ai un truc prévu vendredi soir, mais c'est tout. À moins que ce soit pour travailler. Dans ce cas, j'ai une tonne de choses à faire et pas une minute à te consacrer. Désolé.

Je me demandais où il allait vendredi soir, et surtout avec qui. Je me serais giflée de ne pas avoir au moins fait semblant d'être un peu occupée.

— Samedi après-midi, on fait l'anniversaire de ma petite dernière, Gracie, qui fête ses trois ans. Ma femme a carrément prévu une mini-ferme et d'autres conneries du même genre. Je vous invite tous les deux. Allez voir Nancy, elle vous donnera l'adresse de ma maison de Westchester, et demandez-lui de vous réserver une berline, aussi. Ça commence à 13 heures.

Je n'ai même pas eu le temps d'inventer une excuse pour ne pas y aller que Will répondait :

— Super, compte sur nous.

Tiens tiens, intéressant. Depuis quand on était « nous » en société ?

— Il y en a d'autres de l'équipe qui doivent venir ? a voulu savoir Will.

— J'en ai invité quelques-uns, ainsi que leurs familles. La plupart peuvent pas parce qu'ils font déjà quelque chose avec leurs gosses. Le mois d'août, quoi. C'est pour ça, comme je sais que vous en avez pas – enfin aucun de reconnu. J'ai prévu un bar, alors vous devriez survivre à l'après-midi.

Will a éclaté de rire, et il est retourné bosser.

— Merci chef, il me tarde, ai-je fait pour ne pas être en reste.

Mais en vrai, s'il y avait bien un truc que je n'avais pas envie de faire de mon samedi, c'était d'aller dans la pampa pour regarder des bambins caresser trois chèvres. Sauf que, impossible de me défiler. Et d'un autre côté, c'était l'occasion de passer du temps avec Will en week-end, ce qui était toujours bon à prendre. Même si je me serais bien passée des chèvres.

***MESSAGE DE PATRICK, WILLIAM :***

*A–*

*Je passerai te prendre à midi trente. Je n'ai absolument aucune idée de ce qu'une gamine de son âge peut bien aimer dans la vie, alors je te laisse te charger du cadeau. N'oublie pas de mettre mon nom sur la carte, et surtout dis-moi combien je te dois.*

Seule avec Will sur la banquette arrière d'une voiture pendant deux heures : j'avoue qu'il y avait pire comme façon de passer son samedi après-midi. Je me suis dit qu'il valait mieux me rencarder un peu sur Internet, histoire de savoir ce qui faisait fureur chez les petites de trois ans en ce moment. La dernière chose que je voulais, c'était offrir un cadeau pourri à la fille de Chick.

La page d'accueil du site Toys 'R' Us venait de s'afficher sur mon écran quand la voix tonitruante de Marchetti a résonné dans mon dos.

— Les cookies sont là ! Désolé, j'étais censé vous les donner en juillet, mais il m'a fallu un mois pour tout amener.

Les cookies des louvettes ! J'avais complètement oublié cette histoire. D'un œil goguenard, j'ai regardé Billy et trois de nos collègues se diriger vers le bureau de Will, avec dans leurs bras des dizaines et des dizaines de boîtes de cookies.

— OK, les gars, vous pouvez les poser là. Mon petit Willy, tu es le plus gros acheteur cette année. Ma fille Sarah te remercie pour ton aide. Elle adore son nouveau scooter.

Will fixait les boîtes d'un air ahuri.

— Qu'est-ce que tu racontes, Billy ? Y'a forcément une erreur. Elles ne peuvent pas toutes être à moi, j'en ai commandé que huit !

Pendant ce temps-là, les assistants de Marchetti continuaient à empiler les cookies à ses pieds. Will s'est mis en colère.

— Mais enfin, c'est quoi ce bordel ?

— Comment ça ? Bien sûr qu'elles sont à toi. J'ai ta commande, juste là.

Will lui a arraché la feuille rose des mains.

— Oh putain, y'en a un qui va pas terminer la journée. Qui est responsable ? a-t-il crié en agitant la feuille en l'air. Allez, avouez, qui a fait ça ? Reese ! C'est toi tout craché, ce genre de conneries !

Reese s'est approché sans se presser.

— Pourquoi tu dis du mal de moi comme ça ? J'y suis pour rien.

— J'avais commandé huit boîtes de cookies, et quelqu'un a rajouté un zéro pour faire quatre-vingts ! Qu'est-ce que je vais bien pouvoir foutre de quatre-vingts boîtes de cookies, quelqu'un peut me le dire ?

À ce moment précis, Billy a laissé tomber les deux dernières par terre.

— Tu me dois 346 dollars. Mais je prends les chèques, pas de souci.

— Si, y'a un souci. Un gros souci, même. Je veux savoir qui est l'enfoiré qui m'a fait acheter pour 346 dollars de cookies !

J'ai gardé le silence, et fait semblant d'examiner mes ongles.

Reese a été le premier à capter.

— Sans déconner, Alex ! a-t-il crié en éclatant de rire. C'est toi qui as fait ça ? T'es trop forte.

— Me dis pas que c'est toi ? s'est exclamé Will en accourant à mon bureau. T'aurais quand même pas fait ça ?

— Alors là, l'élève dépasse le maître, a commenté Reese en faisant la révérence. Tu es officiellement mon héroïne.

J'en avais les larmes aux yeux tellement j'étais morte de rire. Pour une fois que ce n'était pas moi, l'objet de la blague : ça faisait du bien.

— Je vais te tuer, Alex ! Qu'est-ce que tu veux que je foute de vingt boîtes de cookies au beurre de cacahouètes ? J'aime même pas ça, en plus !

— Ma biche, tu es ma nouvelle collègue préférée, m'a annoncé Drew en croquant joyeusement dans un cookie « Samoa ». Comment ça se fait que j'y ai jamais pensé ?

— Sérieux, je vais devoir payer ? a supplié Will.

— C'est pas de la faute des louvettes si Alex t'a enflé grave. Allez, maintenant, tu raques ! Oh putain, quand les autres vont savoir ça, est intervenu un Chick rayonnant.

— Tu vas avoir des problèmes, Alex. Tu vas avoir de gros problèmes. Je te laisserai pas t'en tirer comme ça !

— Ouh, j'ai peur, lui ai-je susurré d'un air mutin. Tu me filerais une boîte de cookies à la menthe ? Je pense pas que ça te manque.

— Tiens, étrangle-toi avec ! a-t-il fait en me la jetant à la figure.

***MESSAGE DE PATRICK, WILLIAM :***

*J'arrive pas à croire que t'aies eu les couilles de faire ça ! Heureusement que je t'aime bien, sinon j'aurais ruiné ta vie.*

***MESSAGE DE GARRETT, ALEX :***

*J'ai pas pu résister. On reste amis ?*

***MESSAGE DE PATRICK, WILLIAM :***

*Je vais y penser. Mais tu vas quand même peut-être devoir te faire pardonner.*

*J'espère bien*, ai-je pensé. C'était tout l'intérêt de la chose.

— Qu'est-ce qu'on lui a acheté comme cadeau, finalement ? m'a demandé Will dans la voiture, tout en vérifiant ses messages sur son BlackBerry.

J'avais mis un temps fou à me décider, pour la tenue : OK, on se rendait à la résidence privée des Ciccone, mais il y avait de grandes chances pour que l'invitée d'honneur de la fête porte encore des couches Pampers. J'avais fini par opter pour un haut en soie rose sur un jean noir. Will n'avait pas dérogé au sacro-saint polo jaune à manches longues, mais il avait quand même osé le jean délavé.

— On lui a pris un coffre de princesse avec à l'intérieur des robes, des chaussures, des perruques et tout ça, pour qu'elle puisse se déguiser en la princesse Disney de son choix.

— La quoi ?

— Tu sais, Blanche-Neige, la Belle au bois dormant, tout ça, quoi.

— Ahhh, je vois. Moi, mon truc, c'était plutôt *Les Aventures de Winnie l'ourson*.

— Au fait, rien à voir mais je t'ai appelé hier soir. T'as eu mon message ?

J'ai essayé de ne pas avoir l'air agacé en lui disant ça, mais pour être honnête, ses habitudes téléphoniques (ou plutôt son manque d'habitudes) me rendaient folle. Ce n'était quand même pas si compliqué que ça de décrocher. On le faisait des centaines de fois par jour, au boulot.

— Oui, désolé. Il était sur silencieux, alors j'ai vu ton message que ce matin. Qu'est-ce que tu voulais ?

— Oh, rien important, je voulais juste te dire que j'avais acheté une carte.

Et là, ça a été plus fort que moi :

— Tu réponds jamais, quand je t'appelle.

Sans se démonter, il m'a répliqué :

— Merci de t'être occupée du cadeau. Et désolé de pas t'avoir rappelée.

— C'est pas grave, ai-je menti.

*C'est juste le centième message que je te laisse pour rien.*

Pour penser à autre chose, j'ai tourné la tête pour regarder le paysage. Que des belles baraques. Deux gamins qui devaient avoir douze ou treize ans marchaient sur le trottoir, en tenant chacun en laisse un dalmatien au pelage brillant. J'ai pensé que ces chiens-là devaient avoir une sacrée belle vie, probablement meilleure que la plupart des gens. Et puis, ça m'a fait penser à autre chose.

— Oh mon Dieu, me suis-je étranglée en serrant très fort la cuisse de Will, tellement je flippais tout d'un coup. Je m'étais préparée mentalement à affronter Rick, parce qu'il serait sûrement là. Par contre, je n'étais carrément pas prête pour La Dépeceuse de chiots.

— Tu crois que Cruella sera là ? Est-ce que je vais devoir passer mon temps à l'éviter elle aussi, en plus de Rick ? J'espère que Chick a un grand jardin.

— Alors là, t'as pas à t'en faire. Chick la côtoie pas en dehors du boulot. T'auras un seul con à gérer cet aprèm, t'inquiète.

J'ai poussé un soupir de soulagement. Jamais je n'aurais réussi à les supporter tous les deux sans causer de dégâts irréparables à ma santé mentale. La voiture a ralenti devant une immense maison de style Tudor avec plusieurs hectares de terrain. Et un service voiturier, visiblement, puisque deux hommes habillés classe ont fait signe à notre chauffeur de se garer quelques mètres plus loin, dans un champ transformé en parking pour l'occasion. Des ballons roses avaient été accrochés à la boîte aux lettres en métal noir au bout de l'allée, et on entendait les cris des enfants depuis la rue.

— Punaise, de mon temps c'était déjà bien quand je pouvais inviter trois copines pour jouer à chat perché en grignotant un gâteau de supermarché. Je me suis carrément fait entuber.

— Ouais ben moi, j'ai même pas le souvenir d'avoir fêté mon anniv du tout. Mais tu connais Chick : il ne fait jamais les choses à moitié.

— T'as pas tort.

On a remonté la superbe allée en pierre naturelle, et Will a sonné. La jeune Latino qui est venue nous ouvrir a pris le cadeau des mains de Will, et nous a demandé de la suivre. Après l'immense vestibule, on est arrivés dans une cuisine olympique, où s'affairaient le traiteur, plusieurs serveuses et une armée de nounous. L'électroménager en inox dernier cri était entièrement assorti, bien sûr, et les deux lave-vaisselle côte à côte devaient être drôlement commodes, pour des occasions comme aujourd'hui. Des casseroles et des poêles de toutes les tailles possibles et imaginables pendaient à des crochets en cuivre au-dessus de l'îlot central, et j'ai aperçu deux énormes robots Kitchenaid derrière un meuble vitré. Au loin, une porte-fenêtre s'ouvrait sur la terrasse et une vaste étendue de gazon.

La gouvernante nous a priés de passer au jardin, avant d'aller ajouter notre cadeau à la pile déjà conséquente. Une serveuse est aussitôt apparue pour nous proposer une coupe de champagne, et j'ai accepté avec joie.

— Je vais plutôt aller me chercher une bière, merci, lui a répondu poliment Will. C'est moi ou ça fait efféminé de boire du champagne en plein après-midi, quand on est un mec ?

— T'as raison. Chick te ferait probablement une remarque sur tes goûts de tapette en matière de boisson. Mieux vaut t'en tenir à une bonne bière bien virile.

Will est allé en chercher une, et j'en ai profité pour scruter l'assistance du regard, à la recherche de visages familiers. Mon grand ami Tim Collins était là, occupé à déchaîner les foules. Je me demandais bien qui, parmi les dames bavardant sur la pelouse, avait le malheur d'être sa femme. Rick était en train de discuter avec une blonde plutôt baraquée, qui avait dû être belle il y avait quelques décennies de ça, mais qui n'avait pas exactement bien vieilli. J'ai essayé de localiser madame Ciccone dans la masse des femmes distinguées, tout en twin-set et rang de perles, mais c'était impossible : elles se ressemblaient toutes.

*Gaffe aux boulettes, Alex. Je te connais.*

Un peu partout sur le gazon, il y avait d'immenses tables rondes recouvertes en alternance de nappes roses et blanches et d'immenses bouquets dans les tons pastel. Will revenait quand Chick nous a aperçus ; il est venu nous dire bonjour. Je l'ai surpris à se regarder discrètement dans la porte-fenêtre, et à lisser sa chemise blanche, avant de remettre en place sa boucle de ceinture sur l'éternel pantalon beige.

— Les copains ! s'est-il écrié avec un grand sourire. (Il a serré la main de Will avec enthousiasme, et m'a claqué une bise.) Merci d'être venus. On vous a donné à boire, j'espère ?

On a levé nos verres au même moment, et on lui a assuré que tout allait bien sur le front des boissons.

— Très belle maison, Chick. Où est l'invitée d'honneur ? ai-je demandé.

— Oh, les gosses sont à la mini-ferme. On l'a mise un peu à l'écart, parce que les chèvres font un de ces baroufs. Maggie n'en pouvait plus.

Au passage, j'ai retenu le prénom de madame Chick, ça pourrait me servir.

— Venez, je vais vous présenter Maggie, justement, a-t-il dit en nous faisant signe de le suivre. Elle est impatiente de te rencontrer, Alex.

On s'est tous les trois dirigés vers le côté de la maison. À cinquante mètres de là, un enclos en bois accueillait deux chèvres et deux agneaux, plus trois lapins blancs dans une grande cage. Des soigneurs aidaient les enfants à caresser les agneaux et tenir les lapins dans leurs bras, avec les baby-sitters en retrait mais prêtes à bondir si nécessaire. L'équivalent pour bambins d'une mégavirée shopping pour nous ou d'un match entre potes pour les hommes, en gros, tout en permettant aux parents d'être peinards à l'autre bout de la baraque et de s'amuser un peu. Il n'y avait pas à dire, Chick savait recevoir.

On s'est approchés d'un groupe de femmes confortablement attablées, et une jolie blonde, petite et mince, s'est levée en nous voyant. Sa robe bleu nuit légère flottait au vent, et ses ballerines à pois bleus et blancs disparaissaient dans l'herbe verdoyante. J'ai pensé que son visage respirait la sérénité. Elle a enlevé ses énormes lunettes noires Chanel pour révéler des yeux d'un vert étincelant, et elle est venue se placer aux côtés de son mari.

— Mag, tu connais Willy, a dit ce dernier.

Will lui a pris la main et l'a embrassée sur la joue en même temps.

— Content de vous revoir, Maggie. Quelle belle fête !

Elle lui a gentiment tapoté l'épaule en retour.

— Contente de vous revoir également, Will. Comment va la vie pour vous à Manhattan ? Vous brisez toujours autant de cœurs ?

— Je promets que je ne le fais pas exprès.

— Je ne sais pas pourquoi, mais je ne vous crois pas.

Elle a tourné les yeux vers moi pendant que Chick continuait les présentations.

— Et voici Alex.

Maggie m'a tendu sa main impeccablement manucurée.

— Je suis enchantée de vous rencontrer enfin, Alex ! J'ai beaucoup entendu parler de vous, vous savez. J'espère que vous vous plaisez chez Cromwell ?

— Oui, beaucoup. Merci de nous avoir invités. Vous avez une très belle maison, madame Ciccone.

— Mais au contraire ! Je suis heureuse que vous soyez venue, et j'espère que vous allez passer un bon moment. (Maggie a délicatement posé une main sur mon bras pour m'orienter vers ses compagnes.) Venez donc vous asseoir avec nous, Alex. Je vois que votre coupe est vide. On va vite y remédier, et je vous présenterai à ces dames.

Chick avait l'air content de pouvoir me laisser en compagnie de mes congénères, un luxe qu'il ne pouvait se permettre au bureau.

— Bonne idée. Viens Will, on va au garage. Je veux te montrer ma nouvelle Harley.

— Chick, en Harley ? n'ai-je pas pu m'empêcher de dire.

Honnêtement, j'avais du mal à le voir en pantalon de cuir et t-shirt avec un slogan dans le dos, du genre « Si vous lisez ceci, c'est que la salope est tombée », en train d'enfourcher sa bécane. Chick a dû lire dans mes pensées, parce qu'il m'a mis illico son index boudiné sous le nez.

— Te fous pas de moi ! Ça fait un bien fou de faire de la moto. J'en ai une depuis dix ans, je viens juste de la changer.

Madame Ciccone a ajouté :

— À mon humble avis c'est vraiment de l'argent jeté par les fenêtres, vu le nombre de fois où tu sors avec cette chose.

— Le jour où c'est toi qui rapporteras les sous à la maison, Mag, tu auras ton mot à dire. En attendant, je m'achèterai *vingt*

Harley si ça me chante.

Chick ne s'est jamais départi de son sourire en lui parlant. C'était sympa de voir qu'il traitait sa femme de la même manière que nous. Au moins, il était cohérent.

— Allez viens, Willy.

Et ils se sont éloignés vers l'immense garage où on pouvait garer facile cinq BM, à l'autre bout du jardin.

— Asseyez-vous, Alex, m'a fait Maggie gentiment, et je l'ai suivie. D'une main elle m'a donné un verre de vin blanc, et de l'autre elle m'a montré la place vide à côté d'elle. Je l'aimais bien, cette Maggie. Les trois autres femmes attablées m'ont regardée d'un air curieux.

— Mesdames, voici Alex. Elle travaille pour Ed.

— Bonjour, ai-je fait, un peu gênée. J'ai bu une grande lampée de vin pour me donner du courage. Je ne sais pas pourquoi, mais j'avais l'impression d'être l'équivalent humain de la chèvre à la mini-ferme.

— Voici Cindy Collins. Vous connaissez peut-être son mari, Tim.

J'ai serré la main de Cindy. C'était une jolie femme aux yeux noisette et aux cheveux bruns ondulés. Elle avait quelques taches de rousseur sur le nez, et des dents blanches parfaitement alignées. Elle était carrément canon à côté de lui, mais c'est toujours comme ça quand les femmes se marient pour l'argent.

— Oui, on s'est parlé brièvement peu après mes débuts chez Cromwell, mais on n'a pas vraiment l'occasion de se croiser. Enchantée de vous connaître, ai-je répondu en toute sincérité.

*Au fait, votre mari est un enfoiré.*

— Et par ici, a annoncé Maggie en m'indiquant une grande blonde aux jambes immenses et aux yeux bleus comme des saphirs, qui devait probablement approcher de la quarantaine, nous avons Tina Kieriakis. Son époux travaille chez AKS. Rick est un ami et un client de Chick depuis des années.

*Ohhhh, c'est vous la femme du type qui m'envoie des textos à n'importe quelle heure pour me demander de le rejoindre dans sa chambre d'hôtel ? Un superbe spécimen de la gent masculine, ma foi.*

Je lui ai fait un petit salut de la main, tout en souriant.

— Oui, on s'est déjà vus à quelques soirées. Enchantée de vous connaître, Tina.

C'était une femme vraiment superbe.

— Moi de même, Alex. Vous avez bien du mérite, je trouve. Honnêtement, je ne sais pas comment vous faites pour travailler dans ce milieu. Ça a l'air horrible. Être obligée de déjeuner à son bureau, c'est ni plus ni moins barbare.

Elle avait une voix profonde et veloutée. Non mais sans déc', pourquoi venir me faire du gringue à moi, quand on a une femme pareille à la maison ?

— Et cette charmante dame, a continué Maggie en m'indiquant une petite brune aux yeux clairs et à l'air plein d'entrain, c'est Bridget, l'amie de Tina. Son mari est cadre chez Sony, et ils vivent encore en ville, à Gramercy Park.

— Enchantée, m'a-t-elle fait tout en faisant tournoyer son vin dans le verre.

— Moi de même.

J'ai regardé furtivement du côté de l'allée pour voir si Will et Chick avaient fini leur tournée d'inspection : visiblement, non. Bien obligée de faire la conversation, mais on pouvait au moins parler d'autre chose que de leurs maris et de ce que ça faisait de travailler à Wall Street.

J'ai opté pour un territoire neutre, et aussi pour la seule personne neutre à table.

— Alors, dites-moi Bridget, ça vous plaît de vivre à Gramercy ? J'aime beaucoup ce quartier. Tout est à proximité, et c'est tellement facile d'accès en métro.

— Oh mon chou, le métro, vraiment ? Mais ça fait une éternité que je ne l'ai pas pris !

— Moi non plus, s'est crue obligée d'ajouter Tina. La dernière fois où je suis allée à Manhattan, il pleuvait à verse et j'ai pensé le prendre, parce que je savais que ça allait être un cauchemar de trouver un taxi devant Grand Central. Mais c'est si sale, et bondé tout le temps. Et tous ces clochards, mon Dieu. C'est abominable, comme endroit.

— Tu exagères, ce n'est pas si horrible que ça, a riposté Maggie gaiement.

Second coup d'œil en direction de l'allée. Zéro Will. Zéro Chick. Punaise, elle devait être drôlement belle, cette moto.

— Alors, comme ça, vous êtes venue avec Will, Alex ? m'a demandé Maggie d'un ton qui voulait tout dire.

*Oh oh.*

— Euh oui, on a partagé une voiture pour venir, ai-je répondu innocemment.

Elle a baissé la voix.

— Et vous ne partagez rien d'autre, sinon ? Il est très mignon, je trouve.

D'accord, mais non, je n'allais certainement pas avoir cette discussion. Pas avec Maggie. Et certainement pas dans le jardin de Chick.

— On est juste amis, ai-je répliqué du ton le plus indifférent possible. J'ai prié en silence pour que les lapins se fassent la malle et que cette conversation s'arrête ici et maintenant.

Tina s'est engouffrée dans la brèche.

— Moi aussi je disais tout le temps ça avant, ma chère. Mon prof de sociologie à la fac ? Juste un ami. Le petit copain de ma sœur au lycée ? Juste un ami. J'admire votre modestie, mais personne n'est dupe ici, allons.

OK, donc Tina est une salope, ce qui explique probablement pourquoi Rick l'a épousée. Elle a continué l'interrogatoire avec un toupet monumental, comme si on était des super copines de fac qui s'étaient juste un peu perdues de vue.

— J'ai bien vu la façon dont il vous regardait.

J'ai changé de position sur ma chaise, gênée.

— Désolée de vous décevoir, mais je vous assure, on est vraiment de simples amis !

Sauf que si *elles* avaient remarqué qu'il m'aimait bien, peut-être que Chick aussi.

*Là, on est mal.*

Tina a levé les mains en l'air d'un geste dédaigneux.

— Bon, si vous insistez.

Maggie a posé une main sur mon avant-bras, et m'a dit affectueusement :

— Ne l'écoutez pas, Alex. C'est une vraie commère, notre Tina. Je crois que le temps où l'on commençait juste à sortir avec des hommes nous manque toutes un peu.

— Oh Seigneur, moi ça ne me manque pas du tout ce temps-là, a riposté Bridget. Toute cette pression pour savoir qui est censé appeler qui, et est-ce qu'on a le droit de sortir avec d'autres personnes, et combien de temps il faut attendre avant de rappeler. Je n'arrêtais pas de m'emmêler les pinceaux dans les prénoms, et j'avais toujours peur de commettre un impair. C'est vraiment un travail à plein temps, de trouver un petit ami à Manhattan ! Dieu merci, cette époque est révolue pour moi. Sincèrement, Alex, comment arrivez-vous à supporter tout ça ?

Je n'avais pas très envie de lui expliquer que j'étais bien trop accaparée par mon boulot pour consacrer du temps aux rencontres, et je n'allais certainement pas parler de Will, même sous couvert de l'anonymat. Heureusement, les hommes ont fait leur réapparition à ce moment-là. Sans faire exprès, j'ai lâché un long et profond soupir. Leur petite escapade m'avait paru prodigieusement longue.

Chick a posé une main sur les épaules de Maggie, et lui a demandé aimablement :

— Alors, on fait connaissance avec Alex ?

— Oh oui, absolument. On passe un bon moment, a-t-elle répondu.

Chick a hoché la tête.

— Bien.

Tout d'un coup, j'ai senti une main sur mon épaule, et entendu une voix familière me dire :

— Content de te revoir, Alex. Ça faisait longtemps. (Rick a pris une chaise à la table d'à côté, et s'est assis tout près de moi.) Je vois que tu as fait connaissance avec ma femme et les autres épouses. Chick a une sacrée maison, n'est-ce pas ?

C'était bizarre, j'avais l'impression d'être la maîtresse, de faire quelque chose de mal par le simple fait d'être assise à côté du mari de Tina, en sa présence. J'ai souri d'un air innocent, et répondu :

— Oui, elle est très belle. Comment allez-vous, Rick ?

Non que j'en aie quelque chose à faire, remarque.

— Ça va bien, ma chère. C'est gentil de demander. Les affaires marchent, on ne se plaint pas. Dis-moi Chick, comment s'en sort notre Alex ? Tu lui montres toutes les ficelles du métier, j'espère ?

Chick lui a souri.

— Elle s'en sort très bien, mais elle a encore beaucoup à apprendre.

— Je pourrais t'aider à la former, si tu veux, lui a répondu Rick en me faisant un clin d'œil.

Personne n'a eu l'air de trouver ça bizarre parmi la gent féminine, même pas Tina – mais Chick (Dieu le bénisse) a lancé à Rick un regard mauvais, comme pour l'avertir de laisser tomber.

Rick s'est frotté les mains, et a dit d'un ton mielleux :

— Bien, pardonnez-moi, mesdames. Je dois vous quitter pour l'instant, mais je reviens dans quelques minutes. Puis-je rapporter un verre ou autre chose à l'une d'entre vous ?

— Pour ça on a des serveuses, banane, lui a fait Chick.

— En effet, suis-je bête, a répondu Rick en éclatant de rire.

Sur ce, il s'est levé, puis éloigné en direction de la cuisine. Chick m'a montré la maison d'un grand geste.

— Je dois aller vérifier que tout se passe bien avec le traiteur, mais pourquoi vous n'iriez pas admirer ma superbe cave à vin, tous les deux ? Ou peut-être que tu préfères rester ici, Alex ?

J'ai failli en faire tomber ma chaise, tellement je me suis levée vite.

— Oh non, j'adorerais la voir. Merci de m'avoir présenté tout le monde, Maggie. Mesdames, j'ai été ravie.

Elles m'ont fait un signe de la main en guise d au revoir, et je les ai quittées avec grand plaisir.

— C'est juste en bas de ces escaliers, là, nous a expliqué Chick en entrant dans la cuisine. Par contre, t'as pas intérêt à toucher à quoi que ce soit, Willy. Je sais exactement ce qu'il y a là-dedans. La Fille, tu gardes un œil sur lui pour moi. S'il manque une bouteille, je te tiendrai pour responsable.

— Entendu, ai-je répondu.

On a donc pris les escaliers, dissimulés dans une sorte d'office. La cave était remplie du sol au plafond de bouteilles (il devait bien y en avoir des centaines), et il y avait même un thermostat au mur, près de la porte. Je n'y connais pas grand-chose en vin, à part que j'aime ça, mais Will était clairement impressionné par la collection de Chick.

J'ai sorti une bouteille au hasard, histoire de voir si je reconnaissais l'étiquette.

— Fais gaffe, Alex ! Si t'en casses une, Chick va te botter les fesses, m'a avertie Will en la remettant dare-dare en place.

— J'avais pas l'intention de jongler avec le brunello, je te signale. On se calme, grand-père.

— Grand-père ?

Il s'est tourné pour me faire face, envahissant de fait mon espace personnel. Ça m'allait très bien.

— Ben c'est vrai, quoi. T'as vingt-sept ans, quand même. Je veux dire, t'es carrément plus vieux que moi, au cas où tu le saurais pas.

— Et t'en penses quoi, des hommes plus vieux ?

Il a fait un pas en avant, ce qui m'a obligée à reculer. Mais la cave étant par définition un espace étroit, je ne pouvais guère me pousser davantage sans bousculer la section des cabernets sauvignons. J'avais déjà le dos tout contre les vins français.

— Ça dépend lesquels. Certains ne me déplaisent pas.

Sans transition, il a posé ses mains sur mes hanches et m'a embrassée. Ça m'a interpellée. Ce n'est pas que c'était bizarre qu'il m'embrasse comme ça, mais on n'allait quand même pas s'envoyer en l'air dans la cave du boss, non ? (Même si l'idée d'enfreindre ouvertement une règle de Chick dans sa propre maison était excitante, je l'avoue.) Mais quand même, j'étais d'avis qu'il ne fallait pas tenter le diable, et ne pas se faire attraper bêtement. Il n'y a pas mieux au monde qu'une salle des marchés pour faire circuler une rumeur. Si quiconque nous voyait, Chick l'apprendrait et *vraiment*, je n'avais pas envie d'y retourner, à ce foutu service Courrier.

— Chick nous décapiterait s'il savait que tu oses m'embrasser dans sa cave. Je te parie que ça fait monter la température de l'air ou un truc comme ça, ai-je dit pour calmer ses ardeurs.

En tout cas, moi, ça me donnait chaud. J'aurais donné mon rein gauche pour être ailleurs que chez Chick en ce moment. Pas de bol, parce que c'est là où j'étais.

— Ouh, tu as peur du grand méchant patron ? C'est pas un tyran, tu sais, a-t-il répondu en me relâchant avec réticence.

— Allez, on remonte, avant qu'il vienne voir ce qui se passe et que je sois obligée de lui dire que t'as essayé de chouraver un grand millésime.

Il s'est penché vers moi et m'a embrassée encore, et pendant un instant j'ai vraiment tout oublié. Il fallait vraiment que je sorte de cette cave. Notre baiser passionné a été interrompu par le grincement d'une marche en bois de l'escalier. Ça valait probablement mieux.

— Eh bien, mais qu'est-ce que vous faites, tous les deux ?

En me retournant j'ai vu Rick, qui se tenait entre moi et la sortie. Une peur panique m'a envahie : c'était plus fort que moi, je ne supportais pas l'idée d'être piégée dans un endroit confiné avec cet homme.

— On se demandait avec Alex si on n'allait pas faire une blague à Chick, en lui déplaçant quelques bouteilles. Tu penses qu'il le remarquerait ? (Will a donné une grande tape dans le dos de Rick.) À ton avis, j'aurais des ennuis ?

— À mon avis, tu te ferais virer, oui, a répondu Rick en rigolant. Je ferais pas de conneries dans la cave à vin de ton chef, si j'étais toi.

— Ouais, Alex pensait comme toi. (Will a tapé bruyamment dans ses mains, comme si ça allait faire disparaître la tension qui flottait dans l'air et qu'on ressentait tous.) Bon, qu'est-ce qui t'amène ici ?

— Chick m'a envoyé chercher une bouteille de barbaresco pour Maggie, et il m'a aussi dit de te renvoyer là-haut, Will. Il veut te présenter quelqu'un.

— Allons-y, Alex, m'a fait Will en se dirigeant vers les escaliers.

— En fait, Alex, tu voudrais bien rester ici et m'aider à trouver le vin pour Maggie ? Pars devant, Will. Je te promets qu'elle ne se perdra pas.

— Dans une cave ? Oh, quand même, ai-je répondu en sentant poindre la nausée.

— On se voit en haut, alors, a dit Will en me jetant un regard inquiet, avant de me laisser à contrecœur seule avec Rick et des centaines de bouteilles. J'aurais pu les boire toutes à la chaîne que je ne me serais pas sentie plus à l'aise pour autant.

Rick a commencé à en extraire quelques-unes de leur compartiment pour vérifier les étiquettes.

— Alex, tu ne réponds jamais à mes textos.

Je lui ai fait un sourire pincé.

— Oh, c'est juste que je ne vérifie pas souvent mes messages sur le portable. Désolée.

— Vraiment ? Je ne connais pas beaucoup de jeunes femmes de ton âge qui ne sont pas scotchées à leur téléphone jour et nuit.

— Et combien de jeunes femmes de mon âge connaissez-vous, exactement ? ai-je demandé.

— Pas assez à mon goût.

— J'ai discuté avec votre épouse, elle est très sympathique.

Je me disais que peut-être, reporter l'attention sur la splendide femme qui l'attendait sagement, assise sur une chaise dans le jardin, ferait prendre à cette conversation une tournure plus neutre.

— Effectivement, elle l'est. Mais il lui manque quelque chose.

*Ouais, un peu de lucidité.*

— En toute honnêteté, je ne vois pas.

— Toi, tu as du culot. J'aime ça. La plupart des filles que je rencontre m'ennuient, et celles qui sont dans la finance sont éminemment peu féminines. Tu es une sorte d'anomalie, pour moi.

— Merci. Euh, j'essaie.

— Pourquoi est-ce que tu refuses de dîner avec moi ? m'a-t-il demandé tout en continuant à chercher.

— Je… je ne crois pas que ce soit une très bonne idée. Chick n'apprécierait pas. (Je me suis demandé si ce serait mal vu de le pousser et de foncer dans les escaliers en courant. Probablement que oui.) Je crois qu'on devrait remonter. Est-ce que vous avez trouvé le vin ?

Rick m'a fait un sourire narquois, et montré une bouteille qu'il tenait dans la main.

— Bien sûr, que tu peux remonter. Mais Alex, à partir de maintenant, garde ton portable sur toi. Et n'oublie pas, c'est moi le client. On ne sait jamais quand je pourrais avoir besoin de toi.

J'ai vaguement hoché la tête et je l'ai planté là, grimpant les marches quatre à quatre pratiquement.

Je suis passée en coup de vent dans la cuisine, et j'ai trouvé Will dehors, sur la terrasse. Je l'ai tiré par le bras, et j'ai chuchoté :

— On y va ?

— Tout va bien ? Il n'a pas fait de bêtise, j'espère ?

— Non. Mais je voudrais partir.

— D'accord. Je suis désolé d'avoir dû te laisser en bas, mais j'avais pas vraiment le choix. Allez viens, on va dire au revoir.

Après avoir salué la bande des épouses soumises, Chick et T. C., on s'est éclipsés vite fait. Will m'a tenu la main tout le long du voyage retour ; il a davantage parlé au chauffeur qu'à moi, mais ça m'allait. Je ne savais pas quoi dire, de toute façon, alors autant garder le silence. Quand on est arrivés au niveau du pont de Triborough, il a dit au chauffeur qu'on ne ferait qu'un arrêt, et lui a donné son adresse. Il m'a serré la main un peu plus fort et j'ai regardé par la vitre, en essayant de me rappeler si j'avais eu le courage ou pas de me raser les jambes ce matin. La voiture s'est arrêtée au coin de la 79e et de Columbus Avenue, et Will m'a pris la main jusqu'à son immeuble, à quelques centaines de mètres de là. Je ne me souvenais toujours pas si j'avais rasé ces foutues jambes, mais je me suis dit qu'on verrait bien.

## Chapitre 12

# Comment flinguer des décennies de féminisme en cinq minutes top chrono ?

J'AVAIS DE PLUS EN plus de mal à me concentrer au bureau, et tout ça c'était la faute de Will. En fait, je passais tout mon temps libre (le reste du temps aussi, d'ailleurs) à penser à lui, et plus important, à me demander si lui pensait à moi. Le mois de septembre a été particulièrement chargé, et on s'attendait à ce que je fasse ma part du travail. Normal. Aujourd'hui en particulier, ce n'était vraiment pas le moment d'avoir la tête ailleurs, parce que le FOMC se réunissait. Tous les six à huit semaines, ce comité de la Réserve fédérale composé de gens super intelligents, les gouverneurs de la Fed et les présidents des banques régionales (comprenez : des mégatronches), se retrouvaient pour décider de l'avenir des taux d'intérêt. Le jour de la publication de leurs conclusions était ultra-important à Wall Street.

La plupart des gens ne connaissent même pas l'existence de ce comité. Sauf que, à chaque fois que quelqu'un peut renégocier son emprunt immobilier et ainsi économiser de l'argent, il peut remercier le FOMC. Et à chaque fois que quelqu'un cherche à obtenir un crédit pour s'acheter une voiture, et qu'il n'y arrive pas parce que le taux d'intérêt a augmenté, il peut s'en prendre au FOMC. La grande majorité des Américains ne s'en rend pas compte, mais il n'y a pas une personne dans notre pays qui ne soit pas touchée par les décisions prises lors de ces réunions. S'ils savaient, ils passeraient probablement un peu plus de temps à regarder les infos sur CNBC, au lieu de comater devant la chaîne du téléachat. À Wall Street en revanche, on lisait minutieusement la déclaration d'une page publiée par le FOMC : la moindre virgule qui apparaissait alors qu'ils avaient utilisé un point-virgule la fois d'avant, et les commentaires fusaient. Alors je ne vous dis pas l'effervescence, quand ils remplaçaient les mots « devrait » par « pourrait », ou « croissance » par « stabilité ». On se sentait à fond concernés, quoi.

— Alex ! s'est écrié Drew en agitant une main devant moi, ce matin-là. La Terre à La Fille ! Allô, y'a quelqu'un ? Mais bon sang, qu'est-ce qui t'arrive en ce moment ? Interdiction de rêvasser à ce desk, tu savais pas ?

— Désolée, Drew. Je suis juste un peu distraite, c'est tout.

— Distraite ? S'il y a bien un jour où il faut éviter de l'être, c'est aujourd'hui. Le FOMC doit publier sa déclaration dans une demi-heure.

— Je sais. Encore désolée.

Il fallait que je m'ôte Will de la tête, sinon il allait finir par me coûter mon job.

— Arrête d'être désolée. Concentre-toi, plutôt. Charlie est pas là aujourd'hui, alors je vais avoir besoin de toi.

— Attends, comment ça se fait qu'il soit pas venu ? Je croyais que rater la déclaration du FOMC était passible de la peine de mort, chez Cromwell ?

— Sa femme est en train d'accoucher de son cinquième ou sixième mouflet, figure-toi. Sauf que ça pourrait prendre facile vingt-quatre heures son histoire, pour ce qu'on en sait. Et s'il veut avoir les moyens d'envoyer toute sa marmaille au lycée à Manhattan, il devrait vraiment revoir ses priorités.

— En même temps, si j'étais à la maternité et que mon mari n'était pas là parce qu'il attendait de savoir si la Fed allait toucher aux taux d'intérêt, je crois que je demanderais le divorce.

— Dans ce cas, n'épouse surtout pas un gars qui bosse à Wall Street. Ça va aller pour m'aider avec le standard de Charlie ?

— Oui, bien sûr, ai-je répondu en regardant la forêt de boutons. Rien ne bougeait pour l'instant, mais dans une demi-heure les coquins allaient tous clignoter comme des guirlandes de Noël. Il fallait que je sois à la hauteur, que je garde mon calme et mon sang-froid. C'était l'occasion ou jamais de faire mes preuves, et je le savais. En plus, du moment que ça n'avait pas à voir avec une transaction, j'étais devenue quasiment une experte au téléphone.

— Merci, m'a fait Drew en remettant son casque et en appuyant sur un bouton de son standard.

Finie la rigolade, OK. Je l'ai imité.

Je n'étais toujours pas censée parler aux clients directement. Quand on répondait à ce genre d'appel, on finissait en général avec un type hargneux qui agressait votre tympan en aboyant son ordre d'achat ou de vente dedans. Il existe une légende urbaine du milieu de la finance sur un analyste qui travaillait ici, il y a des années de ça, et qui en décrochant l'une des lignes directes s'était retrouvé au bout du fil avec un gestionnaire de portefeuille, qui lui avait donné l'ordre d'acheter des contrats à terme. Sauf que le type n'avait pas eu la moyenne à tous ses exams, et que la commission de contrôle et de réglementation des marchés financiers aurait pu l'envoyer en taule pour avoir enfreint la loi. Quand son chef avait découvert qu'il avait exécuté lui-même une transaction, il l'avait viré illico, mais la commission de contrôle avait quand même filé une amende de ouf à son desk pour n'avoir pas su encadrer cet employé. Aux dernières nouvelles, le gars avait un chariot à hot-dog au coin de la 7e Avenue et de la 38e. Adieu la carrière à Wall Street, quoi.

Quand je ne scrutais pas les marchés ou que je ne pensais pas à Will, je me tracassais à cause de Rick et de ses messages incessants. Ces dernières semaines, j'en recevais de plus en plus, environ huit ou neuf par jour. Et ça c'était en semaine, parce que le week-end, ça commençait à 7 heures du mat', des fois. Mais Rick était un gros client, et je ne me voyais pas exactement lui répondre quelque chose comme « T'es moche, vieux et marié, et tout ça combiné fait que tu ne m'attires pas *du tout* », ou mieux, dans le genre concis et clair : « Va te faire foutre. » Mais ça me démangeait quand même. Sur le front amoureux, la situation avec Will n'était pas beaucoup mieux, vu qu'il continuait à m'embrouiller les idées en étant attentif et charmant un jour, et tout d'un coup porté disparu le lendemain. Finalement je ne savais plus quoi faire, ni avec l'un ni avec l'autre. Comme je tournais en rond, j'ai décidé de chercher des réponses auprès de ceux qui en connaissaient un rayon, question affaires de cœur : les astrologues. Avec le recul, c'était une erreur. La mégaboulette, même.

C'est clair que j'aurais dû attendre l'annonce du FOMC pour fermer les écrans où je suivais les transactions et aller sur Internet. Mais je me suis dit que ça ne me prendrait qu'une minute ou deux de vérifier « les jours de chance en amour des Bélier ». Oh et puis zut, ai-je pensé en jetant un coup d'œil au standard téléphonique (toujours aussi mort), j'en ai pour quoi, cinq minutes *grand max*.

Oups. C'est fou la quantité d'informations qu'on peut obtenir sur sa vie amoureuse quand on surfe sur les sites d'astrologie, en fait.

Un quart d'heure après, quand le FOMC a créé la surprise en abaissant son taux directeur, les marchés sont devenus fous. Aussitôt, les téléphones ont commencé à sonner. Tous. En même temps.

En quelques secondes, tous les commerciaux présents dans la salle étaient au bout du fil, occupés à hurler des ordres aux traders, à gribouiller dans leurs calepins, et à m'ordonner à moi d'enregistrer toutes les transactions. Quand l'une des lignes extérieures s'est mise à clignoter sur mon standard, un Chick surexcité m'a fait de grands gestes pour me dire de décrocher.

— Cromwell, ai-je répondu gaiement.

— Est-ce que Charlie est là ? m'a demandé sèchement un homme qui m'avait l'air bien énervé.

— Euh, je crains que non, la femme de Charlie est en train d'accoucher, alors il…

— Quel prix, pour cent millions de bons à cinq ans ?

Oh oh. Je n'étais pas censée entendre ce que je venais d'entendre. J'avais répondu à une ligne normale, celle dont les épouses se servaient pour appeler leur mari, ou les livreurs pour nous informer qu'ils étaient en bas avec la commande de pizzas. Qu'est-ce qu'il croyait faire, celui-là, en me demandant de faire une offre pour cent millions de bons à cinq ans ? Je ne savais pas, moi, comment on faisait ça. Tout ce que je savais, c'était que le trader qui s'occupait des bons à cinq ans était un mec carrément flippant qui passait son temps à hurler et à balancer son téléphone à la tête de tous ceux qui avaient le malheur de passer par là. Son bureau était à l'autre bout de la salle, et il figurait sur la liste des personnes que j'avais prévu d'éviter le plus longtemps possible.

— Pardon ?

Je savais déjà que ça se barrait en sucette. Le marché pouvait changer du tout au tout en une seconde : retarder la transaction pour demander à un client de répéter ce qu'il venait de dire, c'était mauvais signe. Très, très mauvais signe.

— Faites-moi une offre pour cent millions de bons à cinq ans, bordel !

*D'accord ! Ça va, pas la peine de beugler.*

J'étais censée avoir les plateformes de transactions tout le temps ouvertes sur mes écrans, mais c'était justement ça que j'avais fermé pour pouvoir consulter mon horoscope. Quand j'ai voulu vérifier sur mon ordi l'ordre de prix que le trader allait m'annoncer, tout ce que j'ai vu, c'est que les jours où j'avais le plus de chances de trouver l'amour ce mois-ci, c'était le 8 et le 23.

*Oh putain.*

— Une offre pour cent millions de bons à cinq ans ! ai-je braillé sans plus hésiter. Tout s'était passé si vite que je n'avais même pas eu le temps d'avoir peur, ni de réfléchir. Ma première transaction ! Je ressentais la poussée d'adrénaline jusque dans mes terminaisons nerveuses, qui me picotaient délicieusement.

J'ai entendu le trader flippant hurler « six et demi ! ». Du moins, j'ai cru qu'il avait dit ça.

— Six et demi ! ai-je répété vivement au client. Client qui aurait pu être en train de négocier avec Charlie, si ledit Charlie n'avait pas eu la bonne idée de mettre en cloque sa femme pour la cinquième (ou sixième) fois il y avait neuf mois de ça.

— Marché conclu.

— Marché conclu à six et demi ! ai-je crié à l'intention du trader. Waouh. Je suis une star. Non seulement je venais de faire ma première transaction, et une grosse en plus, mais je l'avais faite avec un trader qui faisait vraiment peur. Si Dan (mon camarade analyste qui s'était mordu les doigts d'avoir fait son malin pendant la mini-croisière) avait été là, je me serais tournée vers lui et je lui aurais dit : « Alors, qu'est-ce que tu dis de ça comme plongeon dans le grand bain, hein ? Prends-toi ça dans la face, Princeton ! »

Du coup, c'est une bonne chose que Dan n'ait pas été là, finalement.

— Comment ça, marché conclu à six et demi ? C'est quoi ces conneries ? Le marché est à dix, bon sang ! Je t'ai dit « c'est pour qui ? », a aboyé le trader. Et c'est pas à toi de me dire marché conclu, c'est à moi, putain !

*Aaaaaahhhhhh ! Je venais de vendre pour cent millions de bons à un prix ridiculement bas ; si la transaction se faisait vraiment, le desk allait en être de 200 000 dollars de sa poche au bas mot, à cause de moi. La vache.*

Sur ces entrefaites, Chick a accouru en faisant de grands « non » les mains en l'air, comme un arbitre qui venait de repérer une faute flagrante.

— On dit pas marché conclu ! On le dit pas, et pas de transaction non plus ! Non ! s'est-il époumoné en plongeant sur mon bureau comme un surfeur sur la vague (et du coup, en envoyant valdinguer papiers, stylos, calepins et même un BlackBerry par terre), pour m'arracher le téléphone des mains. C'est qui à l'appareil, bordel ? Pete, non mais tu te crois où, à essayer d'obtenir une offre à six et demi quand tu sais que c'est pas le prix du marché ? T'essaies de nous enfler, ou quoi ? Sans rire, c'est vraiment pas classe, mec.

Drew a piqué un sprint dans l'autre sens, pour tenter de calmer le trader. Il l'a assuré qu'on faisait tout pour réparer cette erreur, et qu'il ne perdrait pas d'argent à cause de ma stupidité. Moi, j'étais figée sur mon fauteuil, et j'osais à peine respirer. Il y avait une très grande probabilité pour que Chick me vire d'ici manu militari, à part s'il faisait d'abord une crise cardiaque. En attendant, il a fait signe au trader de prendre l'appel avec lui, pour l'aider à limiter les dégâts. Ils sont restés au téléphone cinq minutes de plus, et quand ils ont raccroché, Chick a balancé son stylo et son calepin sur mon bureau.

— Eh ben, tu veux savoir combien tu viens de nous coûter ? T'as eu du bol, Alex. T'as eu vraiment du bol que le client ait accepté de couper la poire en deux, parce qu'il sait qu'il a été salaud de profiter de ton inexpérience. (Il a marqué un temps d'arrêt pour enfoncer le clou, pendant que je le regardais fixement en essayant très fort de ne pas fondre en larmes.) Quatre-vingt-treize mille dollars, a-t-il fait en claquant des doigts. Partis en fumée. Comme ça. Comment ça se fait que tu savais pas où en était le marché ? Et tes écrans, ils étaient où ? Si tu les avais regardés, t'aurais compris que le trader pouvait pas te dire six et demi. Mais bordel, qu'est-ce que tu foutais ? Je croyais au moins pouvoir te faire confiance sur ça. Merde !

Quatre-vingt-treize mille dollars ? C'était bien plus que la plupart des gens gagnaient en un an. En clair, je venais de perdre l'équivalent d'un salaire annuel parce que je lisais mon horoscope au lieu de bosser. Mais qu'on m'achève tout de suite. J'étais vraiment trop conne pour mériter de vivre.

— Je suis vraiment désolée, Chick. J'ai paniqué. C'était une ligne extérieure, et je ne m'attendais pas du tout à ce qu'on me demande de faire une transaction. Il m'a prise au dépourvu, et je lui ai obéi.

— C'est pas en étant désolée que tu vas réparer cette bourde magistrale. Le trader veut que je te mette à la porte pour ta connerie, et moi j'ai l'air d'un idiot qui t'a rien appris.

— Chick, je… je ne sais pas quoi dire.

Je sentais tous les regards sur moi. Punaise, il aurait dû en finir ici et maintenant, en me traînant jusqu'à Times Square pour me donner deux cents coups de fouet, comme dans le temps.

— Ça, c'est parce que tu peux rien dire, figure-toi. Sors-toi la tête du cul, Alex, et sois *légèrement* plus attentive. Tu veux pas avoir la réputation d'être une buse ; ben, tu sais quoi ? En ce moment, c'est exactement ce que les traders pensent de toi. On en reparlera quand les choses se seront calmées. Retourne à ton bureau et enregistre les transactions que tu peux. Privée de téléphone jusqu'à nouvel ordre.

Je suis repartie la tête basse à mon bureau, en regrettant amèrement de ne pas pouvoir me rendre invisible. Je risquais de me faire licencier pile au moment où je venais d'atteindre le but que je m'étais fixé en démarrant. Et quand je pensais à tout ce que j'avais dû endurer pour en arriver là !

En voyant Chick venir dans sa direction, le trader flippant a levé les bras en l'air.

— C'est quoi ce bordel, Chick ? Elle se fout de moi, ou quoi ?

Tout le monde gardait les yeux fixés sur ses écrans, mais le trader criait si fort qu'à mon avis, Jashim l'entendait du couloir.

— Je sais, mec. Elle a foiré. Mais je m'en occupe.

— Et comment ? Tu vas absorber mes pertes ? Fais chier, tiens ! a-t-il dit en donnant du poing sur le bureau, avant de s'affaler dans son fauteuil.

Une heure plus tard, Reese est venu me voir.

— La vache, ça a tangué pour toi, ma cocotte. Tu tiens le coup ? m'a-t-il demandé en posant un cookie sur mon bureau.

— Je suis foutue, Reese. Je passe pour une imbécile, et Chick pour un mauvais mentor. Bon sang, mais pourquoi il a fallu que Charlie choisisse aujourd'hui pour pas venir ? Franchement, sa femme aurait pu se débrouiller sans lui. À quoi ça sert, les infirmières et les péridurales, si c'est pas à ça ?

J'étais tellement gênée, j'avais juste envie de rentrer chez moi. Ce qui posait problème, vu qu'il n'était que 15 h 30.

— Nan, t'inquiète. À l'époque où on devait porter des cravates chez Cromwell, quand un jeune foirait sa première transaction, on la lui coupait et on la punaisait au mur. Le mur de la gloire – ou de la honte, suivant comment tu voyais les choses. Tous les gars que tu vois sur ce parquet ont eu leur cravate punaisée au mur, un jour. Bon, c'est sûr que pour toi, je me demande bien ce qu'on pourrait couper dans ta tenue qui ne nous vaudrait pas une bonne gifle. Ce que je veux dire, c'est que tout le monde commet des erreurs. L'important, c'est de retenir la leçon, et d'avancer. Tu le sais pas encore, mais aujourd'hui, c'est le plus grand jour de ta carrière.

— Ça va pas la tête ?

— Mais c'est vrai ! Comment tu crois que tu apprends, bon sang ? Personne se souvient de ses très bonnes journées. Ce dont on se souvient, c'est celles où on a eu envie de se flinguer. Aujourd'hui, c'est ton tour. Félicitations. Tu seras une bien meilleure commerciale, à partir de maintenant.

Je commençais à me sentir légèrement moins misérable. Il avait raison. J'imagine que tout le monde en était passé par là dans le métier ; mais malheureusement, à Wall Street, quand on merdait ça voulait dire qu'on perdait de l'argent, et souvent beaucoup. Ça faisait partie des risques du métier.

— Tu crois que Chick va me pardonner, alors ?

— Alors là, tu peux toujours courir ! m'a fait Reese en attrapant le fou rire. Chick va te débiter en petits morceaux, et je veux surtout pas être là quand ça arrivera. Mais souviens-toi, on est tous passés par là. Alors détends-toi, recentre-toi et remets-toi au boulot.

C'était facile à dire pour lui.

Dieu merci, le reste de l'après-midi a été plutôt trépidant, et je crois que Chick était trop crevé pour avoir une discussion sérieuse avec moi. Quand le reste de l'équipe a décidé d'aller boire des cocktails à la santé du FOMC dans un bar, je me suis carapatée de mon côté avec une seule idée en tête, me réfugier sous la couette. Mais juste au moment où j'allais m'engouffrer dans les portes à tambour, Will m'a attrapée par le bras.

— Sale journée, hein, Alex ?

Il s'est penché tout près de moi, et m'a murmuré :

— T'inquiète pas. Chick va tout arranger, je te le promets.

— Va te faire foutre, lui ai-je craché. Tout ça, c'est de ta faute.

— De ma faute ? a-t-il répété, surpris. Comment ça ?

— À cause de toi, j'étais distraite et je regardais mon fichu horoscope au lieu de prêter attention aux marchés. Et c'est exactement pour ça que certains sont convaincus qu'il ne pourra jamais y avoir de femme présidente.

Il m'a regardée comme si j'avais perdu la boule.

— Là, tu dérailles.

— Non ! Tu sais très bien de quoi je veux parler. De tous ceux qui croient que les femmes sont trop émotives, donc qu'on ne peut pas leur faire confiance avec la valise nucléaire. Genre, le jour où son mari la fait vraiment chier, elle réagit mal et elle fait tout péter. Eh ben c'est exactement ce qui m'est arrivé aujourd'hui. J'ai laissé mes émotions me distraire complètement, et je me suis fait péter toute seule.

— T'étais en train de penser à moi ? Alors là, je suis flatté.

OK, non, ce n'est pas ce que je voulais dire.

— Ouais ben, te flatte pas trop quand même. Je pensais à tous ces messages que je te laisse le week-end, et comment tu me rappelles jamais. Je me disais que je sais absolument pas où on en est, nous deux. Voire même s'il y a vraiment un « nous deux ». En fait, je crois que je pensais que t'étais vraiment un tocard.

J'ai coupé court à la conversation en voyant Cruella sortir de l'escalator et se diriger vers nous. J'ai prié pour qu'elle ne me remarque pas. Mais visiblement, ma journée n'avait pas été assez pourrie comme ça.

— Alex ! a-t-elle couiné de sa voix stridente. Super boulot, aujourd'hui. Si si, je le pense. Tu sais quoi, la prochaine fois que le CV d'une pauvre fille se retrouve dans les mains de la DRH, et qu'ils envisageront de l'embaucher, il y aura quelqu'un pour se souvenir de toi et du sacré merdier dans lequel tu nous as mis aujourd'hui. Et même si cette fille est brillante, talentueuse et motivée, c'est pas grave, ils prendront son CV et ils le jetteront à la poubelle. Et à la place, ils embaucheront un homme qui a fait une fac inconnue au bataillon et qui ne sait probablement rien à rien, mais qui aura quand même assez de bon sens pour ne pas se faire tirer les cartes du tarot à son bureau au beau milieu de la journée. Chapeau, Alex, tu viens de bousiller à toi toute seule l'avenir d'un nombre incalculable de femmes à Wall Street. C'est tout de même très fort.

Will faisait semblant de vérifier ses messages sur son BlackBerry, et n'a rien dit pour ma défense. De mieux en mieux. Voyant que je ne répondais pas, Cruella nous est passée devant avec son air hautain, pour monter à l'arrière de la berline qui l'attendait. Elle avait l'air pressée – sûrement un raid de prévu sur un orphelinat pour confisquer les jouets des enfants.

— Te tracasse pas pour elle. C'est une garce.

Will a mis sa main dans le creux de mes reins, dans une tentative futile pour me rassurer. Ça n'a pas du tout eu l'effet escompté. En poussant les portes de Cromwell, je me suis demandé si le marché de la vente de hot-dogs était saturé sur la 7e Avenue. Mon petit doigt me disait que c'était ce qui me pendait au nez.

Je me suis personnellement excusée auprès du trader à la fin de la semaine, en lui expliquant combien j'étais désolée, et combien j'étais bête, et que ça ne m'arriverait plus jamais d'être si mal préparée. Il m'a demandé si j'avais retenu la leçon, et m'a remerciée d'avoir avoué mon erreur, et su demander pardon. En d'autres termes, d'avoir fait La Fille. Tout bien considéré, ça aurait pu être bien pire. Reese avait raison. Je faisais partie de l'équipe ; et si je faisais vraiment chier quelqu'un, la plupart des choses me seraient pardonnées une fois que la personne m'aurait recadrée et fait sentir que j'étais plus grosse conne de la terre. Dans le cas présent, il faut dire que je le méritais quand même amplement. Non mais franchement, des fois, ça ne faisait pas de mal de se faire botter le cul.

Après ma performance calamiteuse le jour de la réunion du FOMC, j'ai mis un mois à me sentir à l'aise pour répondre de nouveau au téléphone, et il en a fallu deux pour que Reese arrête de hurler « Marché conclu à six et demi ! » dès que je passais devant son bureau. Petit à petit, l'humiliation a fini par s'effacer, une confiance fragile est revenue, et j'ai pu de nouveau me concentrer sur ma carrière.

Des voix commençaient à s'élever pour se plaindre des marchés capricieux, et des problèmes engendrés par les produits structurés, que Chick m'avait vendus lors de mon premier jour chez Cromwell comme le truc auquel personne ne captait rien sur le parquet. Depuis, j'avoue que je n'y avais pas vraiment repensé : j'avais bien trop à faire pour ça. Mais voilà que visiblement, il allait être de plus en plus important de comprendre ce que les QI de 150 qui géraient ces produits fabriquaient toute la journée. On le sentait tous, sans vraiment se le dire. Évidemment, à l'époque aucun de nous ne savait ce qu'on sait maintenant. Mais cette soudaine frénésie des marchés, le jour de ma bérézina perso, était l'un des signes avant-coureurs.

L'été indien s'est terminé, et les bars ont rentré les tables qu'ils avaient mises dehors, pour l'hiver. On commençait à voir des signes de stress extrême se manifester chez quelques traders, mais on ne s'en souciait pas. Ce qui se passait dans les autres desks ne nous concernait pas vraiment. La fin de l'année se profilait, il n'y avait plus que quelques mois à tenir. Étant donné qu'on était payés en fin d'année et que notre salaire était indexé sur les bénéfices faits par notre équipe les douze mois précédents, et que pour le desk Obligations d'État, ça marchait du feu de Dieu, il n'y avait pas vraiment de quoi s'inquiéter.

Du moins, pas encore.

*Chapitre 13*

# Prends-toi ça dans la face, Tigrou

L'AUTOMNE EST PASSÉ À la vitesse de l'éclair, et mon estomac s'est retrouvé à devoir négocier la saison des fêtes de nouveau. J'ai recommencé à me sentir serrée dans mes pantalons, mais cette fois-ci j'ai réussi à survivre au mois de décembre sans traiter de gros tas de merde aucun cadre de Cromwell, ce qui compensait largement. J'avais du mal à croire qu'une année de plus s'était écoulée.

Le jour de l'attribution des primes, la tension était palpable sur le parquet. J'ai attendu sagement à mon poste de travail pendant que Chick appelait un à un les membres de l'équipe dans son bureau. Quand ça a été à mon tour d'y aller, je me suis mise à trembler et à avoir des bouffées de chaleur. Je priais pour que ma dernière gaffe en date, celle avec le trader, ne me porte pas préjudice maintenant. J'avais travaillé dur pour la faire oublier. Avec un peu de chance, il jugerait mes efforts suffisants.

— Assieds-toi, m'a invitée Chick tout en donnant à manger à ses poissons dans l'aquarium.

J'ai rapproché ma chaise du bureau, et posé les mains sur mes cuisses. Étant donné que j'avais touché 20 000 dollars l'an passé pour seulement quatre mois de boulot, je pouvais logiquement espérer en empocher 60 000 cette fois-ci. Mais vu que je n'avais pas encore mes propres clients, ça me paraissait beaucoup ; et vu que j'avais fait perdre bien plus que ça à la boîte en torpillant ma première transaction, c'était sans doute improbable.

— Comme tu le sais, aujourd'hui je suis chargé de vous

communiquer le montant des primes. L'équipe a fait une bonne année dans l'ensemble, et l'entreprise aussi, ce qui fait que nous sommes en mesure de récompenser généreusement nos employés pour les résultats obtenus. En ce qui te concerne, cela dit, ton arrivée parmi nous est relativement récente et on ne t'a pas encore confié de comptes clients. Par conséquent, ton salaire a été ajusté en fonction de ça.

— Oui bien sûr, je comprends.

*Fais chier.*

Chick posa les yeux sur la feuille blanche qu'il avait devant lui. Il m'a fallu toute la volonté du monde pour ne pas grimper sur son bureau et la lui arracher des mains.

— Dans ce milieu, on finit souvent par avoir des attentes surréalistes, alors j'espère que tu ne seras pas déçue par le montant de ta prime, cette année. Souviens-toi que tu es encore jeune, et que tu as le temps de grandir.

*Re-fais chier.*

— Pas de problème, Chick. Je veux simplement continuer à apprendre, pour avoir enfin mes clients. C'est déjà super d'avoir un bonus, je trouve.

— C'est exactement l'attitude à avoir. C'est la raison pour laquelle j'ai décidé de te promouvoir au rang de cadre.

— Me promouvoir ?

Je n'avais jamais entendu parler de promotion après un an et demi seulement passé dans l'entreprise. La règle était plutôt de patienter trois bonnes années au poste d'analyste avant d'espérer quoi que ce soit.

Prends-toi ça dans la face, Tigrou, gros acheteur de Q.

— C'est bien ce que j'ai dit, et ça veut dire qu'en 2008 tu auras droit à une augmentation de 15 000 dollars sur ton salaire annuel.

— Est-ce que ça veut dire aussi que j'aurais plus à livrer les pizzas du vendredi ?

— T'es bien une femme, tiens. Jamais satisfaite, a-t-il riposté en me faisant un grand sourire.

— Je sais pas quoi dire. Tu ne seras pas déçu, je te le promets.

— Bien. Et maintenant, ta prime.

Il a fait glisser la feuille vers moi, pendant que je me tordais le cou à tenter de lire à l'envers la seule ligne qui m'intéressait.

J'ai parcouru la succession de chiffres jusqu'à m'arrêter sur la somme inscrite au bas de la page. Foutues secrétaires. Elles avaient encore fait une boulette.

— Euh, Chick ? Je crois bien qu'il y a une coquille. Là, tu vois ?

J'ai pointé du doigt la somme incriminée, et Chick s'est esclaffé.

— Mais c'est pas une coquille.

— C'est pas une coquille ?

— Nan, c'est pas une coquille.

— Je lis 110 000 dollars, là.

— C'est exact.

— Et en plus de ça, tu me fais passer cadre et tu augmentes mon salaire de base ?

— Ouaip.

— Donc, juste pour éviter toute confusion, tu me verses un salaire de 175 000 dollars pour cette année ?

— C'est agréable de voir que ma nouvelle cadre sait faire les additions.

— La vache, n'ai-je pas pu m'empêcher de lancer, tout en essayant (vainement) de rester impassible. C'est que je ne m'attendais pas du tout à ça. J'aurais même pas osé espérer en recevoir la moitié.

— Y'a pas de quoi, mais j'ai pas tout à fait fini. En fait, c'est pas aussi simple.

— Ah, ai-je répondu en me rappuyant à contrecœur sur le dossier de ma chaise.

Pourvu que son « mais » ne soit pas trop gros.

— Si tu regardes bien, une partie de ta prime t'est allouée en actions Cromwell, dont l'accès est restreint.

— Ça veut simplement dire que je peux pas les vendre pendant un certain temps, non ?

— Oui, c'est ça. Tu as le droit d'en acquérir 20 % par an. Dans cinq ans, si tu le souhaites, tu pourras vendre toutes tes actions au prix du marché.

— D'accord, ça me va.

Je ne voyais pas vraiment le problème. C'était un peu embêtant de ne pas tout avoir à disposition maintenant, mais qui sait si le prix des actions Cromwell n'allait pas doubler d'ici là ? Je ferais peut-être carrément la culbute ! Il n'y avait pas à dire, c'était quand même génial, la finance.

— Toutefois, si tu quittes l'entreprise, que tu démissionnes ou – Dieu nous en garde – que tu es licenciée pour faute, tu perdras toutes les actions non encore acquises. Tu comprends ce que ça veut dire ?

— Ça veut dire qu'à compter de maintenant, si je démissionne ou que je me fais virer, ça va me coûter de l'argent.

— En gros, oui. Tu es désormais actionnaire de Cromwell, ce qui devrait te motiver encore plus pour faire du bon boulot. Capiche ?

— Capiche. C'est ça, les fameuses « menottes dorées » dont j'ai entendu parler ?

— Exactement. Je viens juste de te rendre la tâche beaucoup plus difficile, si un jour tu as dans l'idée de nous quitter.

— Mais je n'ai pas du tout envie d'aller ailleurs. J'adore bosser ici !

— Bien.

— Une dernière question. J'en ai pour combien d'actions Cromwell, sur ma prime ?

— La moitié, soit 55 000 dollars. On entre dans une zone de turbulence sur les marchés. Résultat : une partie plus conséquente des salaires va être proposée sous cette forme-là. Ça a l'air peut-être bien sur le papier, mais ça veut aussi dire moins de liquidités pour les employés maintenant. Alors va pas crier sur tous les toits que t'es contente de ta paie. Parce que tous ne le seront pas.

— Je te promets de la fermer.

S'il y avait eu la place, et si je n'avais pas eu peur de mettre un coup de pied dans la figure de Chick sans faire exprès, je crois bien que j'aurais fait la roue.

— Encore une chose, La Fille, a ajouté lentement Chick, qui avait l'air de prendre son pied à faire traîner cette conversation. Malgré ta bourde monumentale avec le trader, tu piges rapidement les choses, et je sais que le reste de l'équipe te trouve compétente. On a quelques petits comptes clients dont la plupart aimeraient se débarrasser, et je me dis que tu es peut-être prête à t'en occuper. Ils exigent un suivi régulier et peuvent s'avérer difficiles, mais il y a pas mieux pour te faire les dents. Si t'as besoin d'aide, viens me voir ou parles-en à un de tes collègues. Félicitations, Al. Tu es passée de la chaise pliante à jeune cadre en un peu plus d'un an. Je dois quand même être un sacré mentor.

— C'est clair ! me suis-je exclamée.

— Arrête de me faire de la lèche. Je déteste ça. Et de toute façon, les compteurs sont remis à zéro pour tout le monde à partir du 1er janvier. Au fait, je suis sûr que tu seras heureuse d'apprendre l'arrivée d'une petite nouvelle au desk. Plus que quelques jours à tenir et ce sera plus toi, la bleue. Encore une fois, félicitations. Et maintenant, au boulot.

— Je m'y mets tout de suite, chef !

Je suis sortie discrètement du bureau de Chick, après avoir soigneusement plié et glissé le papier dans ma poche. Mais je n'ai pas pu m'empêcher de sourire en revenant à mon bureau. Les autres étaient habitués à cacher leurs émotions le jour des primes, pour ne pas mettre la puce à l'oreille quand ils avaient l'impression d'être sous-payés. Sauf que moi, je ne savais absolument pas comment dissimuler mon état de surexcitation totale en repensant au chiffre magique de 110 000 dollars qui venait de tomber du ciel. C'était bien plus d'argent que je n'avais rêvé de gagner cette année. Voire, que beaucoup de gens rêvaient de gagner une fois dans leur vie. Et même si la moitié était en actions.

— Oh oh, il y en a une qui m'a l'air bien guillerette, a observé Drew en faisant tourner mon fauteuil brusquement. J'ai entendu dire que Chick avait l'intention de te donner une promotion. Il l'a fait ?

— Il l'a fait ! C'est pas génial ? Je suis cadre, Drew ! Tu sais ce que ça veut dire ?

— Ça veut dire que tu gardes ton titre d'esclave à pizzas jusqu'à l'arrivée de la petite nouvelle. Tu le sais ça, non ? La bonne nouvelle, c'est qu'elle est là bientôt, alors c'est peut-être bien la lumière au bout du tunnel, pour toi.

— Mais on s'en fout des pizzas. C'est pas de ça que je parlais. Je vais avoir mes propres clients ! Il m'a dit qu'il y en avait des petits dont vous vouliez vous débarrasser. Je suis en avance d'au moins un an sur ma carrière !

— Oh, félicitations, Alex. Je suis content pour toi. Du coup tu vas aller faire une virée shopping, tout à l'heure ?

— Tu m'étonnes ! Il y a des jours, comme ça, où j'adooore mon boulot.

— Tout le monde adore son boulot le jour des primes. Profites-en bien, parce qu'on entre dans une période difficile. L'année 2008 va pas être de la tarte, avec la pagaille dans le secteur immobilier. Crois-moi.

— Bah, ai-je objecté d'un air désinvolte, qu'est-ce qui pourrait bien arriver ?

Après le boulot, j'ai pris un taxi jusqu'à Midtown et je me suis offert un sac à main que je convoitais depuis un moment, et puis deux paires de chaussures pour aller avec. Cette journée était tout simplement parfaite. En poussant la porte de mon immeuble j'avais l'impression de flotter, et j'étais impatiente de monter pour fêter ça en ouvrant une bonne bouteille. Mais j'ai été stoppée dans mon élan par le concierge, qui m'a brandi sous le nez un énorme bouquet de roses blanches livré pour moi. Encore mieux.

J'ai ouvert la porte de chez moi, balancé les sacs par terre, mis les fleurs dans le vase de la table basse et extirpé la carte qui avait été glissée entre les feuilles, en m'attendant à quelque chose du genre « Bravo, Alex. On t'aime fort, Papa et Maman ».

Mais ça aurait été trop beau.

*Félicitations. Je ne doutais pas que tu étais douée pour ton âge. Je suis certain que ça vaut aussi en dehors du bureau. Gros bisous, Rick.*

Tout d'un coup, je n'ai plus vu que les épines, dans ce bouquet.

*Mais comment il sait où j'habite ?*

J'ai jeté un œil vers la porte pour vérifier que j'avais bien mis le verrou en rentrant. Puis j'ai pris les fleurs et je les ai jetées à la poubelle, parce qu'elles plombaient ma bonne humeur à vitesse grand V. Et je me suis promis que si le harcèlement ne cessait pas, j'en parlerais à Chick. Je savais qu'il l'avait remarqué, et qu'il ne ferait pas semblant d'être surpris. Chick m'épaulerait, c'est sûr. Du coup, j'ai essayé de penser à toutes les bonnes choses qui m'arrivaient en ce moment, plutôt. Il y avait quand même de quoi passer une très bonne soirée. On avait peut-être eu des débuts difficiles, Wall Street et moi ; mais tout ce que je voulais, maintenant, c'était me remettre au boulot et démarrer 2008 en beauté.

Le hic, quand on a ses propres comptes, c'est qu'on a beaucoup plus d'exigences envers vous qu'avant. À mon retour au bureau après les fêtes, j'ai passé le plus clair de mon temps à faire du relationnel, comme on dit. Je me suis déplacée sur toute la côte est, histoire de me présenter aux clients autour d'un déjeuner, d'un dîner, ou à défaut d'une réunion au bureau. À la fin j'étais épuisée, mais tellement déterminée à faire mes preuves que l'adrénaline compensait mon ridicule manque de sommeil. La plupart de mes clients se montraient amicaux avec moi, et disposés à donner sa chance à la nouvelle cadre. Je ne décevrais personne : ni eux, ni

Chick, ni moi-même. Je passais des heures à étudier les tendances des marchés et les indicateurs économiques. Autant dire que je n'ai pas vu filer le mois de janvier, et au total j'ai dû passer une vingtaine d'heures seulement chez moi à faire autre chose que des trucs pour le boulot. Évidemment, avec tout ça, je n'ai pas pu voir Will autant que je l'aurais voulu. Mais Dieu merci il comprenait, et si ça me manquait de ne plus passer autant de temps avec lui, j'étais persuadée que les choses finiraient par revenir à la normale. Même si je ne savais pas trop ce que ça voulait dire, avec lui.

Un matin frigorifique de février, j'ai entendu Reese éclater de rire à l'autre bout de la rangée :

— Merde alors, Chick, mais qu'est-ce qui t'est arrivé ? On dirait qu'un camion poubelle t'a roulé dessus, s'est-il exclamé en s'approchant du boss, son éternel sandwich au bacon à la main.

— S'il te plaît, dis-moi qu'il en reste, Reese ? a grogné Chick.

L'intéressé a plongé la main dans l'une des boîtes éparpillées un peu partout et en a jeté un sur son bureau.

— Dure soirée ?

— Nan, c'est plutôt maintenant, en fait. J'ai fait une virée à Atlantic City, hier soir. J'étais en veine, je suis reparti avec 12 000 dollars en poche. Pas mal, non ?

Atlantic City, notre Las Vegas à nous, est à deux heures de route de New York. Il était parti du bureau à une heure normale la veille, alors avec la circulation il n'avait pas dû arriver là-bas avant 21 heures – et encore. Quelle idée, franchement, de faire tout ce chemin pour passer la soirée là-bas, en pleine semaine en plus ?

— Et quoi ? Tu t'es retrouvé coincé dans les bouchons ce matin ?

— Les bouchons ? T'es fou ou quoi, j'ai pas pris ma bagnole, Reese. Non, on est partis de l'héliport de Wall Street avec Rick et quelques gars d'AKS. Un des petits jeunes vient de rompre avec sa copine. Alors, je me suis dit qu'il fallait lui remonter un peu le moral. On s'est tapé quelques bières, et à la tombée de la nuit on a pris l'hélico. Après ça on a joué toute la nuit, et on est revenus ce matin. Je me suis éclaté mais le gosse, lui, il a perdu 3 000 dollars au black-jack. Résultat, il s'est fait larguer *et* plumer. La matinée sera sûrement plus rude pour lui, je dirais.

Chick a vidé un flacon d'Advil dans la paume de sa main, et avalé les comprimés sans même une gorgée d'eau. Puis il s'est tourné vers moi.

— Alex, prends la nouvelle avec toi et va me chercher un Gatorade auprès de ton petit copain du stand de café.

— Mon petit copain ?

— Jashim. Dès qu'il me voit, il me parle de toi. « Et comment va mademoiselle Alex, aujourd'hui ? », « Et vous pourriez lui ramener un café comme elle aime de ma part ? », et bla bla bla.

— Tu m'as jamais rapporté de café offert par Jashim.

— Non mais tu me prends pour qui, Alex, un foutu barista ?

Dieu bénisse la petite nouvelle. Peu importe le temps passé à un desk, on est toujours la bleue jusqu'au jour où on l'est plus. Patty était la dernière analyste en date embauchée par Chick à la fin de ses études. Normalement elle aurait dû commencer en juillet comme moi, mais la Bourse avait déjà commencé à faire des siennes à ce moment-là, et beaucoup d'entreprises avaient décidé de repousser les dates de début d'embauche à l'année suivante, pour ne pas déséquilibrer la masse salariale. Ainsi donc elle était arrivée chez Cromwell à la saison « froid polaire », et même si elle ne le savait pas encore, elle avait une chance incroyable de m'avoir comme supérieure. Franchement, ça m'aurait aidée d'avoir une collègue comme moi à mes débuts. Et puis ça me faisait particulièrement plaisir de voir que Chick avait embauché une autre fille, parce que ça prouvait que Cruella avait tout faux sur moi.

J'ai localisé Patty, qui était sagement assise sur la chaise pliante dans un coin, et serrait fort son calepin contre elle. Ça faisait un mois qu'elle était là, mais elle avait toujours autant l'air terrifié. Je dois dire que cette époque-là ne me manquait pas, et la foutue chaise pliante encore moins. Alors, j'ai fait ce que j'aurais aimé que Cruella fasse pour moi quand j'étais à sa place – enfin, si elle avait eu une âme.

— Allez, viens, lui ai-je dit, et elle m'a gentiment suivie hors de la salle des marchés.

— Où est-ce qu'on va ?

— J'ai envie d'un café, et Chick veut un Gatorade. Il m'a demandé de t'emmener avec moi. Il faut aussi que j'aille retirer de l'argent au distributeur, en bas.

— Chick me fiche les jetons, m'a-t-elle avoué.

— Ouais, c'est le genre d'effet qu'il a sur les nouveaux.

J'ai payé un café à Patty, et pris la boisson énergétique de Chick. Elle avait l'air sympa, intelligente, mais aussi complètement paumée s'agissant des règles en vigueur sur le parquet. Elle me rappelait beaucoup mon moi d'avant, en fait.

— T'inquiète pas pour Chick, l'ai-je rassurée en entrant dans l'ascenseur, il a fait la fête hier soir avec des clients et il a un peu la gueule de bois ce matin. Te mets pas dans ses pattes aujourd'hui et tu devrais pas avoir de problèmes. Ah, j'oubliais : ne laisse jamais la chaise pliante dans le passage. Les gars ont horreur de ça, quand ils se prennent le pied dedans. Ça a l'air bête, dit comme ça, mais crois-moi c'est un détail important.

— OK, merci pour le conseil.

On avait à peine passé les tourniquets dans le hall que Patty me demandait :

— Je peux te poser une question, euh, disons, officieuse ?

— Bien sûr.

Elle a jeté un coup d'œil par-dessus son épaule, histoire de vérifier qu'aucune oreille ne traînait par là.

— Il y a un garçon super mignon à notre desk, dans la rangée du fond. Tu peux me dire comment il s'appelle ?

Mon sang n'a fait qu'un tour.

— Will, il s'appelle Will, ai-je répondu sèchement.

— Il est vraiment canon. Tu sais s'il est célibataire ?

— Techniquement.

— Ça veut dire quoi, ça ?

— Ça veut dire qu'on est plus ou moins ensemble, mais qu'on ne le crie pas sur les toits. Alors je te prie de n'en parler à personne, sinon je serai obligée de faire de ta vie un enfer.

Elle a piqué un fard et s'est mise à bégayer des excuses, sentant clairement qu'elle venait peut-être de s'aliéner la seule personne qui avait pris la peine de lui parler vraiment.

— Oh là là, je suis super désolée, je t'assure. Je dirai rien, promis. Ben dis donc, ça doit motiver pour venir le matin ça, hein ?

Elle m'a donné un petit coup de coude complice, et ça m'a fait sourire. J'avais une alliée au bureau. Cool.

— On pourrait croire que c'est fun, mais en fait ça marche pas tout à fait comme ça, ai-je soupiré. Tu le gardes pour toi, capiche ?

— Capiche.

En chemin vers le parquet, on a bavardé comme seules deux filles savent le faire : et où est-ce qu'elle avait déniché son pull (J. Crew), et si je connaissais de bons bars à vin dans l'East Side (Fig and Olive, en face de Bloomingdale's), et où on pouvait se faire épiler les sourcils à la cire pour moins de 20 dollars (la réponse est : nulle part sur l'île de Manhattan, si vous voulez encore avoir des sourcils en ressortant). À notre retour au desk, elle a pris sa chaise et s'est installée juste à côté de Chick, en contradiction totale avec ce que je venais de lui dire. Sans rire, c'est comme si je ne lui avais rien appris.

— Mais où vous étiez fourrées toutes les deux, bordel ? a-t-il grogné. C'est quand même pas le bout du monde, le couloir.

— Je suis désolée, j'espère que je n'ai rien raté, a-t-elle fait d'un air contrit.

Je venais de me rasseoir quand Chick a sifflé un bon coup à l'intention des autres.

— Eh, les mecs ! a-t-il crié en tapant dans ses mains comme s'il rappelait à l'ordre un chien un peu foufou. Vous avez pas la dalle, vous ? Parce que moi, carrément.

Un tonnerre d'applaudissements a accueilli la proposition de Chick. Évidemment.

— Levez la main bien haut, ceux qui veulent déguster cette merveilleuse spécialité de Philadelphie à midi, je veux parler des steaks au fromage.

Ils se sont exécutés et Chick a commencé par compter les commerciaux, avant de se tourner vers le desk des traders. Même s'ils étaient situés en dehors de sa juridiction, il aimait bien leur payer à déjeuner de temps en temps. Parce que si les traders étaient contents, il y avait plus de chances pour qu'ils y aillent mollo avec les commerciaux le jour où ils merdaient (par exemple, le jour où ils leur faisaient perdre 93 000 dollars en deux secondes).

— Au fait Patty, tu viens d'où, déjà ? a-t-il demandé innocemment en se tournant vers la bleue, tout en connaissant parfaitement la réponse.

— De Philadelphie, a répondu Patty sans se démonter.

— J'imagine qu'on te nourrit de steaks au fromage depuis le berceau ?

— Oh oui ! Il y a rien de plus délicieux.

— Et d'après toi c'est où, les meilleurs de Philadelphie ? a-t-il continué.

— Les deux restos les plus connus sont Pat's et Geno's. Ils sont dans la même rue, l'un en face de l'autre. Je préfère le second, mais c'est super bon dans le premier aussi.

Sur ce, Chick a glissé la main dans la poche de son veston pour en sortir un trousseau de clés, qu'il a lancé dans sa direction.

— C'est décidé, alors. On va te dire lequel des deux on préfère. Tu vas nous prendre cent steaks au fromage, cinquante chez Pat's et cinquante chez Geno's. J'imagine que tu sais comment y aller, vu que t'as vécu là-bas toute ta vie ? Allez, va chercher.

Patty n'a pas bronché, mais j'ai vu que sa nuque virait au cramoisi.

— Je ne saisis pas, tu… tu veux que je fasse la route jusqu'à Philadelphie pour aller te chercher des steaks au fromage ?

— C'est ça, oui. Et débrouille-toi pour les mettre dans un sac isotherme ou quoi, ce serait con qu'ils refroidissent en route. (Chick a montré l'horloge murale du doigt, révélant une manche de chemise toute froissée à laquelle il manquait un bouton de manchette.) Il est 8 h 30. Si tu pars maintenant, tu devrais être rentrée pour 13 heures. Ma Mercedes est en bas, au garage. Le réservoir est plein ; je veux qu'il le soit encore quand je repars avec ce soir. Et pour info, je prends toujours l'essence la plus chère à la pompe. Allez. Ouste.

Patty ne bougeait toujours pas. Chick, qui était habitué à ce qu'on exécute ses ordres sur-le-champ, lui a aboyé dessus :

— Qu'est-ce tu fous encore là ?

— Tu… tu veux vraiment que je conduise ta Mercedes ? a-t-elle bégayé.

— Oui.

— Jusqu'à Philadelphie ?

— Oui, a-t-il grogné.

*Oh bon sang, Patty, arrête de tergiverser et vas-y.*

— Pour aller vous chercher des steaks au fromage ?

Chick s'est tourné vers Reese :

— C'est moi ou j'ai embauché Rain Man ? Y'a un truc que t'as pas compris dans mes instructions, Reese ? Je croyais qu'elles étaient plutôt claires, pourtant.

— Cent sandwichs à aller chercher à Philadelphie. Pour moi c'est limpide, a renchéri Reese.

— Tu vois, Patty ? Je te demande quand même pas la lune. Comment te faire confiance pour brasser des centaines de millions de dollars en transactions si t'arrives même pas à piger le concept d'un aller-retour en Pennsylvanie dans la matinée ?

— Non, non, s'est-elle ressaisie. Je pars tout de suite. Je passerai un coup de fil au desk quand je serai sur le chemin du retour.

— Pour quoi faire, exactement ? J'en ai rien à foutre de savoir où t'es. Du moment que tu te retrouves pas en rade dans l'Ohio, t'as aucune raison d'appeler. Tout ce que je veux, c'est que tu sois rentrée pour 13 heures. Et si tu bousilles ma caisse, je m'assurerai personnellement que tu seras promue larbin de Jashim pendant les douze prochains mois. Pigé ?

Patty a pris ses jambes à son cou, et sans faire exprès la chaise pliante est tombée. Le bruit métallique a fait grimacer Chick de douleur.

— La Fille, trouve-moi le numéro de ces deux bouibouis et passe commande pour le déjeuner. Dis-leur qu'on viendra la chercher d'ici une heure et demie à deux heures.

— OK, chef.

Une fois ma mission remplie j'ai appelé un de mes clients, un fonds d'investissement du Massachusetts. Le type voulait que je lui présente différents scénarios concernant une transaction qu'il envisageait. Est-ce que je pouvais lui faire une simulation pour voir comment se comporterait tel titre si les cours faisaient un bond de cinquante points de base, et s'ils baissaient d'autant ? Qu'est-ce que ça donnerait au niveau du cash flow ? Et en quoi ça modifierait la durée de ce titre ? Ça faisait une bonne heure que je cogitais à tout ça quand j'ai été interrompue par la sonnerie du téléphone. C'était ma ligne personnelle, le numéro privé que je n'avais donné qu'aux amis et à la famille, ainsi qu'à la réceptionniste de Bliss pour les fois où elle avait besoin de confirmer un rendez-vous pour un soin du visage.

— Cromwell, ai-je répondu comme j'en avais l'habitude.

— Alex ?

C'était Patty.

— Qu'est-ce qui se passe ? me suis-je dépêchée de lui demander à voix basse, pour que personne n'entende. Me dis pas qu'il y a un problème avec la voiture.

— Non non, la voiture va bien, mais je suis dans la merde à cause de Geno's : leurs sandwichs sont pas prêts ! Ils disent qu'ils en ont encore pour vingt minutes, mais si je dois poireauter je serai jamais revenue à temps. Qu'est-ce que je fais ?

Il n'y avait qu'une solution.

— Tu vas être obligée de rattraper ton retard au retour. Si tu fais du cent cinquante sur l'autoroute, tu devrais arriver à l'heure.

Appuie sur le champignon, Patty !

— T'es vraiment en train de me conseiller de conduire la bagnole de Chick à 150 km/h ? Et si je me fais coincer par les flics ?

— Euh, comment te dire ? Si j'étais à ta place, et que je devais choisir entre affronter un Chick en colère et un flic en colère, je prendrais *toujours* la deuxième option. Dis aux cuistots de Geno's de se manier les fesses. Sans déconner, c'est si compliqué que ça de fourrer un steak dans du pain et de flanquer par-dessus un carré de fromage fondu ?

— C'est qu'on les fait avec amour, ici.

— Patty, c'est un *sandwich*. Dis-leur de se grouiller et mets ta ceinture, ai-je ajouté avant de raccrocher.

Génial. Si elle finissait encastrée dans un poteau télégraphique, j'allais me sentir un peu responsable, moi.

Je me suis retournée pour voir si ça bossait un peu, derrière moi. Présentement, Will et ses petits camarades jouaient à un de leurs jeux préférés, qui consistait à lancer des pièces de monnaie sur le passage d'un commercial en particulier, et à compter combien il en ramassait. Ce gars-là gagnait un fric hallucinant, mais devait aussi être l'un des types les plus radins de la planète. Les autres prenaient un malin plaisir à le regarder se baisser et fourrer les pièces dans sa poche – en ne se demandant même pas, visiblement, ce qu'elles foutaient par terre au départ.

C'était sympa de voir que ça bûchait autant que moi, à la dernière rangée.

Je suis revenue à mes moutons en poussant un petit soupir. C'est marrant, quand même : avant, quand je devais le faire pour Chick, je détestais bosser sur Excel. Mais depuis que c'était pour mes clients, ça allait tout seul ou presque. J'étais plutôt sûre de moi quand les résultats se sont affichés, et j'allais rappeler mon client pour les lui donner quand ma ligne perso s'est remise à sonner. J'aimais bien Patty, mais là elle commençait un peu à me courir sur le haricot. J'ai attrapé le combiné.

— Quoi, encore ? ai-je dit sèchement.

— Eh bien, Chick te laisse répondre au téléphone comme ça ? Ce n'est vraiment pas beau, dans la bouche d'une jolie jeune femme.

*Merdouille.*

La voix était reconnaissable entre toutes.

— Ah, je m'excuse, je croyais que c'était quelqu'un d'autre. Comment allez-vous, Rick ?

Il s'est esclaffé un bon coup.

— J'imagine que je ne suis pas le seul client à t'appeler sur une ligne extérieure pour dire bonjour. Je suis un peu déçu d'être accueilli comme ça, je dois dire, et encore plus quand je pense à tous ces SMS que je t'ai envoyés et auxquels tu n'as jamais répondu.

J'ai senti que je me crispais de partout.

— Puis-je vous aider en quoi que ce soit ?

— Tu peux commencer par me dire comment tu vas.

— Bien, merci. Et vous ?

Comme si j'en avais quelque chose à faire.

— Ça va. Mieux depuis que je t'ai au bout du fil, en fait.

Je suis partie d'un petit rire nerveux, tout en cherchant une excuse pour mettre un terme à cette conversation au plus vite.

— Je peux vous passer Chick ?

— Je n'ai pas appelé pour lui parler à lui. Je ne suis pas sur sa ligne, que je sache ?

— Non, vous avez raison. Que puis-je faire pour vous ?

— J'espérais te convaincre de venir prendre un verre avec moi ce soir au Bull and Bear. Je me disais que ce serait enfin l'occasion de passer un peu de temps ensemble.

*Mais enfin c'est quoi son problème, à ce type ?*

— Ah, merci, mais je ne peux pas, ce soir. Je vais devoir travailler tard.

— Le travail, mais il n'y a pas que le travail dans la vie ! Rick est tout triste que tu dises ça, tu veux pas venir le consoler ?

*Beurk beurk beurk.*

— Je suis désolée, je ne peux vraiment pas. Une autre fois, peut-être ?

*Oh putain, mais pourquoi t'as dit ça, Alex ?*

— Une autre fois, d'accord. Je te prends au mot, Alex. Tu ne voudrais pas décevoir l'un des meilleurs clients de Chick, n'est-ce pas ? Ça ne présagerait rien de bon pour ta carrière.

J'ai ri de nouveau. Il blaguait, c'est ça ? C'était de l'humour, bien sûr. C'était carrément tordu, et pas drôle du tout, mais c'était ce qui passait pour son sens de l'humour.

— Ravie d'avoir bavardé avec vous, Rick.

— Moi aussi. Si tu changes d'avis, tu sais où me trouver.

*Clic.*

Avec joie je suis retournée à mon tableau Excel, et ces clients (Dieu les bénisse) qui ne me donnaient pas la désagréable impression d'être une geisha d'entreprise.

Une demi-heure plus tard l'horloge sonnait 13 heures, et j'ai vu Chick secouer la tête de déception.

— Putain, mais où est passée Patty ? a-t-il crié en donnant du poing sur le bureau. Ça fait combien de temps qu'elle est partie ?

Sur ces entrefaites, l'intéressée a fait son apparition en traînant derrière elle deux grands sacs isothermes blancs.

— Je suis là, s'est-elle écriée fièrement. Tout va bien.

Chick a ouvert l'un des sacs, et l'odeur alléchante d'oignons grillés et de faux fromage a aussitôt envahi la salle des marchés.

— Sauf si les sandwichs sont froids. Ils sont froids, Patty ?

— Non, Chick, ils sont encore chauds. Promis.

— Bien. Assise, Patty.

En dix secondes top chrono les deux sacs avaient été vidés. Perso, j'ai senti mes fesses grossir rien qu'en reniflant l'odeur, alors je me suis abstenue sur ce coup-là.

— Mais pourquoi c'est si compliqué de trouver des bons steaks au fromage à New York ? s'est interrogé Reese en étudiant son sandwich. On a toujours le meilleur de tout, ici, mais on n'arrive pas à maîtriser l'art du steak au fromage. C'est bizarre, non ?

— Ouais, c'est vrai. Mais si c'est la seule chose qu'on fait moins bien, moi, ça me va, a répondu Drew en jetant son emballage dans la poubelle.

— Bien joué, Patty, a lancé Chick en gobant sa dixième aspirine de la journée. La prochaine fois ce sera plus facile, t'auras qu'un seul voyage à faire. Parce que t'as raison : ceux de Geno's sont meilleurs.

Patty s'est tournée vers moi, et m'a murmuré dans l'oreille :

— Euh, il est toujours comme ça ? Je veux dire, je vais devoir régulièrement traverser les frontières de l'État pour aller chercher le déjeuner à toute l'équipe ?

— Avec lui, tout est possible, ai-je répondu d'un air dégagé.

— La vache. Je crois que je savais pas vraiment pour quoi je signais, quand j'ai accepté ce job.

— Je te rassure, t'avais aucun moyen de le savoir.

J'ai fait un petit signe de la main à Will au moment de partir ce soir-là, en sachant parfaitement que dans ma boîte de réception j'avais un mail de lui que je n'avais pas ouvert. J'avais décidé de me faire désirer. Un tout petit peu, au moins. Juste pour aujourd'hui.

# Chapitre 14

## Jolie fille, gros cul, prix à débattre

PATTY AVAIT L'AIR DE s'adapter autant que possible à sa vie sur chaise pliante. Je l'ai autorisée à laisser son sac sous mon bureau, à côté du mien, histoire de lui éviter les farces du type mini-muffins au maïs ou écran d'iPhone en japonais. C'était quand même la moindre des choses de la remercier, vu qu'elle avait pris ma place de larbin attitré de Chick. En mars on était devenues amies, et je me rendais compte maintenant combien ça m'avait manqué d'avoir une vraie copine au boulot. On aurait dit qu'on se connaissait depuis toujours – en tout cas bien plus que depuis deux mois seulement. Mais à Wall Street, tout a tendance à s'accélérer : votre concept du temps, vos amitiés, votre espérance de vie. Pour ne citer que quelques exemples.

Patty était une fille maligne, heureusement, ce qui veut dire qu'elle avait eu besoin d'un minimum de coaching pour endosser le costume d'esclave du desk. Moi, j'étais ravie. Ça me dégageait du temps pour me consacrer à d'autres tâches, bien plus intéressantes.

***MESSAGE DE PATRICK, WILLIAM :***
*Tu as quelque chose de prévu, cette semaine ?*

***MESSAGE DE GARRETT, ALEX :***
*Je vais devoir vérifier dans mon agenda. Je suis une fille très occupée, en ce moment.*

***MESSAGE DE PATRICK, WILLIAM :***
*Essaie de te libérer jeudi soir. J'ai une réservation pour deux chez Nobu, à 20 heures. Ça m'embêterait de devoir inviter Marchetti. Je vais me mettre sur la paille, si je commence à le nourrir.*

***MESSAGE DE GARRETT, ALEX :***
*Je vais voir si je peux me libérer. Genre deux heures. C'est pas mal, deux heures.*

***MESSAGE DE PATRICK, WILLIAM :***
*Tu vas te libérer toute la nuit, et tu le sais... Sinon, je me contenterai de t'ouvrir la bouche et d'y verser du saké jusqu'à ce que tu changes d'avis.*

Ça se défendait, comme argument.

Nobu était l'une des tables les plus chics de la ville, un resto petit et élégant où on était serrés comme des sardines, comme souvent. Le niveau sonore allait de moyen à hyper fort, selon la clientèle du moment. L'endroit était très prisé des stars de ciné et des top models, parce que c'était l'un des rares restos de Manhattan où elles pouvaient réellement se permettre de manger ce qu'elles avaient dans leur assiette – le poisson cru étant bon pour la silhouette, tout ça. Mais il était aussi en vogue parmi les membres de l'élite new-yorkaise qui espéraient finir dans le *New York Post* à la rubrique « Photo de la semaine », ainsi que les cadres de Wall Street qui avaient droit à une carte de crédit par leur boîte. Je ne savais pas comment Will avait réussi à dégoter une réservation, mais honnêtement, je m'en fichais. Ça faisait un petit moment que je mourais d'envie d'y aller.

Après mûre réflexion, j'ai décidé de porter un jean avec un t-shirt Vince gris à manches longues et encolure bateau, et des talons aiguilles ultra-pointus qui me donnaient un air vraiment sexy mais me faisaient un mal de chien. Des fois, il était réellement nécessaire de souffrir pour être belle – et belle, j'aurais dû l'être. Je venais de débourser plus de 100 dollars pour un brushing au salon John Barrett, après le boulot. Mes longs cheveux étaient tout brillants et pleins de force, comme on dit dans les pubs pour shampooing. Sauf que rien ne flingue plus vite une bonne mise en beauté capillaire que le vent vicieux du nord-est. Ça ne faisait pas dix minutes que j'étais remontée chez moi pour me changer, et dehors c'était la mousson. Une fois prête, le temps que je traverse le trottoir pour m'engouffrer dans un taxi, j'avais la tronche d'un lévrier afghan, la classe en moins.

Quand je suis arrivée au restaurant, Will était déjà là. Il s'est levé, et m'a donné un gros baiser mouillé en guise de bonsoir. Il portait encore son costume du boulot, et il avait clairement bu. Mon petit doigt me disait qu'il avait préféré passer son temps libre avant le dîner à s'enfiler des bières avec des potes, plutôt que de perdre son temps à repasser chez lui pour se pomponner. Les mecs ne pensent peut-être pas beaucoup à leur apparence – et comprenez-moi bien, je n'avais pas envie d'un copain narcissique qui passerait plus de temps devant le miroir que moi –, mais je me suis quand même sentie conne en pensant que j'avais frôlé la crise de panique parce que mes cheveux frisottaient, quand lui ne s'était même pas donné la peine de changer de chemise. Bon. Je n'allais pas me laisser démonter pour si peu. Will en était à la bière ? Très bien. J'ai pris la carte des cocktails.

— Je vais prendre un litchi-martini, s'il vous plaît, ai-je annoncé au serveur.

Ma commande a intrigué Will.

— Depuis quand tu bois des martinis ?

— J'avais envie d'essayer, pour une fois. Tu sais ce que c'est, un litchi, toi ?

Il s'est esclaffé.

— Ah désolé, je peux pas aider sur ce coup-là. Mais je suis sûr que c'est bon. Tout est bon, ici. (Il a dégainé son légendaire sourire Ultra Brite.) Je m'occupe de commander, si ça t'embête pas. Il y a deux ou trois trucs que tu dois absolument goûter. Tu vas voir, la bouffe est top. Tu vas adorer.

— Super ! ai-je couiné comme une ado décérébrée. Juste, les œufs de poisson, c'est pas mon truc. Mais à part ça, commande ce que tu veux.

À mon tour de lui sourire et de battre des cils éhontément.

— D'ac', a-t-il répondu. Je savais pas que t'étais vendeur d'œufs de poisson, toi.

Les gens de Wall Street ont la fâcheuse tendance à exporter le jargon de la Bourse dans leur vie quotidienne. Par exemple, quand on aime quelque chose, on est « acheteur » ; à l'inverse, quand on n'aime pas, on est « vendeur ». Et si on aime ou qu'on déteste vraiment un truc, on ajoute « gros » au début de sa phrase. Une fois, dans un bar, une jolie fille était passée près de notre table et Marchetti s'était écrié (après l'avoir sifflée, bien sûr) :

— Waouh, carrément gros acheteur de cette pépée !

— Nan, tu rigoles. Vendeur ! avait contesté Reese. T'as vu son cul ?

Tout ce que cette pauvre fille avait fait, c'était passer par là, et en moins de deux elle était devenue une marchandise – avec prix à débattre.

Mon portable a émis un petit son dans le sac, venant interrompre notre conversation.

— Tu es très demandée, a commenté Will.

— Eh bien comme tu t'en doutes, j'ai dû décliner pas mal d'invitations pour passer la soirée avec toi.

Il m'a fait un petit sourire taquin. J'ai pris le téléphone pour vérifier mes messages, et senti tout de suite ma bonne humeur se volatiliser.

**SMS DE KIERIAKIS, RICK :**
*Tu me manques. Et moi, je te manque ? Appelle-moi.*

Mon énervement devait être visible, parce que Will m'a tout de suite demandé ce qui n'allait pas.

— C'est Rick.

Il s'est mis en colère.

— C'est quoi ce truc, tu me caches quelque chose ?

— Non ! C'est juste que je comprends pas pourquoi il me laisse pas tranquille, ai-je répondu en toute honnêteté.

— Tu comprends vraiment pas ? Moi oui.

— Toi oui ?

— C'est fastoche. Il y a trois genres de femmes à Wall Street.

— Tiens tiens, je sens que ça va être intéressant.

— Le premier, c'est celles qui seraient prêtes à coucher avec tout le monde pour gagner plus de fric ou faire avancer leur carrière. Le second, c'est celles qui bossent deux fois plus que les premières pour faire avancer leur carrière et gagner leur vie parce qu'elles refusent de coucher pour y arriver.

— Et le troisième ?

— Le troisième, c'est celles qui supportent pas l'idée d'être dans la première ou la seconde catégorie, et qui finissent par démissionner. Rick n'arrive pas à savoir dans quelle catégorie tu te situes, alors il te teste. C'est clair que pour une femme, ça doit pas être facile tous les jours de bosser dans la finance, mais certaines savent aussi tourner la situation à leur avantage. Si tu vois ce que je veux dire.

— Ouais, ben c'est dégueulasse. Jamais je ferais ça.

— Je le sais, mais lui non. Pour Rick, t'es probablement juste une salope de plus à Wall Street.

Notre serveur est revenu avec un verre à pied rempli d'un liquide trouble, couleur rose pâle. À la place des olives, sur le cure-dent, j'ai repéré une chose étrange qui, vue de là, avait l'air assez peu appétissante.

*T'as voulu faire ta maligne ? Eh ben la prochaine fois tu commanderas une bière.*

J'ai pris une gorgée hésitante. Le cocktail était fort et fruité, mais pas mauvais. Pas mauvais du tout, même.

— C'est hyper bon, en fait ! me suis-je exclamée. Tu peux me dire pourquoi je bois pas ça tout le temps ?

— Bah, à 18 dollars le verre, c'est pas plus mal.

— Ce truc vaut 18 dollars ? La vache, mais ils mettent quoi, là-dedans ?

Will a vidé sa bière d'un trait, et a fait signe au serveur de nous amener une autre tournée.

— Va falloir me rattraper, a-t-il dit.

J'ai regardé mon verre, qui était encore quasiment plein, et j'en ai bu une grande lampée histoire de l'avoir fini avant que le second n'arrive. Will avait les yeux vitreux, et même si ça m'allait très bien de m'enfiler un autre martini, jamais je n'arriverais à le rattraper, vu qu'il buvait déjà quand moi j'en étais encore à hésiter entre mon jean noir et mon jean extra-noir.

— Désolée, j'aurais dû regarder le prix avant. À mon avis, j'ai dû commander sans le savoir la boisson la plus chère du menu. On peut peut-être prendre du vin, après ça ?

— Tu rigoles ou quoi ? Je me fais les couilles en or, et je t'ai invitée à dîner. Tu commandes ce qui te fait plaisir. Pense pas à l'addition.

Et comme s'il voulait me prouver ce qu'il avançait, il a fait venir le serveur pour passer commande.

— Alors on va prendre le vivaneau au piment jalapeño, la tempura de crevettes de roche, le cabillaud au miso, le bœuf Wagyu, et six sushis pour finir. Le chef a carte blanche, mais pas de – c'est quoi déjà, que t'aimes pas ? a-t-il fait en pointant son index droit sur moi et en le faisant tourner dans le sens des aiguilles d'une montre, pendant qu'il essayait de se souvenir de ce que je lui avais dit.

— Pas d'œufs de poisson, s'il vous plaît, ai-je expliqué.

— C'est ça, a-t-il fait en se passant la main dans les cheveux. Tout ce que veut la dame. Ou ne veut pas, plutôt.

Le serveur lui a souri, puis il est parti en cuisine annoncer notre commande pour dix qu'on allait devoir manger à deux. Sans crier gare, Will a sorti un petit sac qu'il avait caché sous son fauteuil.

— J'ai quelque chose pour toi. Ouvre-le.

J'ai pris le paquet, et sous les innombrables couches de papier de soie vert j'ai découvert, niché au milieu, un objet clairement siglé Burberry.

— Tu m'as acheté un… serre-tête ?

*Au pif total.*

— Oui, parce que j'aime bien quand t'as les cheveux détachés. Je me suis dit que ce serait sympa, un joli accessoire qui te mettrait en valeur et t'éviterait de les avoir dans les yeux.

Je n'étais pas exactement le genre de fille à porter des serre-têtes Burberry, mais c'était une délicate attention et je ne voulais pas faire la mal élevée.

— Merci, Will. C'est gentil de penser à moi comme ça.

— Mets-le.

Je me suis sentie un peu bête, mais j'ai obtempéré en gardant le sourire. Même en sachant que ça partait d'une bonne intention, je ne pouvais m'empêcher de penser qu'on était sur une pente glissante. En clair, de là à ce qu'il me dise comment m'habiller ou avec qui parler, il n'y avait qu'un pas. Je n'avais pas envie de me retrouver dans un remake des *Nuits avec mon ennemi* version Wall Street, moi.

— Alors, qu'est-ce que t'en penses ? lui ai-je demandé, un brin nerveuse, tout en m'efforçant d'ignorer la sonnette d'alarme qui s'était déclenchée dans ma tête.

Je devrais peut-être arrêter de regarder toutes les rediffusions à la télé, moi.

— Tu es superbe.

Alors, dans ce cas… Le litchi-martini commençait à me monter à la tête et je me sentais étrangement bien, dans ce resto avec Will. J'avais l'intention de lui parler d'un truc important, mais j'ai été distraite par le serveur qui nous a amené un plat de poisson blanc finement découpé, avec au-dessus une touche de rouge (le piment) et de vert (la coriandre), le tout baignant dans la sauce soja.

— Mmm, tu vas adorer. Goûte.

Will a pris ses baguettes posées sur une élégante pierre noire brillante, et il a attaqué avec appétit. Après ça sont arrivés coup sur coup les beignets de crevettes, le cabillaud, le meilleur steak de bœuf que j'avais jamais mangé de ma vie, et enfin les quelques bouchées de poisson cru non identifié. J'ai fini par perdre carrément le fil, question cocktails, vu que le serveur en ramenait un nouveau dès qu'il remarquait que le niveau du précédent baissait. Quand on dit qu'un bon service n'a pas de prix, on n'a pas tort.

— Je peux te poser une question ?

Je commençais à avoir vraiment du mal à me concentrer, il valait mieux que je me lance maintenant.

— Vas-y, a-t-il répondu en me regardant de ses yeux injectés de sang.

— T'es jamais là quand je t'appelle le week-end. Je veux pas en faire tout un plat, t'inquiète, me suis-je empressée d'ajouter. Mais c'est juste… Je me demande pourquoi tu me rappelles jamais quand je te laisse un message. Je le fais toujours, moi.

— Je sais pas, des fois j'en ai marre du téléphone. On y est tellement tout le temps pendu au bureau, le week-end j'aime bien avoir la paix, tu comprends ?

J'ai pris le temps d'y réfléchir. Son explication tenait la route : c'est vrai qu'on passait un temps fou au bout du fil, la semaine.

— OK, je te l'accorde. Mais comment ça se fait que t'as encore jamais rencontré mes amies, par contre ? C'est pas comme si notre relation était secrète pour elles. Je t'assure, elles doivent commencer à se dire que je t'ai inventé de toutes pièces. Pourquoi on sort jamais à quatre ou plus ? On dirait que ça te gêne d'être vu avec moi.

Bon, là, j'exagérais. Je savais que ce n'était pas vrai, mais ce fichu serre-tête me faisait dire des trucs que je n'aurais pas déballés en temps normal. Comme si je me sentais obligée de compenser la faiblesse passagère qui m'avait fait accepter d'enfoncer cet étau à motifs écossais sur mon crâne.

Il est parti d'un fou rire discret.

— Je te rappelle qu'on dîne dans l'un des restos les plus tendance de la ville. Si ça me gênait d'être vu avec toi, je t'aurais emmené dans un bouge de l'East Village où personne aurait jamais l'idée d'aller. Tu fais un peu la fofolle, là.

— Mais pas du tout !

Alors là, quand un mec pense que vous êtes folle, c'est le début de la fin.

— J'aime bien passer du temps seul avec toi. C'est si horrible que ça ?

— Non, mais tu pourrais au moins accepter de rencontrer mes amies une fois. C'est des filles vraiment sympas, et rigolotes. Elles te plairaient, je suis sûre.

— Qu'est-ce qui te fait dire qu'on se détesterait pas ? Les filles sont pas toujours commodes.

— Ben, tu m'aimes bien, non ? Et on se ressemble beaucoup, alors si tu m'aimes bien, tu les aimeras aussi.

— Sauf que c'est pas si simple. Ensuite elles penseront avoir le droit de donner leur opinion sur moi, et franchement je préfère éviter.

— Laisse-moi deviner : les copines de ton ex pouvaient pas te piffer, et t'es persuadé que c'est à cause d'elles si vous avez rompu.

— C'est pas ce que j'ai dit, a-t-il répondu – un peu trop vite peut-être.

— Mais c'est ce que j'ai compris. Écoute, elles tiennent une grande place dans ma vie, et si tu veux que notre relation aille plus loin un jour, tu seras bien obligé de les connaître. Elles ne mordent pas, promis. Enfin Liv si, une fois, mais elle avait des circonstances atténuantes.

Il a pris une bruyante inspiration, et s'est mis à tripoter nerveusement ses baguettes.

— D'accord, t'as gagné. On sortira ensemble un de ces quatre. Si c'est si important pour toi, a-t-il conclu en me prenant la main, au moment où le serveur posait discrètement l'addition de son côté de la table.

— Super. Je suis censée voir Liv demain soir, justement. Pourquoi tu viendrais pas boire un verre avec nous ? T'es pas obligé de rester longtemps, le temps que je te la présente, quoi. Qu'est-ce que t'en dis ?

Il a bien pris son temps pour répondre, et mes pieds se sont mis à bouger tout seuls sous la table.

— Celle qui mord ? Tu veux que je rencontre celle qui mord en premier ?

— Oublie ça, c'est une longue histoire.

— De toute façon, je peux pas demain soir. J'ai déjà un truc de prévu. Mais bientôt, c'est promis.

Il m'a lâché la main pour sortir son portefeuille et a eu le plus grand mal à en extraire son American Express, éméché comme il était. Après l'avoir balancée sur la petite assiette avec l'addition, il a rendu le tout au serveur sans même y jeter un œil.

*Frimeur.*

— Je voulais te demander un truc, m'a-t-il dit ensuite.

— Quoi ?

— C'est bientôt ton anniversaire, si je ne m'abuse ?

— Oui, le mois prochain. Le 19 avril, précisément. Comment tu le sais ?

— Je te l'ai déjà dit, tu peux tout obtenir de Nancy si tu sais comment la prendre.

En entendant ça, j'ai piqué un fard. Ça devait être les litchis.

— Enfin bref, a-t-il continué, je me demandais si je pouvais t'inviter pour ton anniv. Je suppose que t'es libre ?

Will savait visiblement s'y prendre avec les filles, mais on ne pouvait quand même pas dire qu'il possédait l'art de la séduction sur le bout des doigts. Ce qu'il venait de me sortir n'était pas exactement flatteur. Même si la soirée en question était prévue dans un mois.

— Vraiment ? Et on peut savoir pourquoi tu *supposes* ça ?

— OK, ma langue a fourché : pour autant que tu le saches, es-tu disponible pour sortir avec moi le soir de ton anniversaire ? Je m'y prends tôt, pour être sûr. C'est mieux comme ça ?

— Oui. Eh bien justement, j'étais censée dîner avec mes

copines, mais je peux annuler. Où est-ce que tu veux m'emmener ?

— Aucune information ne filtrera. C'est une surprise.

Will a signé le reçu et on s'est levés, puis dirigés vers la sortie. Il pleuvait toujours, alors on s'est abrités sous le store de l'épicerie d'à côté. En voyant un taxi passer, il a bondi sur le trottoir, et je me suis engouffrée dedans à sa suite. J'avais les cheveux et le serre-tête tout trempés. Je me suis mise à trembler. Il m'a serrée contre lui, et je me suis quasiment retrouvée sur ses genoux.

— Merci pour le dîner. J'ai vraiment passé un bon moment, ai-je soupiré, l'alcool et les endorphines me donnant l'impression de flotter sur un nuage.

Will est resté silencieux, et j'ai senti qu'un ange passait. Le bruit de la pluie s'acharnant sur le toit de tôle en était d'autant plus impressionnant, du coup. Si ça continuait comme ça, le taxi allait finir par ressembler à un muffin aux pépites de chocolat.

— Écoute, il faut qu'on parle, a-t-il enfin annoncé en changeant de position.

— Dis-moi.

Je commençais à avoir super froid. Sans les six litchis-martinis que je m'étais sifflés, j'aurais sûrement été en hypothermie.

— Voilà... En toute franchise, je suis pas prêt pour une relation sérieuse. On s'amuse bien ensemble, et je pense qu'on devrait continuer comme ça, sans se prendre la tête.

— Quoi ? ai-je rétorqué en m'écartant de lui.

— Pourquoi changer, puisque tout va bien ? J'ai adoré passer du temps avec toi cette année. Mais j'ai peur que si on se lance dans un truc disons, « officiel », ça finisse par mal tourner. Alors je préfère ne pas m'engager dans cette voie.

— Tu me fais marcher, c'est ça ?

Le serre-tête avait sûrement stoppé l'afflux de sang dans mon cerveau, parce que j'avais comme l'impression d'halluciner : il venait bien de m'inviter pour mon anniversaire dans un mois, non ? Et dix minutes après, il me disait qu'il ne voulait pas de copine ?

*Et ce sont les femmes qui sont censées être folles ?*

— Je voudrais pas que tu le prennes pour toi. Je cherche simplement à être honnête.

Sur ce il s'est mis à avoir le hoquet, et j'ai compris que tenter d'avoir une conversation sérieuse avec lui maintenant serait une perte de temps. Après tout, qu'est-ce que ça faisait ? Ce soir, il avait appris que je ne raffole pas des œufs de poisson, et moi qu'il n'avait pas envie d'avoir une copine. Bon, OK, je me faisais un peu enfler quand même.

— Donc, juste pour être sûre de bien suivre ton… raisonnement. Tu veux pas que je sois officiellement dans ta vie, mais tu veux continuer à me voir. Et tu veux m'emmener dîner pour mon anniv.

— Ouais, c'est ça, a-t-il fait.

Je me suis un peu écartée pour le regarder en face. Ses yeux étaient tout embrumés à cause du trop-plein d'alcool et du manque de sommeil. Alors j'ai songé que le statu quo était mieux que rien et, en m'efforçant de sourire, je lui ai dit la seule chose qui me venait en tête :

— Bon, d'accord.

Il avait de la chance que je me fiche des étiquettes. Tout ce qui m'intéressait, c'était la surprise pour mon anniversaire. Des fois, je suis vraiment trop facile à contenter, comme fille.

## Chapitre 15

# Le mercredi, c'est sieste coquine

IL RECOMMENÇAIT À SE passer des trucs chelou au boulot. En mars et avril, plusieurs fonds d'investissement qui avaient pourtant pignon sur rue ont mis la clef sous la porte, et les marchés ont eu la même réaction que nous : ils ont flippé. Je me rendais compte que j'avais pris pas mal de choses pour acquises, comme le fait que les sociétés implantées à Wall Street arriveraient toujours à se renflouer, d'une manière ou d'une autre, pour éviter la faillite. Du coup, j'ai fait mon possible pour me rencarder au maximum sur la conjoncture et ses conséquences éventuelles, et je n'ai même pas eu le temps de dire « ouf » qu'on était déjà à la mi-avril. Mon vingt-quatrième anniversaire était imminent.

Le jour fatidique (un samedi, heureusement), j'ai été réveillée par quelqu'un sonnant à ma porte. J'ai regardé le réveil : 8 h 45.

— Joyeux anniversaire, Alex ! se sont exclamées Liv et Annie en chœur, quand je leur ai ouvert. La première tenait un énorme bouquet de fleurs à deux mains, la seconde une bouteille de Veuve Cliquot et trois verres.

— Alors, ça fait quoi de se rapprocher encore un peu plus des trente ans ? J'aimerais bien le savoir, histoire de me préparer à avoir le même âge que toi. Oh, mais suis-je bête, il me reste encore huit mois !

Liv adorait l'idée que je sois plus vieille qu'elle, parce que ça voulait dire que je serais toujours la première à avoir les âges que les femmes n'ont généralement pas envie d'avoir, à commencer par trente ans. Moi je m'en fichais : elle avait été super jalouse de moi de seize à vingt et un ans.

— C'est fantastique, salope, ai-je rétorqué en bâillant. Je vois pas de différence entre vingt-quatre et vingt-trois, à vrai dire. Qu'est-ce que vous faites là si tôt, les filles ?

— Ben, on est venues fêter ça avant ton rendez-vous sexy, tu sais celui pour qui tu nous as laissées en plan, a expliqué Annie.

— Très drôle.

En fait, ce n'était pas plus mal que je me lève tôt. J'avais passé la semaine à me bichonner pour mon rendez-vous mystère. J'avais dépensé plus de 500 dollars pour faire une révision complète : manucure, pédicure, épilation à la cire, soin du visage « triple oxygène », nouvelle coupe de cheveux, mèches, gommage sur tout le corps, enveloppement aux algues et massage. Bon, les algues, ce n'était peut-être pas absolument nécessaire, mais les filles du spa m'ont juré que ça allait détoxifier et raffermir ma peau, alors il n'y avait pas de raison de s'en priver.

— À la tienne, Alex, m'a fait Annie, qui avait ouvert le champagne. (On a joyeusement trinqué, et les petites bulles m'ont fait monter les larmes aux yeux.) Alors, qu'est-ce que Mister Will et toi vous faites ce soir, à ton avis ? Peut-être que la grande surprise, c'est qu'il accepte enfin de nous rencontrer ?

— Il m'a rien dit. J'imagine qu'il va m'appeler ou m'envoyer un texto tout à l'heure, avec les infos. Pour tout vous dire, je suis juste contente qu'il ait envie de fêter mon anniv avec moi. On se voit jamais le week-end, alors c'est quand même une petite victoire.

Sans transition, Liv m'a tendu un petit sac qui avait été bourré de papier de soie blanc dans le but de cacher (sans succès) ce qu'il y avait en dessous, à savoir un objet recouvert de plumes roses. Oh mon Dieu. En extirpant ledit objet, je me suis aperçue que les plumes étaient collées sur un tube en plastique transparent contenant… quoi ? Des chaussettes ? Dans tous les cas, il y avait plusieurs trucs en coton dedans, en boules de toutes les couleurs. J'ai repéré du rouge, du rose, du violet, du noir.

— Allez, vas-y, ouvre-le ! s'est écriée Annie, qui était devenue rouge comme une tomate.

J'ai extirpé la première boule, et je l'ai secouée pour la détendre. J'ai mis quelques secondes à comprendre que je tenais le premier de sept strings microscopiques représentant les jours de la semaine. (Et il y en avait vraiment sept ; alors Meg Ryan avait tort, dans *Quand Harry rencontre Sally*, quand elle racontait à Billy Crystal qu'il n'y a pas de culotte du dimanche parce que c'est le jour du Seigneur.) Sauf que ça, ce n'étaient pas des sous-vêtements ordinaires ; ça, c'était, hum, comment le dire avec élégance ? C'étaient des strings de salope pour chaque putain de jour de la semaine.

— Sans déconner… Mais où vous avez dégoté ça, les filles ?

— J'y suis pour rien, hein ! C'est Liv qui s'est chargée du cadeau. Moi je t'aurais pris une demi-journée de soin dans un spa, ou un truc comme ça, s'est empressée de m'expliquer Annie.

— Je les trouve rigolos. En tout cas, tu seras la seule à en avoir des comme ça ! s'est défendue la coupable.

— Ça, c'est sûr, ai-je admis.

Si j'avais eu ce genre de trucs quand j'étais petite, ma mère n'aurait pas été obligée d'écrire mon nom sur toutes mes culottes avant de m'envoyer en colo.

— Celui-là, c'est mon préféré, a annoncé Liv en brandissant le string blanc, où la phrase « Le mercredi, c'est sieste coquine » était imprimée en rose sexy, au-dessus d'une bouche encore plus rose et plus sexy.

— Allez, c'est pas le truc le plus cool qu'on t'ait jamais offert ? Tu pourrais peut-être en porter un ce soir pour Will, qu'est-ce que t'en penses ? Attends, je vais trouver le samedi.

Je lui ai arraché le tube des mains.

— Laissons le samedi là où il est, d'accord, ai-je dit en éclatant de rire.

— Je sais pas ce qu'il a prévu pour toi, mais j'espère que vous allez passer une super soirée. Tu nous racontes tout demain, promis ? S'il se démerde pour pas foirer le truc, tu vas avoir l'impression d'être dans un film. Je vois ça d'ici, on l'appellerait « Romance sur le marché des changes », ou mieux, « La Bourse de l'amour », vu que c'est là où vous êtes tombés amoureux, a conclu Annie d'un air rêveur.

— Désolée de flinguer le truc, Annie, mais c'est pas à la Bourse que je bosse.

— On s'en fout. Tu vois ce que je veux dire, quoi. Il y a rien qui ressemble plus à une grande salle avec plein de gens bruyants dedans qu'une autre grande salle avec plein de gens bruyants dedans.

— Ah, mais oui, les grandes salles avec plein de gens bruyants dedans, c'est là où toutes les belles histoires d'amour commencent, c'est bien connu. Au fait, je suis désolée mais je dois aussi préciser qu'il y a pas d'histoire d'amour pour commencer. On sort même pas officiellement ensemble.

— Si ça ressemble à un canard, et que ça cancane comme un canard…

— Hé, tu mets quoi ce soir ? m'a demandé Liv en ouvrant grand les portes de mon dressing. Faut que tu sois ultra-sexy.

Je leur ai montré la tenue à laquelle je pensais pendant qu'on finissait le champagne. La journée avait super bien commencé, et ne pouvait se terminer que mieux.

Je me suis toujours targuée d'être le genre de fille capable de gérer à peu près toutes les situations. On ne peut pas dire que je panique facilement. Je ne suis pas une fille collante, ni dépendante. Cependant, je suis un peu (et par là, je veux dire vraiment un tout petit peu) parano. Quand j'ai vu qu'il était presque 19 heures et que j'étais toujours assise sur mon canapé à mater la télé, j'ai commencé à me vexer pour de bon. J'avais déjà envoyé deux textos à Will, à 18 heures et le second à 18 h 30, dans lesquels j'avais délibérément adopté un ton enjoué et en tout point correct, et où je lui demandais seulement à quelle heure il venait me chercher, ou si je pouvais le retrouver quelque part, peut-être. Quand j'ai vu qu'il ne répondait pas, j'ai envisagé les deux scénarios les plus logiques, forcément : soit il était mort, soit il avait perdu connaissance. Si c'était le cas, j'étais quand même super égoïste de m'énerver pour une soirée d'anniversaire ratée, alors que lui se vidait de son sang dans la salle des urgences d'un hôpital public, non ? Quatre textos plus tard, j'étais passée par tous les états, de l'inquiétude au dépit modéré, et pour finir, à la rage totale.

Premier message, 19 h 30 :

***SMS DE GARRETT, ALEX :***
*Est-ce que ça va ? Appelle-moi, s'il te plaît. Je commence à m'inquiéter de pas avoir de nouvelles de toi.*
*Deuxième message, 20 heures :*

***SMS DE GARRETT, ALEX :***
*Si t'as voulu me faire une farce pour mon anniversaire, c'est pas drôle. Je crois que ça aurait pas été pire si t'avais écrasé le chien que j'avais quand j'étais petite. Rappelle-moi.*
*Troisième message, 20 h 30 :*

***SMS DE GARRETT, ALEX :***
*T'as plutôt intérêt à être mort.*
*Quatrième message, une heure plus tard :*

***SMS DE GARRETT, ALEX :***
*Non mais sérieux, il est 21 h 30. Ça devient lourdingue, là. T'es où ?*

J'ai essayé de garder mon calme.

Ne pas paniquer. Ne pas paniquer. Il y a forcément une explication. Personne ne ferait sciemment ça à quelqu'un, c'est trop cruel. J'ai vu des émissions de Jerry Springer où les gens montraient plus de compassion que ça en racontant des horreurs sur leur mère. Donc, il y a forcément une explication. Il faut simplement lui laisser le bénéfice du doute jusqu'à ce que tu l'entendes. Le plus important, ici, c'est vraiment de ne-pas-paniquer.

À 22 heures, j'étais assise sur le rebord de ma fenêtre en larmes, à cloper et à me ronger les ongles jusqu'à niquer complètement ma manucure. Je ne quittais pas le portable des yeux, m'attendant à ce qu'il sonne d'une seconde à l'autre, mais il restait obstinément silencieux. Mon cerveau refusait encore d'accepter que Will m'ait tout simplement posé un lapin.

À 22 h 45, j'ai entendu le bip tant attendu. Aurais-je dû me sentir honorée de voir qu'il prenait enfin le temps de répondre à l'un de mes innombrables textos, sans compter les coups de fil qui m'avaient renvoyée direct à sa messagerie ? J'ai tapoté sur mon téléphone avec la même crainte mêlée d'excitation que lorsque j'avais ouvert la lettre de réponse à ma candidature à l'université de Virginie. Jusqu'à ce que je lise son message ; ensuite, j'ai juste eu envie de vomir.

***SMS DE PATRICK, WILLIAM :***
*Je suis vraiment désolé, mais je me sens pas bien. Je pourrai pas ce soir. Au temps pour moi, joyeux anniversaire.*

Au temps pour moi ? Sérieux ? Cette soirée d'anniversaire venait de devenir la plus décevante, la plus déshonorante, la plus déprimante de ma vie. Je suis allée dans la salle de bains me démaquiller, mais les larmes en avaient déjà pas mal enlevé. J'ai jeté mes nouvelles fringues par terre et je me suis traînée jusqu'au lit, avec la ferme intention d'y rester jusqu'à ce que je sois obligée d'aller au boulot lundi matin. Quand Annie m'a envoyé un texto à 23 heures pour me demander si je m'éclatais, j'ai répondu :

*Suis à la maison. Will = salaud.*

J'ai enfoui mon visage dans l'oreiller, j'ai pleuré un bon coup, et en silence j'ai maudit le jour où il était né. Quelque part, c'était réconfortant de savoir que quand on est vraiment au fond du trou, on ne peut pas faire autrement que de remonter.

Du moins, quand on tombe si bas qu'on pourrait tout aussi bien avoir atterri dans un resto de nouilles en Chine.

J'ai tenté d'ignorer l'interphone le lendemain matin, mais quand mon portable s'est mis lui aussi à sonner sans arrêt, j'ai bien dû me forcer à répondre. Mon concierge m'a informée qu'Annie était en bas, et qu'elle avait la ferme intention de rester. Je lui ai ouvert en pyjama, et à voir sa tête, j'ai compris que j'avais l'air aussi dévastée à l'extérieur qu'à l'intérieur. Jusque-là, c'était vraiment une réussite, ces vingt-quatre ans. Chapeau bas.

— La vache, a-t-elle fait en se jetant dans mes bras et en me serrant comme si j'étais une orange à presser. On devrait le fusiller, Al. Punaise, à bout portant, même… D'une balle dans la tempe.

J'ai hoché la tête d'un air larmoyant.

— C'était quoi, son excuse ?

— Il a dit qu'il se sentait pas bien.

— Comment ça, il se sentait pas bien ? Est-ce qu'il a chopé le virus H5N1 ? Est-ce qu'il a la peste bubonique ? Tout le reste est totalement inacceptable.

— Je sais, ai-je fait en éclatant en sanglots.

Elle a regardé mes pauvres ongles rongés jusqu'aux cuticules.

— Oh là là, mais qu'est-ce que t'as fait à tes petites mains ?

— Ça aurait pu être pire, ai-je pleurniché. J'aurais pu tenter de m'ouvrir les veines au tire-bouchon.

— La première chose à faire est de réparer cette horreur. Allez, je t'invite. Je devais y aller aussi, de toute façon.

Sauf qu'il n'était pas question que je passe la porte de mon appartement.

— Mais je m'en fous d'avoir de beaux ongles, Annie. Franchement, j'ai d'autres priorités, là.

Je me suis effondrée sur le canapé, et j'ai ramené une couverture sur mes jambes. Les pleurs sont repartis de plus belle. Annie s'est assise à côté de moi.

— Si tu savais comme je suis désolée pour toi, Alex. T'avais l'air tellement contente de passer la soirée avec lui. Il te mérite vraiment pas, le mufle. Tu pourrais trouver quelqu'un de tellement mieux.

— Tu parles, c'est tout le contraire, ai-je gémi. C'est comme si j'émettais un signal que seuls les tarés et les chiens peuvent entendre. Tous ceux avec qui je suis sortie se sont avérés être des enfoirés, Annie, tous. Pourquoi je tombe jamais amoureuse des gentils ?

— Parce que t'es attirée par les mauvais garçons. Parce que tu penses que les mecs gentils, c'est des chochottes.

— Je me suis tellement juré que jamais je m'aplatirais comme une carpette, devant personne. Je m'étais même pas rendu compte que c'était déjà fait.

*Ah, cruelle ironie de la vie !*

— T'es pas une carpette, et t'as rien fait de mal. Depuis le début, il t'encourage juste ce qu'il faut pour maintenir ton intérêt. Le problème vient pas de toi, mais de lui. *Toi*, tu vas très bien.

— Comment tu peux dire ça ? Je vais *pas* bien, non. Et je peux pas exactement me permettre de tomber en dépression nerveuse en direct sur le parquet. Comment je vais faire pour le côtoyer tous les jours sans péter les plombs ? Comment je suis censée travailler avec lui, après ça ?

— On va trouver une solution. T'inquiète pas de ça pour l'instant.

Bon conseil, sauf que je n'arrivais à rien faire d'autre.

— Je vais être obligée de démissionner, c'est clair. Chick avait raison, sortir avec un collègue, c'est vraiment une idée à la con. Un désastre, même, ai-je geint en essuyant mes larmes sommairement.

— Tu ne vas pas démissionner, et certainement pas abandonner ta carrière à cause de lui. Tu vas aller au bureau et être la fille forte et déterminée que t'as toujours été. Allez, ouste. Enfile un jean.

Il était midi et demi quand on est entrées dans le salon bondé. On s'est approchées du présentoir à vernis, pour faire notre choix.

— Tu vois « Chaussons de danse », toi ? m'a-t-elle demandé en prenant flacon après flacon de vernis rose pour lire les étiquettes. Je le trouve pas.

— T'as jamais pensé que c'était vraiment crétin, les noms des vernis ? ai-je rétorqué, ma mauvaise humeur revenant dare-dare. Enfin, je veux dire, regarde ça : « Cottage d'automne », « Route des Hamptons », « Chamallow », « Mariée rougissante ». Non mais sans déc', qui est-ce qui pond des trucs pareils ? (J'ai pris un flacon marron foncé, et je l'ai retourné pour lire.) Celui-là, il s'appelle « Baisers chocolatés ». C'est du *marron*, Annie. Baisers chocolatés, ah ! J'me marre ! On devrait plutôt l'appeler « Écrase-merde ».

— T'imagines ? « Bonjour, je voudrais le forfait manucure et pose de vernis avec la nuance "Écrase-merde", s'il vous plaît », a-t-elle fait en éclatant de rire.

— Tiens, mais en voilà une idée de reconversion. Je pourrais fabriquer ma propre ligne de vernis à ongles, avec des noms plus appropriés. Des vernis pour femmes aigries, quoi. Ah ! Je viens de trouver mon slogan.

— D'accord, a-t-elle renchéri pour me faire plaisir. Et c'est quoi ton idée de noms de vernis plus appropriés ?

— Par exemple, « Route des Hamptons » deviendrait « Autoroute à péage du New Jersey ». Voyons voir, il pourrait y avoir les nuances « Surmenée et sous-payée », « Baratineur de mes deux », « Suceur de sang ». Celle-là, je la vois bien sur un beau rouge vermillon.

— Et pourquoi pas « Contrat de mariage » ? Ou bien « Larguée devant l'autel », a-t-elle suggéré, se prenant soudain au jeu.

J'ai levé un poing renfrogné pour l'encourager.

— Ouais, excellent ! Attends, qu'est-ce que tu dis de « Village de mobile homes » ? C'est dix fois mieux que « Cottage d'automne », nan ? Sérieux, il y a sûrement un marché pour ça. Quand tu penses au nombre de femmes qui font exactement la même chose que nous en ce moment… Il doit y en avoir un paquet qui sont déprimées ou super vénères comme moi, c'est clair. Et si t'as le cafard ou que t'en as marre de tout quand tu te fais faire les ongles, tu devrais vraiment pouvoir choisir une couleur qui reflète ton humeur pourrie. C'est vraiment trop demander ? (Je me suis mise à faire de grands gestes désordonnés, tout en poursuivant mon monologue délirant d'une voix de plus en plus forte.) Par exemple, disons que le mec que tu vois depuis un moment te laisse en plan au dernier moment le soir de ton anniv, ben t'as peut-être pas envie de te peindre les ongles en « La vie est belle ». Genre, « La vie est moche », ça te parlerait carrément plus ! Sale con. C'est ça la couleur que je veux sur mes ongles, Annie. À ton avis, il y a « Sale con » quelque part, là ?

J'étais en train de farfouiller dans les flacons quand je me suis vue dans la glace. J'avais les yeux hagards, les joues toutes rouges, les cheveux en bataille. En résumé, j'avais l'air d'une cinglée.

Annie m'a gentiment attirée vers un canapé moelleux en velours rouge.

— Alex, tu déraillles, là, m'a-t-elle dit en jetant des regards furtifs autour de nous.

Quand on nous a appelées pour la pose du vernis, on a dû rester assises en silence pendant un moment et j'ai senti ma tension revenir peu à peu à la normale. Ensuite on est passées au séchoir, et voyant que j'étais redevenue tout à fait calme, Annie a enfin parlé.

— Écoute, m'a-t-elle dit gentiment. J'aurai beau te dire un tas de trucs positifs, ça t'aidera pas à te sentir mieux, je le sais. La seule chose que je peux vraiment faire, c'est te montrer à quel point c'est un type abject. Et que tu mérites pas d'être traitée comme ça.

Je n'ai rien dit. En observant mon pouce droit, j'ai remarqué un poil figé dans le vernis.

*Youpi.*

— T'as envie de te balader un peu, après ? a-t-elle demandé, pleine d'espoir. Ça nous ferait du bien de prendre l'air. Viens faire un peu de shopping avec moi. Je veux pas que tu restes toute seule chez toi.

— Mais je serai pas toute seule. J'ai deux ou trois bouteilles au frais pour me tenir compagnie.

J'ai jeté un œil au portable, posé sur la tablette. Je suis masochiste. Je sais.

— Alex, il t'appellera pas. Plus vite tu l'accepteras, mieux tu te porteras.

— Peut-être qu'il est vraiment malade, ai-je couiné.

— Je crois pas, non.

— Je sais.

Et allez, c'était reparti pour la fontaine. Je détestais pleurer en public, en plus. Même si le « public », c'était deux nanas du salon de manucure et une amie – c'était encore trois personnes de trop.

*Bip*. Je me suis raidie d'un coup. J'ai regardé le téléphone, et sa petite lumière rouge qui me torturait. Je me suis jetée dessus. Et trop vite j'ai senti mon cœur se serrer, au moment où les habituelles sensations d'espoir et de déception se heurtaient de plein fouet dans ma cage thoracique.

***SMS DE KIERIAKIS, RICK :***

*J'ai entendu dire que c'était ton anniversaire, hier. J'adorerais le fêter avec toi. Allons dîner ensemble cette semaine.*

Annie a lu le message, et elle a carrément éteint mon portable.

— OK, ça suffit les conneries maintenant. Je t'interdis de te servir de ce truc jusqu'à nouvel ordre. Entre Will et Rick, t'es vraiment tombée sur les deux plus gros enfoirés de la terre.

J'ai haussé les épaules pour toute réponse. Je refusais d'accepter le fait que quelque part, j'étais complice de la tragédie qu'était devenue ma vie. Ma voix s'est cassée quand j'ai dit :

— Je peux pas aller bosser demain.

— Si, tu peux. Ce sera cent fois pire, si tu le laisses voir combien il t'a blessée.

— Mais enfin regarde-moi, Annie ! Il a juste à poser les yeux sur moi pour voir que je suis bouleversée. Complètement déboussolée, même ! T'aurais pas un calmant, d'ailleurs ? l'ai-je suppliée.

— Désolée, mais les stupéfiants sont interdits.

— Et après tu te dis mon amie. On pourrait aller dans un bar s'envoyer des cocktails, alors ?

— C'est une mauvaise idée de boire. Pas d'alcool non plus.

Je n'avais pas beaucoup le choix, apparemment.

— OK, t'as gagné, maman.

Quand je me suis réveillée le lendemain matin, je ne ressentais plus qu'une seule chose : de la colère. J'allais dire à Will ce que je pensais de lui à la première occasion – et rien à faire qu'on nous entende.

En arrivant sur le parquet, j'ai fait semblant d'être hyper concentrée sur la rubrique « Marchés financiers » du journal, et j'ai bien pris soin de détourner le regard de son bureau. J'étais à quelques mètres du mien quand j'ai vu Patty faire un bond sur son siège et piquer un sprint vers moi. J'avais oublié que je lui avais parlé de mes projets d'anniversaire avec Will. J'ai tenté de lui sourire, et de faire comme si je n'avais pas l'impression qu'on avait balancé mes intestins dans un blender et appuyé sur le bouton « Purée ». Elle m'a empoignée par le bras, et m'a fait faire demi-tour.

— Salut, on repart dans l'autre sens, s'est-elle exclamée d'un air enjoué.

— Oui, je vois ça. Et pourquoi ?

— Il faut qu'on parle.

— On va où ? ai-je demandé. (Pas de réponse.) Patty, lâche-moi, s'il te plaît. Franchement, si tu savais le week-end que j'ai eu, tu comprendrais que j'ai vraiment pas besoin de ça ce matin. Je te le dis tout de suite, je suis à deux doigts de péter un câble.

— Je crois que je sais exactement le genre de week-end que t'as passé, Alex. Fais-moi confiance sur ce coup-là. On va aux toilettes du sixième. Y'a jamais personne, là-bas.

La panique s'est emparée de moi. Si elle se sentait obligée de me faire quitter la salle des marchés, c'est qu'elle était sur le point de m'annoncer quelque chose de très, très moche et ne voulait pas que je m'effondre devant tout le monde.

D'un ton neutre, elle m'a fait :

— T'as pas bonne mine.

— Sans déc'.

— Non, mais sérieux, Alex.

— Ouais, sérieux, Patty. Sans déc.

— Si tu savais comme je suis désolée de ce qui s'est passé, je le déteste ! s'est-elle écriée en serrant les dents.

J'ai planté mes talons dans l'épaisse moquette, et tiré sur son bras comme un chien têtu sur sa laisse.

— Attends, comment tu sais ce qui s'est passé ?

— Euh, je crois pas que *toi*, tu saches vraiment ce qui s'est passé. Si c'était le cas, tu serais pas venue ce matin, je pense.

Je suis passée sans transition du gros flip à l'hallucination totale quand on a poussé la porte des toilettes. Devant nous, dans toute sa gloire siliconée, se tenait Baby Gap. Elle avait branché un mini-séchoir de voyage dans la prise au-dessus du lavabo, et se faisait tranquillement un brush en s'aidant de la glace. Vu qu'il était 7 heures du mat', et qu'il n'y avait pas de vestiaires avec douches dans le building, c'était déjà assez surréaliste comme ça de la croiser aux toilettes des femmes, la tête mouillée et le sèche-cheveux en main. Mais ce qui était *vraiment* choquant, c'était qu'elle était quasiment nue. Un soutif en dentelle rouge (qui arrivait à peine à contenir ses implants mammaires) assorti au string – et c'était tout. Cette vision allait me hanter jusqu'à la fin de mes jours, obligé. Elle était pieds nus (en plus, beurk !), et avait posé toutes sortes de lotions, de produits de beauté, un parfum et même un rasoir devant elle, à côté du lavabo. Visiblement, on n'était pas les seules à venir se planquer au sixième pour avoir un peu d'intimité.

— Salut, les filles ! a couiné Hannah d'un air enjoué, tétons pointés vers nous.

— Mais qu'est-ce tu fous là ? s'est étranglée Patty.

— Oh mon Dieu, me suis-je exclamée en détournant les yeux. Me dis pas que t'as encore dormi dans la salle de conférence ?

— Quoi ? s'est écriée Patty.

Hannah a éclaté de rire.

— Mais non ! C'est juste que je suis sortie vraiment tard hier soir, avec la clique du desk Marchés émergents. On est allés au Cipriani, après ça au Marquee, et pour finir dans un *diner*. Ils sont hyper marrants, ces mecs ! Je me suis éclatée !

— J'en doute pas, a commenté Patty d'un ton irrité, en voyant son plan contrecarré par la bimbo de service. Alors comme ça, t'es pas rentrée chez toi ?

— Pas chez moi, non. Enfin vous voyez, quoi.

On l'a dévisagée, et on s'est barrées de là sans dire un mot. Derrière la porte fermée, je l'ai entendue crier de sa voix guillerette :

— Eh, vous gardez ça pour vous, d'accord ?

Plus de doute, on savait maintenant dans quelle catégorie de femmes bossant à Wall Street Baby Gap se rangeait.

Tout en se couvrant la bouche pour rester discrète, Patty a marmonné :

— Attends, j'ai vraiment vu ce que je viens de voir, là ? Alex, elle est à poil dans des toilettes publiques ! Avec tout le nécessaire pour découcher dans son sac à main ! Franchement, je commence à me demander si on finit pas par perdre vraiment la boule, à force de rester ici.

Sur le coup, j'étais assez d'accord.

Le plan B, c'était les toilettes du quatrième, apparemment. C'est seulement une fois là que j'ai remarqué l'exemplaire du *Boston Globe* qu'elle avait calé sous son bras.

*Tiens, curieux.*

Patty a inspiré bruyamment, et en a profité pour chasser une mèche récalcitrante en soufflant.

— J'ai un truc à te montrer. Et tu vas vraiment pas avoir envie de le voir, mais c'est en train de faire le tour du desk en ce moment, et si je te le montre pas ici, tu vas finir par l'apprendre là-bas, et je crois que c'est mieux comme ça.

— Qu'est-ce qu'il peut bien y avoir dans ce journal pour que tu fasses tout ce cinéma ? Et pourquoi t'as un journal de Boston, d'ailleurs ? Tu me fais vraiment flipper, là.

Je me sentais oppressée tout d'un coup, comme paralysée par la peur.

— C'est un trader du bureau de Boston qui l'a envoyé à Chick en FedEx. Alex, c'est… horrible.

Et sans transition, elle a ouvert le journal à une page précise, pour m'indiquer une photo avec une légende inscrite en dessous. Quand j'ai fini par comprendre ce que je regardais, je me suis précipitée dans une cabine pour vomir.

— Alex, je suis sincèrement désolée. Ça aurait été pire, devant tout le monde.

Et moi qui m'étais rendue malade pour ce mec, alors que c'était *lui*, le grand malade. « Mademoiselle Vanessa Manerro de Wellesley, dans le Massachusetts, va bientôt épouser monsieur William Patrick, de New York », disait la légende. Et la photo : samedi soir, pendant que j'attendais comme une conne chez moi qu'il vienne me chercher, Will était avec sa fiancée. Pendant que je lui envoyais des textos et que je m'inquiétais qu'il lui soit arrivé malheur, il était occupé à siroter du champagne avec cette fille – que j'avais la curieuse impression d'avoir déjà vue quelque part, d'ailleurs. Elle avait un serre-tête Burberry dans les cheveux. La copie conforme de celui que Will m'avait offert. J'en ai lâché le journal.

— Désolée, j'ai dû avoir une absence. J'ai vraiment cru que c'était la rubrique « Faire-part de fiançailles » du *Boston Globe*. (Sur ce, je me suis mise à rire très fort, comme font les gens juste avant qu'une camionnette blanche s'arrête devant eux et qu'ils se retrouvent en camisole de force sans comprendre ce qui leur arrive.) Je veux dire, t'imagines ? S'il était vraiment fiancé ?

J'ai continué à rire. Mais en regardant Patty, j'ai vu que, elle, elle ne riait pas. C'était vrai. C'était dans le journal.

— Il est… *fiancé* ? ai-je sangloté, en ressentant soudain une furieuse envie de me baffer. Mais comment c'est possible qu'il soit fiancé sans que je le sache ? Je suis vraiment la plus grosse conne de la terre !

J'ai ramassé le journal par terre, et j'ai parcouru l'article : « mariage prévu à Boston... carrière dans la haute finance... secrétaire chez Cromwell Pierce. »

*Elle travaille ici ? Donc, on travaille toutes les deux chez Cromwell. Enfin, techniquement,* je *travaille ; elle, elle classe les dossiers des autres. Mais comment il a fait pour sortir avec deux nanas de la même boîte en même temps ? Et comment j'ai fait, moi, pour être l'une des deux nanas ?*

J'avais la tête qui tournait, tout d'un coup.

— Alex, dis quelque chose.

J'ai serré mes petits poings, et j'ai senti simultanément les ongles qui me rentraient dans la peau et le flot de larmes qui commençait à couler.

— Elle travaille ici ? ai-je hurlé, la voix méconnaissable, avant de me mettre à trembler de colère, de rage, de furie. Patty ! Comment ça se fait que je le savais pas ?

— Mais elle bosse au bureau de Boston ! Comment t'aurais pu deviner ?

Boston. Will m'avait dit qu'il allait à Boston. Pour affaires. Le soir où il m'avait emmenée sur le toit pour voir Manhattan illuminé. Je ne méritais vraiment pas de vivre, putain.

J'ai fait une boule de ce torchon, et je l'ai balancé dans la poubelle le plus violemment possible. Il a atterri dans un grand bruit au milieu des serviettes en papier et des mouchoirs usagés. J'ai regardé Patty d'un air hébété. Fiancé... comme dans... bientôt marié.

— Il t'a sorti quoi comme excuse, samedi soir ? m'a-t-elle interrogée. Le salaud, il devait pourtant savoir que la photo allait circuler. Il croyait vraiment que t'allais pas la voir ? Elle a été publiée dans le *Boston Globe*, putain ! D'accord, c'est pas le *New York Times*, mais c'est quand même un journal majeur !

— Il m'a dit qu'il se sentait pas bien, ai-je fait d'une toute petite voix.

— Ouais, tu parles. C'est dans sa tête qu'il se sent pas bien, oui.

— Patty, ai-je gémi. Comment je vais faire pour y retourner et faire comme si de rien n'était ?

— Tu vas pas le faire, et puis c'est tout. Je vais aller dire à Chick que je suis tombée sur toi aux toilettes et que tu commençais à être malade, alors t'es rentrée chez toi, a-t-elle dit en tapant du poing sur le comptoir.

Je me suis essuyé la figure, et j'ai tenté de me calmer. Il fallait que je me ressaisisse, si je voulais sortir d'ici discretos. Patty m'a prise dans ses bras, et quand on s'est écartées, toute l'épaule de son pull bleu clair était maculée de mascara, de larmes, et peut-être même de morve. Génial.

— Merci, ai-je murmuré. Si j'avais lu ça devant lui…

Je n'ai pas fini ma phrase, tellement cette pensée me faisait froid dans le dos.

— Rentre chez toi, m'a-t-elle ordonné. Ça pourrait être pire. Tu pourrais être l'autre fille. C'est super moche, c'est clair, mais tu sais la vérité maintenant.

— Ouais, j'ai au moins ça.

Chick avait définitivement raison. Sortir avec un collègue, ce n'était pas simplement une idée à la con. C'était la pire décision que j'avais jamais prise de ma vie.

# Chapitre 16

## La déesse des douceurs

PLUS TARD CET APRÈS-MIDI-LÀ, la sonnerie du portable m'a réveillée d'un sommeil agité, à cause des sédatifs. C'était Liv, mais je n'ai pas pris l'appel. Je n'avais pas la force d'en reparler. Plus jamais de ma vie je ne lirais le journal. À compter de maintenant, pour m'informer, j'allais faire comme la majorité des Américains : regarder le *Weekend Update* dans *Saturday Night Live*, et puis c'est tout.

J'ai écouté le message laissé par Liv. Elle y disait que si ça pouvait me réconforter, elle trouvait la nana hideuse sur la photo qui circulait partout sur le Net. (Merci le réconfort.) Et me rappelait à son tour que j'étais dans une bien meilleure position que cette pauvre fille, dont le fiancé se tapait quelqu'un d'autre à New York pendant qu'elle choisissait son futur service en porcelaine à Boston. (Là, elle n'avait pas tort.)

J'ai décidé d'aller me balader, en me disant qu'un peu d'air printanier m'aiderait à chasser le blues, peut-être. J'ai mis un jean et une vieille veste à capuche, et dehors j'ai pris au hasard la 6e Avenue, en direction du sud. J'ai erré sans but, tellement aveuglée par la souffrance que je ne voyais plus rien autour de moi. Je marchais au radar, incapable de me concentrer sur quoi que ce soit hormis ma tristesse abyssale. Évidemment, j'ai fait l'erreur de quitter le feu tricolore des yeux une seconde pour observer le ciel bleu et les nuages diaphanes – et en moins de deux, je m'étais fait renverser par un livreur à vélo. Il a bien essayé de m'avertir à coups de sonnette furieux, mais c'était trop tard. Il avait le choix entre faucher la fille qui avait l'air complètement dans la lune, ou faire un écart en direction des voitures et risquer la mort.

C'est à peine s'il a ralenti après m'avoir percutée, mais il a quand même trouvé le moyen de se retourner pour me passer un sacré savon – dans une langue que je ne connaissais pas, mais j'ai bien compris l'idée. Pendant ce temps-là, j'étais les quatre fers en l'air dans la rue, et je me suis dépêchée de choper mon sac à main (qui Dieu merci n'avait pas explosé sur la chaussée) et me tirer de là. Une fois sur le trottoir, j'ai regardé si je n'étais pas blessée. J'avais le jean déchiré, le genou gauche en sang et la paume de la main toute râpée. J'étais tellement à bout que j'ai décidé de faire la seule chose que toute New-Yorkaise qui se respecte aurait faite à ma place : je suis entrée dans le premier resto venu, et je me suis assise au bar.

Le barman, un grand baraqué qui avait l'air taillé dans le granit, m'a fait un petit salut.

— Hé, vous allez bien ? s'est-il exclamé en voyant mon genou tout sanguinolent.

— Oh oui, très bien. J'espérais juste que vous pourriez me servir un verre de pinot gris. Un grand.

Il a jeté un coup d'œil à l'horloge.

— Pas de problème. On est entre deux services, alors la cuisine est fermée. Mais le bar est ouvert, et même s'il ne l'était pas, je pense pas que j'aurais eu le cœur de vous mettre à la porte. Vous avez vraiment l'air d'avoir besoin d'un remontant.

— Merci, c'est gentil.

Il a rempli un verre à pied et l'a placé sur une petite serviette devant moi. Puis il s'est retourné pour s'affairer près de l'évier. J'ai pris une gorgée de vin : exactement ce qu'il me fallait.

— Tenez, m'a-t-il dit en se retournant, bras tendu.

Il m'avait fabriqué une compresse (avec des glaçons enveloppés dans un torchon blanc), que j'ai placée avec joie sur mon genou.

— Oh, merci, ai-je lancé, touchée par la gentillesse de ce parfait inconnu. Je m'appelle Alex, enchantée.

— Matt Matthews, a-t-il répondu en me serrant la main. Enchanté également. Pour dire la vérité, je suis bien content que vous soyez là. À cette heure de la journée, c'est toujours un peu trop calme à mon goût.

Matt était mignon, mais comme un entrepreneur en bâtiment ou un vendeur en magasin de bricolage peut l'être : il avait l'air d'avoir vécu un peu. Ses bras (du moins, ce que j'en voyais) étaient couverts de tatouages élaborés. En clair, il avait l'air d'être le genre de mec à avoir un tas d'histoires à raconter, mais aussi à être capable de réparer une fuite dans la salle de bains, une machine à laver, ce genre de trucs, quoi. Et ça, ça ne rebutait *jamais* une fille.

— J'imagine, ai-je fait. Ça fait combien de temps que vous bossez ici ?

— Depuis six mois. Mais c'est juste un petit job. En fait, je suis une formation pour devenir chef cuisinier.

— Vous voulez être chef ? C'est cool, ça.

— Merci, je trouve aussi. Alors, qu'est-ce qui vous est arrivé ? C'est plutôt rare, les filles qui entrent ici au beau milieu de l'après-midi avec la jambe en sang pour me demander du vin. C'est dommage, d'ailleurs, parce que je me marrerais carrément plus.

— Je suis sûre que vous me croiriez pas si je vous racontais.

— Hé, je suis barman. J'en ai entendu des trucs incroyables, vous savez.

— Je me suis fait renverser par un livreur à vélo. Il s'est même pas arrêté, le pignouf. Il a dû me prendre pour un dos d'âne, j'imagine.

J'ai tamponné ma paume égratignée avec une serviette à cocktail.

— Vous savez, je suis toujours surpris que ça n'arrive pas plus souvent, ce genre de trucs. Perso, j'ai évité la collision de justesse plusieurs fois. Mais j'avais jamais rencontré quelqu'un qui s'est fait vraiment renverser.

— Ben c'est votre jour de chance, alors.

— On dirait bien. Vous avez le temps pour une seconde tournée ? Ou peut-être que vous devez retourner au boulot ?

J'ai regardé ma montre : 16 h 30. Il était tôt, mais je me sentais on ne peut mieux. Un petit verre de plus ne pourrait pas me faire de mal, n'est-ce pas ?

Je lui ai fait oui de la tête.

— D'accord, Matt Matthews, une seconde tournée. Merci.

J'ai hésité à lui expliquer pourquoi je faisais l'école buissonnière, me disant que ce serait un peu *too much*. Et puis après je me suis dit, et pourquoi pas ? Ou alors, c'est le vin qui l'a pensé pour moi. Dans tous les cas, je me suis lancée.

— Non, je dois pas retourner au boulot. En fait, j'ai pris ma journée pour raisons de santé. Mentale, je précise. D'où ma virée au bar en plein après-midi.

— De santé mentale ? Eh ben, qu'est-ce qui s'est passé ?

— C'est le genre de question que vous allez regretter d'avoir posée.

— Non, ça m'intéresse, je vous assure.

— Alors voilà. Je sortais vaguement avec un collègue, mais personne au bureau était au courant. Du moins, je crois pas – non, en fait, je prie pour que personne ait deviné.

— Et vous êtes dans quoi, exactement ?

— La finance.

— Wall Street ? Sans blague. Vous êtes pas beaucoup aimés, en ce moment.

— M'en parlez pas. Enfin voilà, il m'a dit qu'il voulait pas d'une relation sérieuse et je respecte ça, alors on se voyait un peu comme ça, de temps en temps. Il s'avère que samedi c'était mon anniversaire, et il m'avait invitée à dîner. Mais en début de soirée, zéro coup de fil pour me dire à quelle heure il venait me chercher, zéro réponse à mes textos, et au final je me suis rongé les sangs jusqu'à 11 heures du soir avant d'avoir de ses nouvelles. Et encore, il s'est pas foulé, il m'a envoyé un SMS disant simplement qu'il était malade. Résultat, quand j'arrive au bureau ce matin, je suis prête à le tuer de mes propres mains. Et qu'est-ce que je découvre ? Que son faire-part de fiançailles a été publié dans le journal d'hier. Alors pour éviter de sombrer définitivement dans la folie, j'ai pris un ou deux jours de congé.

Matt a croisé les bras sur sa poitrine et m'a regardée d'un air sceptique.

— Sans rire, c'est vraiment arrivé, votre histoire ?

— Juré craché.

— Ah ouais, quand même. Si ça peut vous consoler, on dirait bien que vous êtes mieux sans lui. (Il a attendu une minute, et voyant que je ne réagissais pas, il a continué.) J'ai été fiancé, une fois. Quand j'avais vingt-deux ans, j'ai demandé en mariage la copine avec qui je sortais depuis le lycée.

— C'est vrai ? Et alors ?

Matt a ouvert une autre bouteille de pinot, et s'est servi un verre.

— Ben, elle a commencé à être hyper bizarre, environ un mois avant le mariage. Elle me rappelait jamais, et quand on était ensemble, j'avais vraiment l'impression qu'elle avait la tête ailleurs, vous voyez le tableau ? Alors un jour je suis allé la voir, je l'ai forcée à s'asseoir et je lui ai demandé ce qui allait pas.

— Et ?

— Figurez-vous qu'elle avait décidé qu'elle était trop jeune pour se marier. Elle voulait « vivre des expériences » avant de « s'engager ». Elle voulait partir à Los Angeles, et tenter sa chance dans le cinéma. Et elle voulait y aller seule. À l'époque ça m'a brisé le cœur, mais je l'ai laissée partir. Résultat, aujourd'hui elle fait du porno soft pour payer ses factures et elle vit avec un type qui s'appelle Blade. Et moi, j'ai intégré une prestigieuse école des arts culinaires et je suis là, à bavarder avec vous. Alors vous voyez, ça se goupille bien finalement. Je suis sûr que ça fera pareil pour vous. (Il a indiqué du doigt mon verre encore à moitié plein.) Celui-là est offert par la maison. Joyeux anniversaire. Ça ne peut qu'aller mieux, à partir de maintenant.

— Je prie pour que vous ayez raison, ai-je soupiré. Bon, et sinon « Matt Matthews », c'est rigolo comme nom, ça. Vos parents manquaient un peu d'originalité, on dirait ?

— On peut dire ça, oui. L'une des principales raisons qui m'ont fait quitter Pittsburgh pour venir ici, c'est que tout là-bas me paraissait ennuyeux à mourir. J'avais vraiment besoin d'évoluer parmi des gens un peu plus palpitants. Comme des gens qui se font renverser par des livreurs à vélo en plein après-midi sur la 6e Avenue, par exemple.

— Parlez-moi un peu de votre école. Qu'est-ce qui vous a donné envie de devenir chef cuisinier ?

— Quand mon ex s'est barrée à L.A., j'ai déménagé ici et j'ai bossé quelques années dans différents restos, tout en mettant de l'argent de côté pour pouvoir payer mes frais d'inscription à l'Institut culinaire de Manhattan. J'en ai pelé, des patates, avant de pouvoir y entrer. Mon idée serait d'ouvrir mon propre resto un jour, alors je veux en apprendre le plus possible maintenant.

— Ça a l'air génial. Moi aussi, j'aime bien faire la cuisine. Hier, à la télé, j'ai vu quelqu'un qui préparait un poulet aux noix de cajou et elle avait l'air super heureuse. C'est difficile d'y entrer ?

— La candidature en elle-même est très simple. Il suffit d'aller sur Internet et de remplir un dossier, donner sa taille d'uniforme et verser un acompte. Si vous y allez à plein temps, en six mois vous avez votre diplôme. Si vous faites les cours du soir comme moi, ça prend neuf mois, mais c'est mieux parce que ça permet d'avoir un job à côté. C'est toujours ça de gagné, quand on a déjà un prêt étudiant à rembourser.

— Et comment ça se passe, pour les trucs qui donnent limite envie de vomir ? Moi, par exemple, je supporte pas la mayonnaise. Je pense pas que j'arriverais à cuisiner ce produit-là. Vous croyez que ce serait un problème ?

Matt s'est esclaffé.

— Oui, ça ferait un peu désordre. Sinon, vous pouvez toujours vous spécialiser en pâtisserie. Un problème avec le sucre ?

— Ce serait plutôt mon péché mignon, oui.

— Dans ce cas, si vous avez envie de recommencer à zéro… (Matt a pris une serviette sur la pile au bout du comptoir, et noté une adresse Internet dessus.) … tenez. Vous pouvez toujours vous renseigner. J'ai rencontré plein de gens sympas dans cette école, et certains de mes profs sont de très grands chefs.

J'ai plié la serviette en deux et je l'ai fourrée dans la petite poche de mon sac. Il était déjà 18 heures, et j'étais clairement éméchée.

— Bon, je crois que je vais rentrer. Avant d'être complètement soûle et de me refaire faucher dans la 6e Avenue.

En me mettant debout j'ai vu que je chancelais un peu – d'accord, à cause de mon taux d'alcoolémie dans le sang, mais mon genou m'élançait aussi sérieusement.

— Merci pour l'agréable compagnie. C'était sympa. J'espère que votre ex reviendra vous voir à trente ans, toute décolorée et toute flétrie, pour pleurer sur votre épaule parce que Blade l'a quittée pour la minette de vingt ans qui faisait la doublure cul dans ses films.

— Ah ah ! Merci, Alex ! Et moi j'espère que votre gros loser de collègue sera atteint de calvitie précoce et attrapera la chtouille. Et faites-moi plaisir, regardez des deux côtés quand vous traversez maintenant, d'accord ?

En rentrant, j'ai médité sur les paroles de Matt. Alex Garrett, chef pâtissière. Ça sonnait carrément mieux que : Alex Garrett, tradeuse. On dit toujours que le plus important est de faire ce qu'on aime, et que l'argent et le bonheur suivront. D'accord, je venais peut-être de me siffler une bouteille de vin le ventre vide, mais je sentais vraiment que c'était un truc à envisager. Je pourrais être décoratrice de pièces montées. Ça, ce serait un métier satisfaisant. Jouer un rôle dans le plus beau jour de la vie de quelqu'un, ce serait chouette, non ? Pour la première fois depuis la trahison de Will, je me sentais optimiste.

*Ma vie retrouve un sens. J'ai trouvé ma vocation ! Je sais comment me sortir de ce pétrin.*

Voilà. Je vais être la Reine des Gâteaux Fourrés, la Diva des Décors en Sucre, la Déesse des Douceurs (Marchetti prendrait une carte de fidélité, c'est clair).

Une demi-heure après, je m'installais sur mon canapé avec une couverture sur les genoux, et j'allumais à contrecœur la chaîne d'infos en continu pour savoir si ça avait été à la Bourse, aujourd'hui. Visiblement, non. Ce n'était vraiment pas le moment de prendre des congés. Je me suis résignée à l'idée de devoir retourner au bureau le lendemain, faute de quoi on risquait bien de me dire de rester chez moi pour de bon.

OK, je l'admets. Il m'est arrivé plus d'une fois de me réveiller sur le canapé, au lieu du lit. Mardi matin, en voyant le cadavre de bouteille qui gisait sur la table basse à côté de mon ordi, je suis tout de suite allée sur ma boîte de réception pour vérifier que je n'avais pas fait de connerie, du genre envoyer ma lettre de démission à Chick par mail. Coup de bol, je ne l'avais pas fait. Bon, par contre, j'avais fait un truc tout autant stupide. J'ai fixé pendant un moment le message qui me faisait de l'œil dans ma boîte, puis je me suis décidée à l'ouvrir.

***MESSAGE DE L'ICM :***

*Mlle Garrett,*

*Nous vous remercions de vous être inscrite au programme des Arts pâtissiers de l'Institut Culinaire de Manhattan. Nous avons bien reçu votre acompte de 6 000 dollars, et nous vous rappelons que vous vous engagez à régler la somme restante (36 000 dollars) à raison de 6 000 dollars par mois sur les six prochains mois. Vous recevrez sous peu un emploi du temps, ainsi que les formulaires médicaux à remplir. Il vous faudra les renvoyer au bureau des admissions avant le premier jour de cours, soit le 30/04/2008, si vous souhaitez participer au semestre d'été. De nouveau, nous vous remercions de l'intérêt que vous portez au programme des Arts pâtissiers, et nous nous réjouissons d'avance de vous rencontrer très bientôt.*

*Bien à vous,*
*Betty Blum, bureau des admissions*

Oh punaise. Je venais de claquer 6 000 dollars en cours de cuisine. Qui commençaient dans deux semaines. Je n'étais pas très sûre qu'ils acceptent de me rembourser, si je leur expliquais que je m'étais inscrite sous l'emprise de l'alcool. S'il y avait bien une chose que ma journée de congé pour raison de santé mentale avait prouvée, c'est que j'étais bonne à enfermer. Il était vraiment temps de revenir à la réalité.

Dès que je me suis installée à mon poste de travail et que j'ai allumé l'ordi, Will m'a envoyé un mail disant : « Je suis désolé, laisse-moi t'expliquer. »

J'ai répondu par un message tout aussi succinct : « Va te faire foutre. » Le seul problème, c'est qu'écrire une grossièreté de ce genre dans un mail, ça a alerté le service Éthique et déontologie. En moins de deux, Chick a reçu un coup de fil carrément vénère de la police des mails, pour se plaindre du langage déplorable utilisé par ses employés dans leur communication en intranet.

— Hé, La Fille, tu veux bien arrêter d'écrire « Va te faire foutre » dans tes mails, oui ? À cause de toi j'ai les mecs de la déontologie sur le dos.

— Désolée, Chick. C'est pas ce que je voulais dire, lui ai-je répondu, prise de remords.

— Moi, je m'en tape, mais tu pourrais te faire virer pour un truc pareil. Ça va mieux, au fait ?

— Un peu.

— Bon. Au boulot.

***MESSAGE DE PATRICK, WILLIAM :***
*Alex, s'il te plaît, parle-moi…*

***MESSAGE DE GARRETT, ALEX :***
*Va te faire f&utre !*

Ah ! Je les avais bien eus, à la déontologie.

Il n'y avait pas que dans ma vie privée que c'était la cata. Mars 2008 avait marqué le début de l'implosion des marchés, et ça n'avait fait qu'empirer depuis. Les gens avaient acheté des maisons qu'ils ne pouvaient pas se payer, et dépensé de l'argent qu'ils n'avaient pas dans leur porte-monnaie. Wall Street avait vendu leurs créances à des investisseurs, enrichissant un tas de personnes au passage, mais voilà que ça causait des problèmes à n'en plus finir. Tout d'un coup, les valeurs les plus sûres devenaient versatiles. Les banques d'investissement, qui étaient le poumon de Wall Street, ne cessaient de perdre des sous dans les transactions. Certaines ont fait littéralement faillite du jour au lendemain. Des gens ont commencé à perdre leur boulot. D'autres, à se faire expulser de chez eux. Ça n'a pas traîné pour que le pays tout entier nous colle ça sur le dos. Notre boulot, déjà hyper stressant d'ordinaire, est devenu carrément insupportable. L'ironie, dans tout ça, c'est que personne n'est venu nous demander si on devait miser toutes nos économies sur ces transactions foireuses. Personne n'est venu me demander si ça me dérangeait d'endetter l'Amérique jusqu'au cou. Personne n'a su que notre PDG n'est jamais descendu au dixième pour nous demander notre avis avant d'investir nos actions et de mettre en danger l'entreprise qu'on aimait. Aux yeux du public, on était responsables de tout ce qui allait mal aux États-Unis. Je m'attendais à voir en une du journal d'un jour à l'autre que c'était Wall Street qui avait tué Kennedy, et qui voulait la peau de Roger Rabbit aussi.

Le truc le plus dingue, dans tout ce bazar, c'est que Will était devenu le cadet de mes soucis. J'avais encore du mal à le croire mais le printemps et l'été 2008 ne resteraient pas dans les annales comme le moment où la vie d'Alex Garrett avait implosé, mais plutôt comme celui où la vie *tout court* avait implosé.

J'ai été tellement occupée jusqu'à la fin du mois d'avril que, même si j'avais voulu, je n'aurais pas eu le temps de me morfondre sur ce salaud de Will. J'ai lâché 500 dollars pour annuler mon inscription à l'école de pâtisserie, et je me suis retroussé les manches. Je n'avais pas le choix : je devais me concentrer sur mon boulot, me renseigner au maximum pour comprendre ce qui se passait et m'efforcer de montrer le moins possible que je flippais. À la fin de la première semaine de mai, l'équipe était tellement abattue et crevée qu'on avait bien besoin de se remonter le moral. Comme toujours, le remède est venu par la bouffe.

— *E viva Mexiiiiiiiicoooo* ! a chanté Marchetti un matin, planté devant mon bureau. Alex, t'as filé ta commande à Patty pour le déjeuner ? On mange des burritos aujourd'hui, pour fêter le *Cinco de Mayo* avec nos amis les Mexicains.

— Patty ! ai-je hurlé en direction du bout de la rangée. Prends-moi un burrito, steuplé.

— Ça marche ! a-t-elle répondu tout aussi fort.

Quelques instants après, elle est venue s'appuyer contre le dossier de mon fauteuil. Depuis qu'elle m'avait évité une infâme humiliation le lundi suivant mon anniversaire, on était devenues encore plus proches. C'était ma fidèle acolyte, ma loyale complice. J'avais encore du mal à le croire, mais la « petite nouvelle » venait me demander conseil (à moi !), et en plus se comportait comme une grande sœur protectrice. Elle était vraiment cool, cette Patty.

— Will te regarde encore, Alex. Tu crois que tu lui reparleras un jour ?

— Que dalle. En ce qui me concerne, il est mort et enterré.

— Ouais, pour moi aussi, a-t-elle renchéri. D'ailleurs, j'ai déjà oublié sa commande d'enchilada.

— C'est sympa, Patty. Mais je préférerais que tu lui en ramènes une empoisonnée, plutôt.

Ça l'a fait rire.

Après le déjeuner j'ai eu un petit coup de barre, alors je suis sortie m'acheter un thé glacé au stand de Jashim, histoire de me dégourdir un peu les jambes. En prenant ma commande, j'ai vu Will qui sortait de l'ascenseur et se dirigeait droit sur moi. Je n'avais aucun moyen de l'éviter. Alors j'ai pris tout mon temps pour sortir mon argent et payer, histoire de garder les yeux sur autre chose que lui. Jashim avait décoré son stand pour la fête mexicaine. Une piñata en forme d'âne pendait du plafond, et une petite batte en bois était appuyée contre le mur à côté.

— Merci, mademoiselle Alex, et joyeux *Cinco de Mayo* ! s'est-il exclamé en me donnant un baiser sur la main.

*Prends-toi ça dans les dents, Will. Peut-être que t'as pas envie de sortir avec moi, mais le Bangladais du stand de café, lui, il sait reconnaître les bonnes choses.*

— Merci, Jashim. J'aime bien la déco, c'est chouette.

Will a attendu patiemment que j'arrête de l'ignorer. Il était on ne peut plus clair que je le faisais exprès, mais il avait l'air déterminé à ce qu'on parle.

Jashim m'a montré un petit jouet en forme de chien qu'il avait posé sur le comptoir.

— Vous avez appuyé sur le petit chien ? Allez-y, appuyez !

J'ai fait ce qu'il me disait. La gueule du chien s'est écartée et une voix à l'accent espagnol a fait : « Hum, c'est bon les mojitos. » J'ai éclaté de rire, et je lui ai dit au revoir.

En me retournant, donc, je suis tombée nez à nez avec Will en pantalon beige et chemisette rayée vert et jaune. Je vous ai déjà dit que je hais les chemisettes ? Si on est livreur de lait ou facteur, d'accord, mais sinon on porte une chemise à manches longues et puis c'est tout.

Will s'est éclairci la voix avant de parler.

— Alex, tu peux pas m'ignorer jusqu'à la fin des temps. Nos bureaux sont à dix mètres l'un de l'autre.

À ce moment-là j'ai vu que j'avais oublié de rendre le jouet à Jashim, alors je me suis mise à appuyer dessus encore et encore et encore, ce qui fait que quand il a voulu continuer son speech, j'ai réussi à noyer sa voix à coups de « Hum, c'est bon les mojitos, Hum, c'est bon les mojitos, Hum, c'est bon les mojitos ». Will a fini par me l'arracher des mains et le reposer sur le comptoir.

— Je suis désolé, Alex. Je voulais t'en parler, mais je savais pas comment. J'étais tellement englué dans cette histoire de fou, je me suis pas rendu compte…

En entendant ça, mon sang n'a fait qu'un tour. Oh punaise, qu'est-ce que j'avais envie de lui mettre mon poing dans la figure – sauf qu'à tous les coups, c'était un motif de licenciement répertorié dans le manuel des employés.

— Il va falloir être un peu plus précis concernant ce dont tu *voulais* me parler, exactement. La liste des choses dont tu *aurais dû* me parler est longue, Will. Elle est même interminable, putain. Alors, quoi, tu *voulais* me dire que tu voyais quelqu'un d'autre les jours où on couchait pas ensemble ? Ou tu *voulais* me parler du fait qu'elle travaille ici, elle aussi ? Ah, je sais, peut-être que tu *voulais* me dire que la vraie raison pour laquelle tu répondais jamais à mes coups de fil, et que t'étais jamais là le week-end, et que tu m'as posé un lapin le soir de mon anniversaire, c'est parce que tu passais du bon temps à Boston avec ta fiancée ? Rappelle-moi, exactement, ce qui t'a empêché de me dire tout ça ?

— Alex. (Il a essayé de mettre sa main sur la mienne, mais je l'ai retirée violemment, avant de croiser résolument les bras sur la poitrine.) Il y a un tas de choses que j'aurais dû faire différemment.

— C'est profond ce que tu me racontes, Will. Je suis tellement contente d'avoir eu cette conversation avec toi.

— Ce que je veux dire, c'est que je m'en veux vraiment pour la façon dont j'ai géré la situation. Je…

— Tu devrais surtout t'en vouloir du résultat. Parce que si on résume, dans cette histoire, t'as gagné une fiancée qui gagne sa vie en classant des dossiers et t'aime probablement juste pour ton fric, et t'as perdu une amie qui a envie de vomir dès qu'elle te voit. Si j'étais toi, je m'en voudrais aussi.

— Arrête ça, Alex. Tu crois pas qu'on devrait en discuter une bonne fois pour toutes ? On bosse ensemble, enfin. On va bien devoir trouver le moyen de cohabiter cinq jours par semaine. OK, tu me détestes, mais on peut quand même pas dire que tu fasses beaucoup d'efforts pour le cacher.

Je l'ai regardé d'un air incrédule.

— Oh, mais ça aurait été possible, figure-toi. Sauf que ce plan-là a foiré le jour où t'as fait publier un faire-part de fiançailles dans le journal en oubliant de m'en parler avant.

Sans réfléchir, j'ai chopé la batte posée contre le mur et des deux mains, j'ai frappé comme une sauvage dans la piñata. J'ai tellement chargé qu'elle s'est décrochée du plafond et a fait un vol plané en direction du mur derrière le stand de café, obligeant Jashim à plonger pour l'esquiver. Quand l'âne s'est écrasé, il s'est ouvert en deux et une pluie de bonbons nous est tombée dessus. Le chien a été éjecté du comptoir en nous gratifiant d'un ultime « Hum, c'est bon les mojitos » avant de rendre l'âme. Jashim et Will me dévisageaient comme si j'étais cinglée – et pendant ces quelques secondes ça a probablement été le cas. J'ai balancé la batte sur le comptoir, j'ai chopé mon Snapple d'une main, et je me suis tournée vers Will une dernière fois.

— T'as du bol qu'il y ait eu l'âne pour prendre à ta place, Will. On ne sera jamais amis toi et moi, jamais tu m'entends. Et tu peux t'en prendre qu'à toi.

Et sur ce, je l'ai laissé aider Jashim à ramasser les milliards de bonbons éparpillés sur la moquette et j'ai foncé en direction du parquet. C'est là que j'ai vu Patty figée sur place dans le couloir, trois billets de 1 dollar à la main – à voir sa tête, elle avait été témoin du massacre de la piñata. La pauvre.

Je suis retournée comme une furie à mon bureau. J'ai senti les yeux de Chick sur moi au passage, mais j'ai refusé de le regarder, parce que je savais que j'avais laissé mon sang-froid dans le couloir, avec mon orgueil et aussi une grande partie de ma lucidité. Tout d'un coup, j'ai senti deux mains qui m'empoignaient les épaules et les serraient. J'ai fait un bond avant de comprendre qui était derrière moi. Chick m'a alors murmuré à l'oreille : « Tu es la meilleure chose qui pouvait lui arriver. Il ne trouvera *jamais* mieux que toi, et il le sait. » Puis il m'a donné une petite tape sur la tête, et il est retourné à son bureau l'air de rien. Pendant un instant je suis restée sous le choc, et encore plus quand j'ai compris que Chick savait depuis le début pour Will et moi. Notre secret n'était donc pas aussi bien gardé que je le croyais. Il y avait plus qu'à ajouter ça à la longue liste des choses que je n'avais pas vues, aveugle que j'étais.

J'ai regardé l'horloge : 15 h 30. Encore deux heures. Deux petites heures, et je pourrais enfin tremper mes lèvres dans une margarita.

À 17 h 30 pétantes je me barrais de là avec Patty, et quelques minutes plus tard on s'installait avec Annie et Liv dans une banquette à quatre de Tortilla Flats. Sans perdre de temps, Patty a rempli nos grands verres et posé le pichet vide par terre. Annie s'est penchée vers moi, et a plissé les yeux.

— Alex, qu'est-ce qui s'est passé ? C'est vrai que t'as pété un câble au bureau ?

— Pété un câble, c'est un grand mot, est intervenue Patty tout en se remettant du gloss. Mais vaudrait mieux mettre les objets contondants et les battes de base-ball hors de portée d'Alex, à l'avenir.

— J'allais pas vraiment le frapper avec, quand même. Et c'est ce qu'on est censé faire avec une piñata, je te signale.

— Taper dedans ? Oui. Te transformer en Hulk et pulvériser ce pauvre âne, peut-être pas, a fait remarquer Patty.

— Il fallait que je passe mes nerfs sur quelque chose. Tu te rends pas compte du supplice que c'est de devoir rester toute la journée dans la même pièce que lui et de garder le sourire comme si de rien n'était. Désolée, mais je crois que j'ai quand même le droit d'être un chouïa agacée.

Patty s'est esclaffée.

— Ah mais absolument. Paix à ton âme, pauvre piñata.

— Tu sais qui c'est, Will ? a fait Annie tout d'un coup d'un air songeur, tout en jouant avec les cristaux de sel collés au rebord de son verre. C'est le genre de mec à se dégonfler à l'église, juste avant de dire oui. Ce type-là, il fait que ce qu'il a envie de faire parce qu'au bout du compte, il se fout royalement de tout le monde, sauf de lui-même. Et attention, c'est pas parce que sa greluche porte une bague de fiançailles aujourd'hui qu'ils vont vraiment se marier. Ça m'étonnerait pas qu'il la laisse tomber au dernier moment.

— Sur ce coup-là, Annie, a renchéri Liv d'un air approbateur, t'as carrément raison !

Elles ont trinqué bruyamment, et moi je me suis dépêchée d'engloutir le reste de ma margarita en voyant la serveuse approcher avec un autre pichet pour nous.

— Et ça va bien, sinon ? Au boulot ? m'a demandé Liv.

— Tu rigoles. C'est la mouise totale, en ce moment. La Bourse est vraiment mal en point, le marché de l'immobilier s'effondre, nos bénéfices sont catastrophiques et tout le monde s'inquiète de savoir si on va être payés à la fin de l'année.

— Mais on s'en fiche du marché de l'immobilier, non ? On est en location, s'est exclamée Annie.

— Ah Annie, j'aime ta fraîcheur d'étudiante en psycho. C'est pas aussi simple que ça, figure-toi. Tout est lié. On a vu sept gars se faire virer sous nos yeux, hier. Un instant ils étaient à leur bureau, et celui d'après ils étaient plus là. Et ça ne fait que commencer.

— Mais c'est horrible ! Ben dis donc, on a bien fait de se voir ce soir, ça va t'aérer la tête, a répliqué Annie.

— C'est clair. À ce propos, aboule le pichet, ai-je dit d'un air résolu.

Une heure plus tard, on s'était sifflé trois litres de margarita. Avec tout l'alcool et le sucre qu'on avait dans le sang, on était bourrées comme des coings. Résultat, on avait un peu oublié qu'on était en public.

Tout d'un coup, Annie a tapé un grand coup dans ses mains.

— Rohhhh, j'ai une super idée. File-moi ton portable. Allez, vas-y, file-le-moi.

— Pour quoi faire ? l'ai-je questionnée en le mettant illico hors d'atteinte.

— T'inquiète, donne. T'as toujours son numéro dedans ?

— Ouais, pourquoi ? Ah non. Non non non, on l'appelle pas, Annie !

L'alcool la rendant carrément plus téméraire qu'en temps normal, elle a chopé mon téléphone d'un geste vif et s'est mise à faire défiler les noms dans mon carnet d'adresses.

— Chuuuuuut, a-t-elle dit, en appuyant sur la touche Appel. T'inquiète, j'ai masqué ton numéro. Il saura pas que c'est nous.

— Toute façon, il répondra pas. Il répond jamais, je le sais quand même ! Et pis qu'est-ce tu vas lui raconter ?

— Chhhhhuuuuuuuuutttt, a-t-elle fait de façon très peu discrète, tout en faisant de grands gestes sous mon nez. Nickel, c'est la messagerie.

— J'te l'avais dit. Raccroche, maintenant !

S'il y a bien un truc qui fait dire aux mecs que les filles sont folles, c'est ce genre de connerie.

Elle ne m'a pas écoutée.

— Salut Will, c'est Kimmy. J'voulais te dire que j'ai vraiment passé un super moment avec toi, mais par contre j'ai toujours pas retrouvé ma p'tite culotte, alors si tu voulais bien vérifier dans tes poches ce s'rait sympa. À la semaine prochaine ! Il me tarde.

Elle était morte de rire en raccrochant.

— J'arrive pas à croire que t'aies fait ça, l'a grondée Liv.

— Anniiiie ! ai-je crié. Il va savoir que c'était moi !

— Mais naaan, a-t-elle répliqué en prenant un air théâtral. À tous les coups il a trompé sa fiancée avec un tas de nanas. Je te parie qu'il va cogiter pour essayer de se rappeler. Jamais il devinera que c'est toi.

Pendant ce temps-là je fixais mon portable, horrifiée.

— Tu sais ce que tu devrais faire pour le rendre dingue ? a suggéré Liv sans transition. Tu devrais sortir avec quelqu'un d'autre au bureau.

— Ouh là, mauvais plan ! s'est écriée Patty en me pointant du doigt et en se mettant à déblatérer sur moi comme si je n'étais pas là. Elle peut pas faire ça parce que, vous savez, là, c'est quoi le mot que je cherche ? Sinon ce serait la… la… Ah, bon sang, c'est quoi le mot ?

— La salope du bureau ? a proposé Liv.

— La pouuuffiasssse du service ? a renchéri Annie d'une voix traînante.

— Ohé, les filles ! J'suis là, vous avez oublié ou quoi ? J'suis peut-être très très bourrée, mais j'vous entends quand même, hein.

Patty m'a totalement ignorée, et a poursuivi son speech.

— À c'qui paraît, tout le parquet de Boston lui est passé dessus, à la fiancée. Enfin ça, c'était avant. Ptêt' que maintenant elle s'est calmée, vu que Will va faire d'elle une salope – j'veux dire, une femme honnête.

J'ai attrapé brusquement Patty par le poignet.

— Qu'est-ce tu veux dire par là ? Elle s'est tapé d'aut' mecs au bureau ?

— Apparemment, ouais. À ce qu'on m'a dit, elle s'est envoyée en l'air plus d'une fois pendant les soirées organisées par Cromwell. Mais attention, je parle pas de *sortir* avec ces mecs : elle s'est juste fait baiser une fois ou deux – et c'est tout.

— Comment c'est possible qu'tu saches ça et pas moi ? J'croyais être au courant de tous les ragots du parquet !

— J'sais pas, moi. Un soir, des gars en ont discuté au bar, et il s'est trouvé que j'étais là. Ils l'ont cassée grave, d'ailleurs.

— Will va épouser la salope du bureau ?

J'aurais pu trouver ça drôle si je n'avais pas un horrible flash-back, tout d'un coup. La fête de Noël. Je savais bien que je l'avais déjà vue quelque part ! C'était elle, la rouquine. Je me souvenais parfaitement de cette soirée parce que c'était pile au moment où

Will et moi on avait commencé à flirter par mail. Oh mon Dieu. Il épousait la salope des toilettes. Ce qui veut dire qu'ils s'étaient mis ensemble *après* qu'on avait commencé à se voir, parce qu'il n'y avait pas moyen qu'elle ait fait ça sous son nez, sinon. Putain de merde.

Sur ces entrefaites, j'ai reçu un texto. Will. Super timing, comme toujours.

***SMS DE PATRICK, WILLIAM :***
*Vas-tu enfin accepter de me parler ? La violence n'est pas la réponse, tu sais.*

Exaspérée, j'ai montré le message à la ronde.

— Vous voyez ? Vous voyez c'que j'dois endurer ? Comment…

Je voulais dire un truc, mais j'étais tellement imbibée que j'en ai perdu le fil de ma pensée.

— Comment quoi ? ont-elles bafouillé en chœur.

— Comment j'suis censée répondre à un truc comme ça ? me suis-je lamentée en tapotant énergiquement sur l'écran de l'index gauche, histoire d'être sûre qu'elles voyaient toutes de quoi je voulais parler.

Sans leur laisser le temps de répondre, le téléphone s'est remis à biper dans ma main et personne n'a moufté, comme si c'était une bombe à retardement qui s'était mise à faire tic-tac. En y réfléchissant, c'était un peu ça quand même.

Annie a hurlé :

— Va-y, lis-le ! Non, en fait non, passe, je vais le lire, moi. Je me demande s'il a eu mon message ? (Elle a tendu le bras pour m'arracher le portable des mains, mais cette fois-ci j'ai été plus rapide ; et au même moment, un deuxième texto arrivait.) Alleeeez, passeeeuuuhhh !

— Bon sang, tu vas les lire, oui ! a aboyé Liv.

Je me suis exécutée.

***SMS DE PATRICK, WILLIAM :***

*Je sais que tu es là, arrête de filtrer tes appels.*

***SMS DE PATRICK, WILLIAM :***

*C'est toi qui viens de me faire une blague par téléphone ? Merdouille.*

Liv m'a arraché le portable des mains, et l'a balancé dans le pichet de margarita.

— Hé, ça va pas, non ? ai-je crié. Pourquoi t'as fait ça ? Ça coûte la peau des fesses, ce truc !

Non seulement elle avait niqué mon téléphone, mais elle avait aussi niqué notre margarita. J'en étais à me demander ce qui était le pire des deux.

— Désolée, mais j'en peux plus de toutes ces conneries. Qu'il aille se faire foutre ! Tu changes de numéro.

— Sinon elle aurait pu garder le téléphone et simplement changer de carte SIM, tu sais, Liv, a fait Annie en tentant de repêcher l'objet dans le liquide vert pâle à l'aide d'une fourchette.

— Ben, je… j'y ai pas pensé. Mais on s'en tape. Ce qui compte, c'est : nouveau portable, nouveau numéro, nouveau départ.

— Eh ben moi, je trinque à ça ! s'est écriée Patty en s'envoyant un shot de tequila.

Comme si elle n'était pas déjà assez beurrée comme ça.

J'allais enfin parler quand j'ai entendu une voix bizarrement familière dire, derrière moi :

— Il me semblait bien que c'était toi.

En me retournant j'ai vu Matt Matthews, mon barman de quartier sympa, qui me faisait un grand sourire.

— Oh, salut ! lui ai-je répondu d'un air gai, en m'extirpant de la banquette.

— J'ai bien failli ne pas te reconnaître, sans la jambe en sang.

Il m'a fait de nouveau un grand sourire, révélant une fossette que je n'avais pas remarquée. Je sentais les regards des filles dans mon dos. *Qui c'est ?* mouraient-elles d'envie de savoir.

— Ça va mieux depuis la dernière fois qu'on s'est vus ? m'a-t-il demandé.

J'ai haussé les épaules, l'air évasif.

— Allez, je t'ai offert un verre il y a pas si longtemps. Tu me dois bien ça.

Je n'ai pas pu m'empêcher de sourire.

— C'est vrai. Ben figure-toi que la fiancée est aussi la salope du bureau.

— Vous avez une salope de bureau ?

— On a une salope de bureau. Et elle est fiancée à mon ex-petit ami, qui d'ailleurs n'était pas mon petit ami.

— On dirait que c'est pas plus mal, dans ce cas. Tu travailles toujours dans la finance ?

— Et oui.

— Et sinon, tu t'es renseignée sur l'école de pâtisserie ?

— C'est une longue histoire.

— T'as l'air abonnée aux longues histoires, toi.

— T'imagines même pas.

Il me plaisait, ce Matt. Il avait l'air honnête, franc, simple (dans le bon sens du terme). Je me suis souvenue de ce que Will m'avait dit un jour, sur le fait que j'appréciais les plaisirs simples.

*Mais depuis quand ma vie est-elle devenue si compliquée ?*

— Je t'annonce que je commence ma nouvelle carrière de chef dans quelques semaines. Un resto qui est en train d'ouvrir, dans le West Village. Ça me ferait très plaisir que tu viennes, un de ces soirs.

*Attends, je rêve ou il vient de me filer un rancard, là ?*

Nan, carrément pas. Quand on file un rancard à quelqu'un, c'est à une date et dans un lieu précis. En plus, il me demandait de passer sur son lieu de travail. Mais quand même, j'ai senti un picotement vaguement familier dans mon ventre. Le trac ?

— Oh, félicitations ! J'adorerais venir. Si t'es aussi bon cuisinier que barman, je vais me régaler.

Il a sorti son portable de sa poche de chemise.

— C'est quoi, ton numéro ?

Je lui ai donné celui du bureau.

— Bon, c'était super de se revoir, Alex. Passe une bonne soirée. Je t'appellerai.

— Super, il me tarde.

Et je le pensais vraiment. Les filles ont eu le plus grand mal à attendre qu'il soit hors de portée de voix pour me bombarder de questions.

— C'était qui, c'était qui ? a commencé Liv, les yeux brillants.

Je leur ai dit ce que je savais de lui, c'est-à-dire pas grand-chose.

— Il a l'air sympa, en tout cas, a conclu Annie. *Tu vois,* ça existe les mecs bien. On vient juste d'en trouver un.

*C'est vrai qu'il a l'air d'être un mec bien.*

En me retournant, j'ai vu Matt qui bavardait avec sa bande de copains : ils étaient tous fringués en jean et rigolaient en buvant des Coronas – et surtout, ils ne parlaient ni d'argent, ni de la Bourse, ni de leur petit nombril. Ils avaient l'air sincèrement heureux et détendus. Deux choses que je n'avais pas ressenties depuis bien longtemps. Quelque part en chemin j'avais été happée par le strass et les paillettes de Wall Street, et j'en avais oublié qu'on n'est pas obligé de siroter une bouteille de vin à 200 dollars pour passer une bonne soirée – boire des bières bon marché entre copains, ça marche aussi. Je crois que je l'enviais, en fait. Il m'a surprise en train de le regarder, et m'a souri. Je lui ai fait au revoir de la main quand on est sorties en titubant du bar, peu après. Je n'en revenais pas qu'une toute petite conversation avec un homme que je ne connaissais quasiment pas ait réussi à changer mon humeur du tout au tout.

Mais c'était vrai : quand je me suis couchée un peu plus tard ce soir-là, j'avais les idées claires. J'avais des super amies. J'avais un bon job. Je n'avais pas besoin d'un mec qui me tirait vers le bas. Pour la première fois depuis des semaines, je n'ai pas pensé à Will ni à sa fiancée avant de m'endormir.

Je n'ai pas pensé à lui du tout, d'ailleurs.

Ça y est, Alex était de retour.

J'aurais bien voulu pouvoir en dire autant des marchés.

## Chapitre 17

# L'apocalypse à Wall Street

Adossée contre le mur, à l'écart des jeunes assis en rang d'oignons face au podium, je n'arrêtais pas de bâiller. Chaque année, Cromwell dépêchait d'anciens étudiants sur des campus triés sur le volet pour une « présentation », un truc censé aider la boîte à recruter de la chair fraîche. Vu la situation critique au bureau, Chick avait repoussé au maximum ma petite escapade à l'université de Virginie. Mais ça y est, j'y étais, et ma délicate mission consistait à convaincre la nouvelle génération d'entamer une carrière dans le monde de la finance, pile au moment où Wall Street était au bord de l'implosion. On marchait un peu sur la tête, je suis bien d'accord, mais je m'en fichais. Tout ce qui m'importait, c'était d'être le plus loin possible de Will.

— Dure semaine, hein ? Dites-vous que demain, c'est vendredi, m'a consolée Laurie, la coordinatrice des ressources humaines.

J'ai hoché la tête, yeux fermés, avant d'étouffer un énième bâillement.

— Je suis épuisée. Combien de temps ça doit durer, déjà ?

— Le film ne fait que dix minutes mais ensuite on prévoit une heure pour l'apéritif, et les plus motivés vont vouloir profiter de vous jusqu'au bout. Alors je dirais qu'on en a au minimum pour une heure et demie.

— Je vais avoir l'air d'un zombie en rentrant au bureau.

— Je comprends, a-t-elle compati avant de regarder l'heure à sa montre, et de décider qu'il était temps de commencer. Au fait, tenez.

*Punaise, c'est vraiment obligé le badge à mon nom ?*

Laurie s'est dépêchée de monter sur le podium et de demander le silence à la salle remplie à ras bord d'étudiants surexcités. Je suis allée m'asseoir au premier rang avec les trois anciens de la fac qui bossaient chez Cromwell maintenant, tous autant qu'on était hyper bien sapés et assis le dos bien droit sur nos chaises – en d'autres termes, un modèle que ces étudiants pouvaient espérer un jour suivre s'ils avaient la chance unique de décrocher un poste dans notre formidable boîte.

Ce qu'ils ne savaient pas ne pouvait pas leur faire de mal. Du moins, pas encore.

Laurie s'est penchée vers le micro, et écriée :

— Bonjour, et bienvenue à tous ! Nous allons tout d'abord passer un court film afin de vous donner un aperçu de la vie chez Cromwell Pierce, et ensuite nous servirons un apéritif, lors duquel vous aurez l'occasion d'entendre d'anciens étudiants vous parler de leur carrière dans notre belle entreprise. Mais sans plus attendre, le film.

*Le clou de ma journée, ouais. Peut-être que j'apercevrai Chick au détour d'une scène.*

Sur l'écran sont apparus le logo de Cromwell, puis le nom en caractères gras. J'ai eu une pensée pour cet analyste qui, quelque part dans le building, avait probablement mis deux semaines à choisir la meilleure nuance de jaune pour les lettres du titre. Il serait sûrement ravi d'apprendre que tout le monde s'en foutait, ici. Puis se sont succédé des images de jeunes cadres souriants, tous beaux et bien foutus, se serrant la main à l'issue d'une transaction effectuée dans le calme, avec des traders qui leur avaient dit à tous les coups « s'il te plaît » et « merci », juste avant de se rendre à une réunion conviviale, pour discuter des idées des uns et des autres dans la joie et la bonne humeur. Des images d'employés dynamiques, représentant tous les groupes ethniques, confortablement installés à des tables en bois ciré, dans de coquettes salles de conférence aux vues superbes et où le soleil entrait à flots. Puis des images de limousines noires et de dîners dans des restaurants chics, avec nappe blanche et feu de cheminée en prime.

C'est moi où on frôlait la propagande nazie, là ?

Où étaient passées les bombes au saké ?

Où étaient passés les traders fous qui hurlaient des obscénités à la tête de leurs collègues ?

C'était quoi cette soi-disant « salle des marchés » où les bureaux étaient nickel, et la moquette totalement vierge du vomi de Marchetti après l'affaire de la machine à cochonneries ?

Et c'était qui tous ces gens, bordel ?

En tout cas ils ne bossaient pas chez Cromwell, ça c'est sûr. On avait dû prendre des acteurs. Visiblement, quelqu'un avait eu assez de flair pour sentir que si on leur montrait une vraie salle des marchés, les étudiants allaient foncer illico vers les issues de secours en hurlant.

Au moins, on ne pouvait pas dire qu'ils se tournaient les pouces, au service Marketing.

Une fois la première partie du lavage de cerveau terminée, Laurie est remontée sur le podium et a fait un grand sourire aux pauvres masses ignorantes.

— Vous venez donc d'avoir un bref aperçu de la vie que vous pourriez avoir, si vous avez la chance d'être choisis pour intégrer la grande famille qu'est Cromwell Pierce. À présent, vous êtes invités à nous rejoindre pour l'apéritif, et à aller discuter avec quelques-uns de vos anciens camarades. N'hésitez pas à les solliciter. Ils sont là pour vous aider !

Je me suis ruée sur le buffet, histoire de choper un verre avant que les étudiants en dernière année fassent un raid sur le vin comme des pigeons sur un trottoir de New York. Tout d'un coup, je me suis aperçue dans le grand miroir qu'il y avait derrière le bar : Alex Garrett, de retour à la fac, un verre de vin à la main.

En costume rayé et chemisier en soie – sans oublier le badge à mon nom.

*Qu'est devenue l'Alex d'autrefois ?* ai-je demandé à mon reflet dans la glace.

Il n'a pas répondu.

En me retournant, j'ai vu une horde d'étudiants fondre sur moi en piqué. Coup d'œil discret à mon badge, puis main tendue pour me saluer. Waouh, c'étaient déjà des pros.

— Bonjour, mademoiselle Garrett.

— Enchanté de vous rencontrer, mademoiselle Garrett.

— Je peux vous poser quelques questions, mademoiselle Garrett ?

— Bien sûr, ai-je répondu en hochant la tête.

Le jeune homme à la cravate rouge vif bien trop large pour son corps chétif de rat de bibliothèque a été le plus rapide.

— À votre avis, quelles sont les qualités nécessaires pour faire carrière à Wall Street ?

*La capacité à balancer votre amour-propre à la poubelle pour devenir un paillasson humain* : voilà ce qui m'est venu en tête en premier.

Je ne pouvais pas leur dire ça, évidemment.

Alors je me suis tournée vers une petite blonde toute guillerette, qui avait l'accent du Sud.

— En tant que femme, est-ce difficile de travailler à un desk ?

*Difficile ? Nan... Ça ne m'a absolument pas gênée de découvrir que je couchais avec un collègue déjà fiancé à une autre. Et maintenant que j'y pense, j'ai vraiment aimé qu'on me traite de fille moche après avoir été témoin d'un acte d'adultère flagrant, et je n'ai aucun problème avec le fait qu'un client pervers m'ait prise pour cible. Et tout ça dans la même journée. Tu devrais essayer, Blondie. Je suis sûre qu'ils t'adoooreraient.*

Je ne devrais pas leur dire ça. Quand même.

— Qu'est-ce qui vous a donné envie de travailler dans la haute finance, au départ ? Et pourquoi vous avez choisi Cromwell, et pas une autre entreprise ? m'a demandé un type qui était visiblement un Will en puissance, vu comme il dégoulinait d'arrogance sans raison apparente.

*L'ignorance de la jeunesse, mon gars. J'ai choisi Cromwell parce que mon chef m'obligeait pas à porter de costume. Tout autre critère de sélection est futile : elles se ressemblent toutes.*

Je ne devrais probablement pas leur raconter ça non plus.

— Eh bien, j'ai choisi Cromwell pour les multiples opportunités que l'entreprise offre en début de carrière, et bien sûr aussi pour son excellente réputation.

— Donc, vous me conseilleriez de m'orienter vers la finance ?

— Absolument.

*Menteuse.*

— Vous est-il arrivé de regretter votre choix de carrière ?

— Jamais.

*Roooooh, que c'est pas beau de mentir comme ça !*

— Et vous êtes vraiment heureuse de la façon dont ça se passe pour vous chez Cromwell Pierce ?

— Oui, vraiment.

*Non mais à ce point-là, c'est carrément pathologique.*

Je n'avais jamais eu aussi honte de ma vie. Je les ai priés de m'excuser, et je me suis dirigée vers la fenêtre pour souffler un peu. Dehors, les étudiants se baladaient tranquillement sur le campus, en ignorant totalement que leur vie allait changer du tout au tout le jour où ils entreraient dans la vie active. D'un coup j'ai ressenti une énorme culpabilité à l'idée d'avoir induit ces gosses en erreur. Ils étaient venus pour avoir des réponses claires, ils me voyaient comme un exemple, ils attendaient que je leur donne des clés pour s'orienter dans leur vie professionnelle. Et moi, je leur avais menti sans vergogne.

Dans mon dos, j'ai entendu mon petit groupe stresser à propos des entretiens qu'ils avaient subis un peu plus tôt dans la journée.

— Il m'a demandé par quel bout je pressais le dentifrice, s'est exclamée une brune aux yeux pétillants. À votre avis, qu'est-ce qu'il voulait que je lui dise ? C'est quoi, la bonne réponse ?

— Il voulait sûrement que tu lui dises que tu pressais de bas en haut, pour être sûr de pas gaspiller. Tu comprends, dans la finance, c'est important, de pas gaspiller.

Celui qui venait de parler, un blond à la touche de surfeur qui ferait mieux de tenter sa chance à Hollywood, paraissait éminemment fier d'avoir réussi à déchiffrer le code secret.

— Même qu'il y a une expression pour ça, à Wall Street : « laisser de l'argent sur la table », on dit. C'est quand on récupère pas tout jusqu'au dernier centime.

— Ohhh, mais t'as raison, c'est clair, c'était ce qu'il voulait que je dise ! Mince ! Jamais je décrocherai le job, maintenant !

Il fallait vraiment que Ted Bulot renouvelle ses questions pièges.

Eh merde.

Je n'étais pas Ted Bulot, moi.

Ça faisait bien longtemps que je n'étais plus une novice, et ça me gênait vraiment d'en encourager des plus jeunes à venir travailler à Wall Street sans qu'ils sachent vraiment à quoi s'attendre.

Je me suis approchée du groupe, et je leur ai lancé :

— Dites, ça vous embête si on recommence ?

Et sur ce, j'ai commencé à leur dire ce qu'aucun cadre de Wall Street ne devrait jamais dire à des futures recrues : la vérité.

En arrivant au boulot le lendemain, je suis tombée sur une scène de chaos. D'habitude, on marchait plutôt au ralenti en été, surtout le vendredi. Certains prenaient de longs week-ends, d'autres partaient plus tôt pour aller faire un golf, en clair on était tous incapables de se concentrer quand il faisait super beau dehors. Mais pas cet été, oh non.

On pensait que ça ne pouvait pas être pire ? Ben pourtant, si. Quand j'ai passé en revue les indicateurs économiques de la semaine, j'ai eu la très désagréable impression d'être dans un ascenseur en chute libre. Confiance des ménages : en baisse. Chômage : en hausse. Production manufacturière : en baisse. Marché des actions : en baisse. Écart de taux : en hausse. Rendement des bons du Trésor : en baisse. C'était l'apocalypse à Wall Street.

Je regardais mon écran d'un air ahuri : tous les chiffres clignotaient en rouge. Les banquiers que j'avais aidés à mes débuts pour leur présentation PowerPoint avaient raison, finalement. Ce n'était pas du tout rassurant comme couleur, le rouge.

— Quelqu'un s'est fait virer aujourd'hui ? ai-je demandé à Drew.

— Non, pas aujourd'hui, a-t-il répondu en continuant à lire les titres des infos qui passaient en boucle sur ses écrans. Mais j'ai entendu dire qu'il allait y avoir une autre fournée lundi. Apparemment, les prochaines têtes qui vont tomber, c'est au desk Obligations corporate.

— Et si on était les suivants sur la liste ? Je suis l'une des dernières arrivées, je me ferais débarquer en premier !

— Calme-toi, Alex, personne va te mettre à la porte. Chick t'adore. On sera payés des cacahouètes au bout du compte, mais au moins on aura un boulot.

— Rigole pas avec ça, Drew. Je compte sur cette prime, moi.

— Sans blague ? T'es pas la seule, figure-toi. Mais ça va mal cette année, Al, vraiment mal. Si j'étais toi, je me calmerais sur les dépenses. Finies les nouvelles chaussures. Un marché baissier, ça peut durer un bout de temps. T'as plutôt intérêt à avoir mis des sous de côté.

Génial, et moi qui venais de claquer des centaines de dollars dans le dernier portable à la mode… Le truc tellement sophistiqué que je n'arrivais même pas à le faire marcher, en plus.

L'après-midi, Chick est venu nous voir. On s'est tous figés sur place en attendant que les mauvaises nouvelles tombent. C'était le seul genre de nouvelles qu'on nous annonçait, ces derniers temps.

— OK, écoutez-moi tous. Je sais que c'est vraiment pas l'extase ces temps-ci, et que vous avez tous un peu le bourdon, alors je vous propose un dîner d'équipe jeudi prochain. Et au cas où quelqu'un se poserait la question, votre présence est obligatoire. Il faut encore que je voie si j'organise un after dans un bar. Je vous le ferai savoir.

Il avait l'air d'un homme vieux et usé. Rien à voir avec le chef arrogant et sûr de lui que j'avais fini par aimer et respecter. Il avait l'air d'avoir *peur*.

Son discours a été accueilli par un silence gêné. Quand Chick s'est éloigné, je me suis tournée vers Drew.

— Tu trouves pas qu'il est bizarre, en ce moment ? lui ai-je demandé, l'air préoccupé.

— Il est super stressé, Alex. Je crois qu'on s'imagine même pas combien la situation est catastrophique. Je voudrais pas d'un poste à la direction en ce moment, même pour tout l'or du monde.

— Qu'est-ce qu'il faut faire, alors ?

— Boucle-la et te fais pas remarquer, surtout. En ce moment ça vaut mieux, crois-moi. (Sur ce, il a pris un sac sous son bureau.) Allez, je file. Bon week-end, Alex.

— Tu t'en vas maintenant ? Mais il est même pas 16 h30 ! Tu choisis bien ton moment, sans rire.

Pour bien lui montrer ce que j'en pensais, j'ai pris un Stabilo et commencé à bûcher le rapport des indicateurs économiques. Bon, OK, c'était un peu pour la frime, mais quand même.

— On est vendredi après-midi et on s'est fait laminer, cette semaine. Moi, je me casse d'ici. Et si j'ai un conseil à te donner, c'est de pas rester trop tard. Nos semaines vont faire que s'allonger, à partir de maintenant.

J'ai regardé Drew partir, et j'ai essayé de me rassurer. Il avait raison, notre desk était en sécurité. On continuait à faire des bénéfices. Quand les marchés baissaient, on en faisait toujours. Les gens ne voulaient placer leur argent que dans une seule chose, quand le monde autour d'eux s'effondrait : les obligations d'État. J'ai éteint mon ordi à 17 h 01 et pris la tangente quasiment en courant. J'étais déjà dans la rue quand j'ai entendu la voix de Will derrière moi.

— Alex, arrête-toi. Tu pourras pas m'éviter jusqu'à la fin des temps.

— Pourtant j'y suis arrivée, jusque-là. Tu veux parier ? lui ai-je balancé en continuant mon chemin.

*Bien répondu, Alex.*

— S'il te plaît. Arrête-toi.

Il m'avait rattrapée et je me serais bien engouffrée dans un taxi, comme dans les films, mais c'est bien connu qu'ils ne sont jamais là quand on a besoin d'eux.

À moins que je ne le pousse sous les roues d'un bus ? Non ? Bon.

— Ce que tu as à me dire ne m'intéresse pas, Will, ai-je finalement lâché.

— Je suis sincèrement désolé. Je ne voulais pas te faire de mal.

— Depuis le début, tu me mens. Tu comprendras que j'en ai rien à secouer, d'entendre une fois encore tes salades.

— Mais je t'ai pas menti, j'ai simplement… omis de te dire certaines choses.

— Tu m'as dit que tu voulais pas de petite amie, j'ai pas rêvé ! lui ai-je crié dessus.

Il a fourré les mains dans ses poches, l'air penaud.

— OK, j'ai merdé. Je le sais. J'ai merdé et je m'excuse. Mais tu me manques. Nos soirées passées à bavarder, à rigoler, tout ça me manque… Et je veux te dire certaines choses, Alex. Je veux pas qu'on se quitte comme ça.

— T'es toujours fiancé ? lui ai-je demandé en sentant la nausée revenir.

Il a gardé les yeux fixés sur ses mocassins, et j'ai bien cru qu'il allait s'étouffer en me sortant son « oui » à peine audible.

En entendant ça, j'ai mis mes poings sur son torse et j'ai tambouriné aussi fort que je pouvais, ce qui n'a pas exactement eu l'effet voulu vu qu'il faisait quinze bons centimètres de plus que moi. Il a reculé d'un pas pour mettre un peu d'espace entre nous, mais j'ai avancé d'autant et j'ai recommencé. Cette fois-ci, il m'a saisie par les poignets.

— Arrête.

— Mais qu'est-ce que tu me veux, à la fin ? ai-je hurlé, limite hystérique. Vas-y ! Qu'est-ce que tu me veux, putain ?

Il s'est passé la main dans les cheveux, en continuant à fixer le trottoir sale de Manhattan. Alors, j'ai enfin compris pourquoi il ne me répondait pas : il le savait pas lui-même.

Moi, par contre, il y avait une chose que j'avais besoin de savoir, sinon je me condamnais à frapper dans des piñatas avec des battes de base-ball pour le restant de mes jours.

— Quand on a dîné chez Nobu et que je t'ai demandé pourquoi tu me rappelais jamais, tu m'as donné une excuse foireuse comme quoi t'aimais pas le téléphone. Je t'ai demandé pourquoi t'étais jamais là le week-end, et tu m'as menti. Je t'ai tendu une perche sans le savoir, et tu l'as quand même pas prise. Toi qui as tellement envie d'être ami avec moi maintenant, pourquoi tu t'es pas comporté en homme ce soir-là, au lieu de te donner bonne conscience en me racontant que tu voulais pas d'une histoire sérieuse ? Tu m'étonnes que tu voulais pas d'une histoire sérieuse. T'en avais déjà une !

— Je savais plus où j'en étais. Elle vivait à Boston. Je la voyais jamais en semaine. Toi, je te voyais tous les jours au boulot, et j'appréciais vraiment le temps qu'on passait ensemble, et je voulais pas que ça s'arrête, c'est tout. Je t'aime beaucoup, Alex. Je sais que je t'ai fait du mal, et que tu me détestes. Mais ça a pas été facile pour moi non plus.

Alors là, jamais je ne me serais attendu à ça.

— Pourquoi t'as pas rompu avec elle, si c'est ça ? ai-je rétorqué en sentant les larmes me monter aux yeux, même si je m'étais promis de ne plus pleurer pour lui.

— Ce fameux soir, à Nobu, je savais pas avec laquelle des deux…

— Avec laquelle des deux quoi ?

Il a eu un mouvement de recul, certainement parce qu'il savait que sa réponse allait me faire mal.

— Je savais pas avec laquelle des deux je voulais être. J'étais bourré. Et toi aussi, je te signale !

— T'avise pas de me mettre ça sur le dos, ai-je craché.

*Punaise, c'est bien un mec. C'est toujours de notre faute, même quand ça l'est pas. Je vais finir par rentrer dans les ordres, moi je vous le dis.*

Il était tout débraillé. En dix petites minutes passées sur ce trottoir, il avait perdu toute contenance. Maintenant, au moins, il savait ce que je ressentais.

— Écoute-moi. J'ai pas fini.

— Quoi, encore ? Vous avez déposé votre liste de mariage chez Crate & Barrell ? Compte pas sur moi pour vous offrir des verres à pied.

— Mais tu vas m'écouter, oui ?

J'ai haussé les épaules.

— Je suis très malheureux, a-t-il admis. Si je pouvais retourner en arrière, je ferais les choses différemment. Les préparatifs du mariage… je suis à deux doigts de tout arrêter. Je sais pas à quoi je pensais. J'ai envie… j'ai envie qu'on…

S'il était sur le point de dire ce que je pensais, je ne voulais plus l'entendre. J'en avais tellement marre de cette histoire, ça en devenait presque drôle. Sauf que ça ne l'était pas. Pas du tout, même.

— Personne t'a forcé à la demander en mariage, que je sache, l'ai-je rembarré. Pourquoi tu l'as fait si t'en avais pas envie ? Merde, quoi !

— C'est compliqué.

— Elle est enceinte ?

— Non.

— Elle a besoin d'une carte verte ?

— Non.

— Alors je vois vraiment pas en quoi c'est compliqué.

— Son père est le directeur financier d'une grosse boîte de Boston. Tu comprends, je pourrais me faire un fric hallucinant grâce à lui.

*Quoi ? Non mais je rêve !*

— Tu veux rire, j'espère. Tu l'as quand même pas demandée en mariage *pour l'argent de son père* ?

Il n'a pas moufté.

— Waouh. Finalement, y'a pas que les femmes qui sont prêtes à coucher pour y arriver, hein, Will ? Cherche plus, vous formez le couple parfait avec la rouquine de Boston. Parce que moi, tu m'arrives pas à la cheville. Maintenant dégage, Will. Je t'emmerde.

Cette conversation – tout comme notre histoire, et notre amitié – était terminée. Et ça faisait mal.

J'ai fait signe à un taxi de s'arrêter et je l'ai planté là, sur le trottoir.

Le mois de juin 2008 a été un désastre total. J'en étais arrivée à un point où je redoutais de dire ce que je faisais dans la vie, quand on me posait la question. Et dire qu'il n'y avait pas si longtemps que ça, j'en étais si fière. Dès qu'on raccrochait avec un client, le téléphone se remettait à sonner, et on n'arrivait plus du tout à gérer le flot constant d'interrogations. Ils voulaient tout savoir : est-ce qu'il allait y avoir une reprise ? Valait-il mieux vendre tant que le marché restait à la baisse, ou bien acheter en espérant que ça reprenne ? À notre avis, quand est-ce que le taux de chômage allait arrêter de grimper ? Il avait atteint les 10 % pendant la Grande Dépression ; pensait-on que c'était possible de revenir à un tel chiffre ? Il n'y avait pas un seul client qui n'était pas en panique. Quant aux traders, ils étaient au bout du rouleau : on les entendait pester et casser des trucs à longueur de journée, parce qu'ils avaient beau essayer par tous les moyens de stopper l'hémorragie, leur marge fondait comme neige au soleil.

Un lundi matin, sans crier gare, il y a eu une accalmie dans les coups de fil incessants. J'en ai profité pour rassembler mes esprits, et faire un peu le point sur la situation. En regardant autour de moi, je me suis rendu compte que quelque chose clochait : personne n'avait encore évoqué le déjeuner. Et s'ils n'avaient pas faim, c'était vraiment mauvais signe.

Drew a levé un sourcil en m'entendant rouler vers lui.

— Il y a un problème, qu'est-ce qui se passe ? lui ai-je demandé discrètement.

Il a regardé par-dessus son épaule d'un air conspirateur, et m'a répondu à voix basse :

— Il y a plusieurs réunions en haut lieu depuis ce matin. Pas mal de gens qui restent derrière des portes closes, et de messes basses dans les couloirs. Personne a encore vu Chick. Ça sent le roussi.

— Peut-être qu'il est aussi en réunion ? ai-je suggéré, affolée.

— Ou peut-être que c'est *lui*, l'objet de la réunion.

*Oh putain.*

C'était très mauvais signe. Un nouveau chef de desk, ça voulait dire repasser un entretien pour son propre poste, et si pour une raison ou une autre, ça se passait mal avec le nouveau, on pouvait se voir illico remplacé par un de ses protégés. Ce n'était jamais une bonne idée de se faire des ennemis à Wall Street, parce qu'il y avait de grandes chances pour qu'on recroise la personne en question à un moment ou un autre de sa carrière. (Cruella n'avait clairement pas lu cette note de service.)

— Tu crois que Chick est sur le départ ? Mais qui va diriger le desk ? Et où est-ce qu'il va ? On lui a fait une offre ailleurs ?

— Tu me prends pour une boule de cristal, ou quoi ? Mais si c'est bien ce qu'on croit, je pense pas qu'il ait choisi de partir.

— Et qu'est-ce qu'on est censés faire ?

— Attendre.

On n'a pas eu à le faire longtemps.

Cinq minutes plus tard, Reese nous a demandé d'aller en salle de conférence. On s'est regardés, et on l'a suivi sans broncher. Je suis allée direct m'asseoir sur une chaise contre le mur. En réunion, les règles hiérarchiques étaient les mêmes que sur le parquet, et si l'on n'était pas au moins sous-directeur, il valait mieux oublier le fauteuil moelleux à table.

Quelques minutes après, Dark Vador est entré dans la pièce, et s'est assis au bout de la table. À la place de Chick. En retenant mon souffle, j'ai attendu que le chef entre à son tour, le vire de là à coups de pied aux fesses, croise les bras derrière la tête et balance ses mocassins Gucci sur la table.

*Allez, Chick, qu'est-ce que tu fous ?*

— Je suis ici pour vous informer qu'Ed Ciccone ne fait plus partie de l'entreprise depuis ce matin, nous a annoncé le rouquin sans la moindre trace d'émotion dans la voix.

Complètement impassible le mec. Apathique. Indifférent. Tout le contraire de Chick.

*Oh putain.*

— Je sais que cette nouvelle est un choc pour vous tous, mais nous allons faire de notre mieux pour que la transition se fasse en douceur. À compter d'aujourd'hui, je prends la direction de cette équipe.

*Oh putain.*

— Permettez-moi de clarifier dès à présent ceci : ma méthode de management est à l'opposé de celle de Chick. Attendez-vous donc à des changements dans les mois qui viennent.

*Oh putain.*

— Vous pouvez compter sur moi pour transformer radicalement ce desk. Des questions ?

Personne n'a bronché. On était tous trop occupés à penser : *Oh putain.*

— Une dernière chose. Je pense que vous connaissez tous mon assistante, Hannah. Elle rejoint l'équipe en même temps que moi. Je compte sur vous pour l'accueillir chaleureusement.

*Alors là, si en plus on doit se taper Baby Gap, c'est le pompon.*

— C'est tout pour aujourd'hui. Retournez à vos postes.

J'allais passer la porte quand j'ai entendu Dark Vador appeler mon nom.

— Alex, un instant s'il vous plaît. Je voudrais vous parler.

*Sans rire, ça fait à peine dix minutes qu'il est mon chef, il va quand même pas me virer ?*

— Oui, Keith ?

— J'ai appelé certains clients en priorité ce matin pour leur annoncer que Chick avait été débarqué, et j'ai eu une petite conversation avec Rick Kiriakis, de chez AKS.

*Oh Seigneur, surtout ne dis pas ce que tu vas dire.*

— Figurez-vous qu'il ne tarit pas d'éloges sur vous. J'avoue que j'ai été surpris d'entendre un si gros client parler ainsi d'une jeune commerciale. Vous lui avez fait une sacrée impression, on dirait. Il a demandé à ce que ce soit vous qui repreniez son compte. En toute honnêteté ça ne m'enchante guère, parce que je pense que certains de vos collègues sont bien plus expérimentés que vous, mais il a été catégorique. Je vous nomme donc responsable du compte AKS à partir d'aujourd'hui.

*Oh non non non. AKS, c'est le compte de Chick.*

Ça me démangeait de lui dire que je ne pouvais pas accepter. Le problème, c'était qu'un client comme AKS, ça pouvait faire une carrière. Bien sûr, ça pouvait aussi la *défaire*, et concrètement je n'avais plus le choix, maintenant : j'allais devoir supporter les textos à répétition et les remarques déplacées. Sans quoi, je savais pertinemment que Rick n'hésiterait pas à dire à mon nouveau chef qu'après réflexion, je n'étais vraiment pas à la hauteur. Je ferais perdre à Cromwell un client pesant dans les 30 millions de dollars, et ce serait sans aucun doute ma dernière prouesse avant de me faire licencier pour faute grave. Au départ aussi ils croyaient que c'était une bonne idée, ceux qui étaient montés à bord du Titanic.

J'ai paniqué, et l'adrénaline a afflué d'un coup vers mon système nerveux central, provoquant une crise de tremblements incontrôlables. *Cours*, m'intimait chaque fibre de mon être. *Cours, et ne te retourne pas.*

Mais je ne pouvais pas. Et si j'arrivais à le ramener à la raison ? Et si j'arrivais à faire que ça fonctionne ? Ouais, le plus probable, c'était quand même : Et s'il n'arrêtait jamais de me harceler – pire, si j'étais sur le point de lui donner carte blanche pour faire ce qu'il voulait de moi ?

*Oh putain.*

*Cours*, a imploré mon corps à mon cerveau. *Cours !*

— Merci, Keith. Je mesure la chance que vous me donnez. Et je ne vous ferai pas faux-bond.

Ma mère avait raison. La fierté allait vraiment causer ma perte.

— Oui, et bien ça, ça reste encore à prouver, a rétorqué Keith sèchement. À présent, retournez à votre poste.

C'était officiel : les roux s'étaient ligués pour ruiner ma vie.

— Me dis quand même pas que tu t'es déjà fait lourder, a lancé Drew en me voyant revenir au desk la queue entre les jambes.

— Non, mais je me demande si j'aurais pas préféré.

— Qu'est-ce qui s'est passé ?

— Rick a demandé que ce soit moi qui m'occupe de son compte. J'arrive pas à décider si c'est le plus beau jour de ma vie ou le pire.

— Merde, s'est-il exclamé. Ben, dis-toi que si tu t'en sors, tu pourras aller dans n'importe quelle boutique de Wall Street avec les exigences les plus folles, parce qu'elles se battront toutes pour t'avoir. C'est quand même une occasion en or, pour toi.

— Et le revers de la médaille ? Parce qu'il y en a forcément un, non ?

— Je sais pas quoi te dire, La Fille. T'as plus qu'à entrer dans la danse et faire de ton mieux. T'as pas le choix.

— Punaise, Drew, je sais que je dois passer ce coup de fil mais j'aurais vraiment besoin d'un petit remontant, là.

— Bon sang, Alex, secoue-toi un peu. Plus t'attends, pire ce sera. Tu dois l'appeler.

J'ai appuyé sur le bouton vert. Rick a décroché à la première sonnerie, comme s'il poireautait devant son téléphone.

— Tiens tiens tiens, Alex Garrett qui m'appelle, mais ça doit être mon jour de chance.

— Bonjour, Rick. J'imagine que vous savez pourquoi. J'ai parlé à Keith tout à l'heure, et merci de m'avoir recommandée.

— Ah, ma petite Alex, maintenant qu'on traite en direct, il va falloir me tutoyer.

— Euh oui, bien sûr, Rick, ai-je bafouillé.

— Qu'est-ce que je t'avais dit ce soir-là sur le toit, tu te souviens ? Qu'un jour c'est toi qui t'occuperais de mon compte. Je te parie qu'ils doivent bouillir de rage, à ton desk. Ils étaient au moins une demi-douzaine sur le coup, et tu viens de leur passer sous le nez. Mais tu me remercieras plus tard. Je trouverai bien une idée, hmm ? À partir de maintenant, je veux que tu t'occupes de moi vingt-quatre heures sur vingt-quatre. Je veux que tu sois comme un chien affamé sur son os à moelle.

Et pour souligner son propos, il a *grogné* (vraiment), pensant certainement que ça lui donnait un air sexy. Pour info, c'était tout sauf ça.

— Tu aurais quelques minutes pour qu'on revoie ensemble ta stratégie ? ai-je tenté, en tortillant nerveusement le fil du téléphone.

— Présentement, non. Tu comprendras, j'en suis sûr, vu les soucis que nous causent les marchés en ce moment. Mais que dis-tu de me retrouver ce soir, après le travail ? Comme ça on aura tout le temps de bavarder. Disons 18 heures au Tribeca Grand Hotel ?

*Un bar à quelques pas d'une chambre d'hôtel, quelle subtilité.*

— Oui bien sûr, pas de problème. On se voit là-bas.

— J'ai hâte. Tu sais quoi, on a quand même pas mal de choses à évoquer. On a qu'à dire qu'on dîne ensemble aussi, d'accord ?

*Ben voyons.*

En traçant au stand de café pour me calmer j'ai croisé Baby Gap, qui avait déjà déballé ses affaires sur son nouveau bureau. Elle a bien vu que j'étais pressée, mais il a fallu qu'elle m'arrête. Ses seins avaient l'air tellement serrés dans sa chemise à rayures que l'explosion semblait imminente.

— Hé, Alex ? m'a-t-elle demandé de cette inflexion de voix qu'elle prenait parfois, et qui lui donnait l'air d'avoir une vie remplie de questions (ce qui était le cas, en fait). C'est quoi le nom du pays à côté de l'Espagne ? Tu sais, là où ils parlent portugais ?

— L'Allemagne, ai-je répondu.

Au même moment, un bouton de son décolleté a cédé sous la pression, comme je l'avais prédit, et il est allé ricocher sur son écran d'ordinateur avant de disparaître sous un bureau.

— Alex, à l'aiiiiiiide ! a-t-elle couiné d'une voix perçante, tout en se plaquant une main sur la poitrine et en tentant de recouvrir ses prothèses mammaires avec le reste de la chemise.

— Débrouille-toi pour trouver une épingle à nourrice ! ai-je crié à peu près au même volume.

Sur ce, je l'ai vue détaler en direction des toilettes des femmes, sous les ovations de la moitié du desk. Toute tourneboulée je me suis tournée vers Drew, qui avait attrapé le fou rire.

— Oh, merde, je t'assure, un truc pareil ça s'invente pas.

— La vache, Drew, j'ai eu du bol de pas perdre un œil dans l'histoire ! Sans déc', c'est si compliqué que ça de s'acheter des fringues à sa taille ?

— Je sais pas, mais je croise les doigts pour qu'elle trouve jamais l'astuce. J'ai encore un souvenir ému de mardi dernier, quand elle portait un pantalon blanc bien serré avec un string très rose en dessous. Les couleurs rendent vachement bien, sur les photos que j'ai prises avec mon portable.

— Vous êtes vraiment désespérants, les mecs, tu le sais ça ?

— Hé, c'est pas de ma faute si j'ai l'œil du photographe.

En arrivant au stand de Jashim, j'ai trouvé Reese et Marchetti qui commandaient un café *latte*. Sans crier gare, Marchetti m'a cravatée pour rigoler, et je me suis retrouvée toute décoiffée.

— Alors comme ça t'as décroché le compte de Rick, hein, La Fille ?

— Ouais, c'est super, ai-je menti. Mais j'espère que je vais pas faire de gaffe. Disons que je suis un peu stressée, quand même.

*Le terme est faible, putain.*

— Mais nan, tout ira bien. Évite juste de faire des transactions à six et demi quand le cours est à dix, m'a lancé Marchetti tout sourire, venant une fois de plus me rappeler que les erreurs commises sur ce parquet n'étaient *jamais* oubliées.

— Roooh, mais lâche-lui un peu la grappe, à la cocotte ! m'a défendue Reese. C'est du passé, tout ça. Il t'a déjà proposé d'aller prendre un verre ?

— Ce soir, au Tribeca Grand Hotel.

— Tu ferais mieux de glisser un taser ou un spray au poivre dans ton sac, La Fille, on sait jamais.

J'ai commandé mon café, et on a attendu ensemble.

— Quelqu'un a eu Chick au téléphone, sinon ? ai-je demandé.

— Pas encore… a répondu Reese. Je vais l'appeler ce soir. Je comprends toujours pas comment un truc pareil a pu arriver. Chick a vraiment dû faire chier quelqu'un, là-haut, pour qu'ils décident de le foutre à la porte. Je veux dire, ça n'a pas de sens.

— Mais plus rien n'a de sens, dans cette baraque, s'est exclamé Marchetti. Tu crois pas qu'on marche sur la tête, avec Baby Gap en analyste de choc ? Si je pouvais vendre mes actions tout de suite, je le ferais sans hésiter.

On était bien d'accord, Reese et moi, mais on s'est contentés de hocher la tête en se regardant d'un air désespéré. Puis on est retournés dans la salle des marchés en silence.

# Chapitre 18

## Les menottes dorées

JE SUIS ENTRÉE DANS LE BAR (très mal éclairé) de l'hôtel sur la 6e Avenue. Il n'était que 17 h 30 mais l'*happy hour* battait déjà son plein, et l'endroit était bondé. Plus que d'habitude, quand même – mais c'était vrai un peu partout dans Manhattan. Quand la Bourse plongeait, les bars faisaient de bonnes affaires. Ceci expliquant cela.

J'ai repéré Rick en train de discuter avec le barman et je me suis approchée, en essayant d'avoir l'air le plus pro possible.

— Alex ! Ma nouvelle interlocutrice chez Cromwell, et la plus jolie d'entre toutes. Ah, je suis un homme chanceux. Bien sûr, toi aussi tu es chanceuse. Dans six mois, tu t'achèteras un appartement cash avec l'argent que tu vas te faire grâce à moi.

C'était bien possible mais à quel prix, au final ?

— J'y compte bien. Mais d'abord, tu vas devoir m'expliquer un peu la façon dont vous fonctionnez, chez AKS. Je sais déjà que vous avez de très bons collaborateurs, parmi les meilleurs de Wall Street.

— C'est tout à fait vrai, et on va y venir. Tu tiens le coup, après les nouvelles de ce matin ?

J'ai poussé un soupir.

— La journée a été rude, comme tu peux l'imaginer.

— C'est vraiment dommage pour Chick, mais il retombera sur ses pieds. Il est très doué.

J'ai hoché la tête.

— Venons-en à la raison qui nous amène ici. Étant donné qu'on va pas mal se voir pour le boulot, il me paraît logique qu'on doive apprendre à mieux se connaître sur le plan personnel. Tu ne crois pas ?

*Pas exactement, non. Les autres clients m'ont jamais sorti ce genre de connerie. Bizarre, non ?*

Mais j'avais de gros dollars qui clignotaient devant mes yeux comme dans les dessins animés, alors, je me suis mordu la langue et je n'ai rien dit. C'est vraiment nul, je sais.

— Qu'est-ce que tu veux boire ? m'a-t-il demandé.

— Un verre de vin blanc, s'il te plaît.

Si j'étais partie pour avoir cette conversation, autant avoir le soutien inconditionnel de mes amis Pinot et Gris.

Rick a pris un scotch pour lui, et on a émigré du bar vers une petite table à l'écart, près des fenêtres.

— Alex, je voudrais te poser une question. J'ai la nette impression que tu ne m'aimes pas, et je voudrais savoir pourquoi. As-tu une quelconque idée du nombre de gens qui seraient prêts à tuer père et mère pour être à ta place, en ce moment ?

*Oh, t'hallucines ou quoi ?*

— Mais je n'ai aucun problème avec toi, Rick. On ne se connaît même pas.

— Ahhh, le fameux argument pour bien vendre : faire semblant d'apprécier les gens qu'on n'aime pas. Je vois que tu as eu de bons mentors, chez Cromwell.

*Ouh punaise, qu'est-ce que j'aimerais que Reese soit là. Il te balancerait par la fenêtre à coups de pied au cul.*

— Tu ne m'as jamais remercié pour le bouquet de fleurs que je t'ai envoyé. J'en déduis qu'il ne t'a pas plu.

— Oh non, il était très bien. Je peux te demander comment tu as eu mon adresse ? Par Chick ?

Il s'est esclaffé.

— Chick ne m'aurait jamais donné tes coordonnées, même sous la menace. Sa secrétaire, en revanche, a tellement besoin d'affection qu'elle dira tout ce qu'on veut du moment qu'on est gentil avec elle. Elle a même pris l'initiative de me prévenir quand j'ai compris que tu avais changé de numéro, puisque mes SMS n'étaient plus délivrés. Heureusement que tu avais aussitôt donné ton nouveau numéro à Chick, au cas où il aurait dû te joindre. Bah, on dirait bien qu'il n'en aura plus besoin, maintenant.

*Nancy, encore elle. La salope, j'aurais dû m'en douter.*

— Tu as l'air surprise.

— Non. Je… je réfléchis, ai-je répondu.

Et c'était vrai.

— Tu sais, avant, je croyais que les femmes n'avaient rien à faire à Wall Street – à part comme secrétaires, bien entendu. Je pensais sincèrement qu'elles n'étaient pas qualifiées pour ce qu'on fait tous les jours. Gérer la pression, faire des calculs dans sa tête, garder son sang-froid.

— Désolée, mais je suis la preuve vivante que ta théorie est erronée, ai-je rétorqué d'un air narquois.

Il a ôté son veston d'un geste assuré, et l'a posé à côté de lui.

— Oh, mais maintenant je suis à fond pour plus de femmes dans le monde du travail. Vraiment.

— Encore heureux, vu que t'as demandé expressément à ce je m'occupe de toi, ai-je répondu un peu vite.

Je devais faire gaffe à mon comportement. Si je me souvenais bien, il n'était pas précisé « maîtrise de l'art du sarcasme » dans la description de mon poste.

— En revanche, je me demande encore si elles devraient faire carrière dans la finance précisément, vu les longues heures qu'on fait et le stress considérable. C'est un environnement difficile, qui ne convient guère au beau sexe, si tu veux mon avis.

*Euh, à vrai dire, non.*

Il a avalé son scotch d'un trait et a fait tinter les glaçons contre le verre en cristal, un peu comme une clochette, histoire d'avertir la serveuse de façon très classe qu'il en voulait un autre fissa.

— Toi, par exemple, m'a-t-il fait en tendant le bras pour me tapoter légèrement le nez de son index.

*Oh mais oui. Servons-nous de moi comme exemple pratique.*

— Tu n'es pas mariée.

— Non.

*Mais ça me va très bien, hein.*

— Tu es intelligente, belle, et pourtant tu n'es pas mariée. Tu veux savoir pourquoi ?

J'ai eu les joues en feu, tout d'un coup. Je savais exactement pourquoi : parce que j'avais gâché le peu de temps libre que j'ai avec l'enfoiré public numéro un de Wall Street, voilà pourquoi. Avant de me faire définitivement embarquer par le fil de ma pensée, je me suis forcée à reporter mon attention sur Rick, qui continuait son laïus d'un air pédant :

— … le déclin des valeurs familiales, la confusion des genres. Les femmes ne veulent plus être traitées comme des femmes, en fait. Ce qu'elles veulent, c'est prouver qu'elles sont capables de gagner leur vie, de payer l'addition au resto, de réparer leur voiture toutes seules, même.

— Quel culot on a ! me suis-je exclamée en perdant patience à vitesse grand V.

— Les femmes sont tellement accaparées par leur boulot qu'elles se marient sur le tard et font de moins en moins d'enfants. En conclusion, Alex, tu gâches tes plus belles années pour la simple et bonne raison que tu crois avoir quelque chose à prouver. *Voilà* pourquoi tu n'es pas encore mariée.

— Suis-je bête, et moi qui croyais que c'était parce que je n'avais pas encore trouvé le bon.

— En toute probabilité, tu l'as déjà trouvé. Seulement, tu es trop occupée pour le voir.

— Dans ce cas, c'est une chance pour toi, Rick. Autrement personne ne gérerait ton compte chez Cromwell, en ce moment.

— Ça, ça m'étonnerait, mon chaton. (Il s'est penché plus près, et j'ai senti son haleine fétide : je vous jure qu'il m'a fallu toute la volonté du monde pour ne pas dégueuler sur la table.) Tu sais, je peux faire de toi une fille très riche.

*Oui, j'étais au courant. Sinon je serais pas là, figure-toi.*

Punaise, mais il croyait quoi, que j'étais venue pour ses beaux yeux ? Je me suis reculée, et mise bien droite sur ma chaise.

— Et je peux faire de toi un homme très riche. Je vais m'assurer personnellement que tu auras accès à tout ce que Cromwell peut t'offrir de mieux. Réunions avec nos traders, nos économistes, et toutes les innovations en matière de transactions boursières. Je suis convaincue que je peux faire du très bon boulot pour toi.

Il a éclaté d'un rire grave, guttural.

— Oh mais j'en suis sûr, et c'est ce que j'attends de toi, d'ailleurs. Par contre, tu es mignonne mais je n'ai pas besoin de toi pour planifier mes réunions. Si j'ai envie de parler à un trader, je l'appellerai moi-même. Et j'ai pas prévu non plus de suivre tes conseils en matière d'investissements, ma belle. Je crois pas que ce soit pour ça que Chick t'a embauchée au départ. Il y a un tas de gars intelligents à qui il aurait pu donner ton job. Pourquoi il t'a choisie, à ton avis ?

J'avais une méchante envie de lui répondre qu'il pouvait aller se faire mettre, mais je savais que Keith exigerait (et obtiendrait) ma tête. Reste qu'il n'était pas question de le laisser médire sur Chick, maintenant qu'il n'était plus là pour se défendre.

— Il m'a choisie parce que je suis intelligente, et que je me suis bougé les fesses pour lui.

— Et je suis sûr que tes collègues ont dû adorer mater ces fesses pendant qu'elles travaillaient si dur pour Chick.

*Mais au secours, putain.*

— Je ne pense pas que ta femme apprécierait que tu me parles ainsi, lui ai-je rétorqué le plus diplomatiquement possible. Je vais mettre ça sur le compte des quelques verres que tu as déjà bus ce soir, mais je suis d'avis qu'on devrait arrêter cette conversation maintenant, avant que tu ne dises quelque chose que tu pourrais regretter.

— Je ne suis pas soûl, et je pense chaque mot que je t'ai dit.

Non mais sans rire, je sais comment me reconvertir : je vais écrire *Comment attirer les mecs à problèmes en dix leçons*, et ça va faire un carton.

— Rick. Écoute. Si je suis venue ce soir, c'est pour parler affaire. Alors, on arrête ces petits jeux, d'accord ?

— Voyons, Alex, a-t-il rétorqué sur un ton menaçant. Tu ne vas pas me faire croire que tu ne comprends toujours pas comment ce milieu fonctionne ?

— Si, si, je t'assure.

— Laisse-moi quand même t'expliquer. Les hommes aiment la variété. *J'aime* la variété. Ça ne m'intéresse pas, moi, de rentrer retrouver ma petite femme soir après soir, surtout quand il y a plein de filles comme toi en ville. Et puis, elles ne sont pas toutes en mesure de se faire de l'argent grâce à moi. Légalement, je veux dire.

— Je peux te poser une question, Rick ?

— Mais j'adorerais que tu me poses une question, m'a-t-il fait en levant un seul sourcil.

— Tina est une femme superbe, et elle a l'air très gentille. Pourquoi t'embêter avec moi quand tu as une épouse comme elle à la maison ? La plupart des hommes rêveraient d'être à ta place.

— Tina, a-t-il murmuré en se grattant la tête. Je vais te parler de Tina, Alex. Tina et moi, on s'est mariés quand on était jeunes. Trop jeunes. On s'est mariés parce qu'elle était enceinte et que c'était la seule chose à faire. À l'époque, je commençais juste. On n'avait pas d'argent, et on ne savait pas ce qu'on faisait. On n'a pas pensé à établir un contrat de mariage. Tu crois que je n'ai jamais pensé à lui demander le divorce ? Ça fait dix ans que je pense à divorcer, non, que je *rêve* de divorcer de Tina. Sauf que sa famille est à Atlanta, et elle m'a fait clairement comprendre que si je lui faisais ça, elle montait illico dans un train de nuit pour la Géorgie avec mes gosses et la moitié de mon fric. La *moitié* de mon fric. As-tu une quelconque idée de ce que ça fait de se sentir prisonnier à cause d'une erreur de jeunesse ? Es-tu même capable d'imaginer ce que c'est d'être piégé par ton compte en banque ?

Aussi bizarre que ça puisse paraître, oui. On était tous les deux embourbés dans la vie que notre moi d'avant avait décidé qu'on devrait avoir. On portait tous les deux des menottes dorées, et on était tous les deux punis d'avoir laissé l'appât du gain prendre le pas sur nos chances d'être heureux. Sauf que moi, bien sûr, je ne sautais pas sur tout ce qui bougeait pour me venger de mon union sans amour avec Cromwell.

Mais chacun s'en sort comme il peut, j'imagine.

J'avais pris ma décision, même si je m'interrogeais encore sur son bien-fondé.

— Après réflexion, je pense que je ne vais pas reprendre le compte d'AKS, Rick. J'en informerai Keith dès demain matin. Peut-être décidera-t-il de me licencier, mais avec un peu de chance il désignera simplement quelqu'un d'autre à ma place. Il est possible que je sois en train de commettre la plus grosse bourde de ma carrière, mais à ce stade je n'ai pas d'autre choix.

— Je te donne une occasion en or de te faire du pognon facilement et tu déclines mon offre ? Très bien. Mais tu ne demandes pas un collègue de te remplacer, et tu ne parles pas non plus à Keith. Alors comme ça, la petite veut jouer dans la cour des grands… D'accord. Mais souviens-toi, c'est toi qui l'auras voulu. Et quand je décroche mon téléphone demain matin pour appeler Cromwell, t'as plutôt intérêt à être au bout du fil.

— Merci, ai-je répondu, tout en sachant que son discours n'était pas censé être rassurant.

— Oui, eh bien je peux te promettre que demain, tu ne me remercieras pas. On va voir comment tu t'en sors sans Chick pour venir à ton secours, ma belle.

Et sur ce il a ramassé son veston d'un grand geste, il s'est levé brusquement et il m'a laissée en plan sans dire au revoir.

Je me suis penchée en arrière sur ma chaise, et j'ai fermé les yeux pour tenter de me convaincre que tout allait bien. Sauf que je savais bien que non. Demain matin, j'allais devoir de nouveau traiter avec lui : et le lendemain aussi, et le surlendemain aussi, et Chick ne serait pas là pour me protéger, cette fois-ci. Un poids que je ne reconnaissais que trop m'est tombé sur la poitrine. J'ai compté à rebours en partant de dix pour forcer l'énorme éléphant qui me compressait le thorax à retourner dans sa cage, puis j'ai quitté le bar du Tribeca Grand Hotel.

Le lendemain, mon standard s'est mis à clignoter à 7 h 02 exactement. Je n'avais même pas encore eu le temps d'allumer mon ordi.

*Et c'est parti.*

— Bonjour, ai-je dit avec entrain.

— Alors, c'est pas trop tôt, putain ! m'a-t-il aboyé dans l'oreille.

— Euh, pardon ?

— Quand j'appelle, j'exige qu'on décroche à la première sonnerie. À la première sonnerie, bordel ! Je me fous de savoir si tu dois raccrocher au nez de quelqu'un. Pigé ?

Il hurlait si fort que j'en ai sursauté sur mon fauteuil.

— Je m'excuse. Ça ne se reproduira plus.

Règle numéro un (ou douze, je ne sais plus) du commercial : C'est toujours de votre faute, même quand ça ne l'est pas.

— OK, je veux savoir comment le desk Transactions se positionne ce matin, et il me faut la moyenne quotidienne des opérations de pensions livrées depuis une semaine. Tu vas aussi me calculer le coefficient de régression des *butterfly spreads* à trois, cinq et sept ans par rapport au taux à cinq ans sur les dix dernières années, quand la Fed était dans un cycle d'assouplissement. Ensuite, je veux une simulation de l'évolution du taux LIBOR à trois mois avec un plancher à 0 % et un plafond à 6, et tu me files la liste des comptes qui ont pris part à cette transaction.

*Maintenant ?*

Il allait me falloir au moins deux bonnes heures pour rassembler toutes ces infos ! Sans compter que je n'avais pas compris la moitié de ce qu'il avait dit. Et que je devais aussi contacter mes autres clients ce matin.

— Je m'y mets tout de sui…

— J'ai prévu une réunion d'équipe aujourd'hui, m'a-t-il coupé sèchement. Je veux que tu viennes, et tu m'amènes Bob Keating, le chef du département Économie de Cromwell. Et je veux aussi que tu prennes des steaks chez The Palm pour le déjeuner. Appelle mon assistante pour la commande. La réunion est à midi. T'as pas intérêt à merder.

*Clic.*

J'ai regardé ma montre : 7 h 15. La vache, mais comment j'allais faire pour boucler tout ça d'ici 11 h 30 ? La trouille, allais-je découvrir sous peu, est la meilleure des motivations. J'ai balancé illico un mail au desk Pensions livrées pour leur demander de me concocter un tableau des opérations en cours avec leur moyenne quotidienne sur une semaine – ouh mais attends. Quand Rick disait « une semaine », il parlait de la semaine calendaire (sept jours) ou ouvrée (cinq) ? Valait mieux lui filer trop d'infos que pas assez. J'ai effacé mes derniers mots, et tapé « sept derniers jours ouvrés » à la place, avant d'envoyer. OK, tâche numéro un : accomplie.

Ensuite j'ai couru jusqu'au desk Produits structurés, et j'ai posé mes mains sur les épaules du premier trader que j'ai vu scotché sur ses écrans.

— J'ai besoin de ton aide, ai-je susurré d'une voix douce, tout en le massant.

— Ahhh, un peu à gauche, s'il te plaît, a-t-il fait sans même se retourner. Qu'est-ce que je peux faire pour toi ?

— AKS demande à voir un certain nombre de, euh… trucs.

C'était le seul terme qui m'était venu à l'esprit pour définir la quantité hallucinante de données que Rick m'avait si gentiment demandé de lui fournir en une matinée. Je lui ai montré mon calepin, où j'avais écrit tel quel tout ce que j'avais entendu. Avec un peu de chance, il pigerait ce que ça voulait dire.

— Ça fait beaucoup d'éléments à analyser, Alex. T'en as besoin pour quand ?

— Mmm, dans trois heures, mettons ? ai-je dit en présumant que c'était là où il allait m'envoyer bouler.

Il a fait tourner son fauteuil d'un coup.

— *Trois heures ?* Mais c'est bientôt l'ouverture des marchés, et j'ai des transactions sur le feu, moi. Je suis pas sûr d'y arriver, honnêtement…

— Tu peux essayer quand même ? Siteuplé-siteuplé-siteuplé. Il est d'une humeur de dogue, et je suis censée tracer jusqu'à Midtown pour assister à une réunion dans les locaux d'AKS à midi pétant. J'y arriverai pas toute seule. J'ai un nouveau chef pourri, un client qui me déteste… Je t'assure que je suis à deux doigts du pétage de plombs, là.

— D'accord, je vais faire de mon mieux. Je t'envoie ce que j'ai à 11 heures, OK ?

— Merci ! me suis-je exclamée. Je te revaudrai ça.

— Alors là, je te prends au mot ! a-t-il crié dans mon dos.

J'étais déjà quasiment revenue à mon bureau. Ensuite, j'ai appelé notre chef économiste et je suis tombée sur sa secrétaire, qui a été très efficace. Les dieux de la finance devaient être avec moi car il était libre pour le déjeuner, et elle m'a même proposé de réserver la voiture pour nous. Parfait. Après avoir raccroché, j'ai ouvert notre logiciel d'analyse de données et j'ai commencé à télécharger un tas de graphiques et de tableaux. Parallèlement, j'ai passé en revue tout ce que Chick m'avait enseigné depuis mon premier jour chez Cromwell, et j'ai pioché dedans. Bon, ça commençait à ressembler à quelque chose. Au dernier moment j'ai rajouté quelques courbes, parce que ça ne pouvait pas faire de mal, et surtout j'ai bien vérifié que tout était légendé et qu'on distinguait tout facilement. Si j'avais bien appris une chose des banquiers, c'était qu'en affaires, savoir coordonner les couleurs était ultra-important (pareil qu'en fringues, quoi). J'ai sauvegardé mon fichier, préparé un mail, regardé l'horloge : 10 h 30.

J'ai vérifié ma boîte de réception : un message du desk Pensions livrées, avec pièce jointe. Je l'ai téléchargée, rajoutée à mon dossier, et j'ai attendu fébrilement le mail du desk Produits structurés. À 11 h 02 il est apparu, avec comme objet « Souviens-toi : je te prends au mot ». J'ai balancé toutes les données de mon nouveau héros sur le fichier existant, et je l'ai mis en pièce jointe au mail que j'avais tapé pour le service Reprographie, en rajoutant comme objet « Question de vie ou de mort, à copier en 10 ex. Je passe dans 20 min ».

*Envoyer.*

J'ai fait un détour par le desk Transactions pour vérifier les positions de la matinée, et ensuite j'ai foncé à la reprographie récupérer mes mini-dossiers encore tout chauds.

— Où tu vas comme ça ? a demandé Drew en me voyant prendre mon sac à main.

— Réunion chez AKS, il m'a demandé d'amener Bob Keating pour le déjeuner…

Tout d'un coup, je me suis figée sur place.

*Meeerde, le déjeuner.*

J'avais oublié de commander les steaks. J'ai chopé le *Zagat* que je gardais précieusement dans un tiroir, j'ai trouvé le numéro de The Palm, je l'ai tapé dans la mémoire de mon portable et je me suis barrée de là avec ma pile de pitch books sous le bras comme un ballon de foot américain. Dans le couloir, j'ai appelé AKS.

Dieu merci, la secrétaire de Rick a répondu à la première sonnerie (peut-être qu'il la forçait, elle aussi ?). J'ai trouvé un stylo au fin fond de mon sac et j'ai noté la commande qu'elle me dictait sur le dos de la main.

Pas de réseau dans l'ascenseur, alors j'ai dû attendre d'être dans les escalators pour composer le numéro du resto.

— Bonjour, je vous appelle pour une commande à emporter et je sais que j'aurais dû le faire plus tôt, et je sais que je vous laisse pas beaucoup de temps, mais si la commande arrive en retard je vais me faire trucider.

— On va faire de notre mieux, m'a tranquillisée le réceptionniste.

À ce moment-là, j'ai repéré Bob, notre *Very Important*

*Économiste* à nous, qui attendait patiemment en bas des escalators. Je voulais lui faire signe de la main mais avec les dossiers d'un côté et le portable de l'autre, impossible ; surtout que j'avais besoin de lire la commande au dos de la main qui portait les pitch books. J'ai failli me vautrer en sortant mais je me suis rattrapée au dernier moment, et j'ai fait signe à Bob de me suivre, direction le service voiturier. Une fois là, j'ai balancé les dossiers sur le comptoir et j'ai répété la commande par téléphone.

— Donc, je reprends : six entrecôtes saignantes, deux entrecôtes à point, deux grandes frites, une dizaine de San Pellegrino, deux salades Caesar et un cocktail de crevettes.

J'ai vu le type derrière le comptoir qui me zieutait d'un air interrogateur.

— Numéro de confirmation 9 912, lui ai-je annoncé.

— Comment ça, 9 912 ? m'a fait le réceptionniste de The Palm au bout du fil.

— Non, c'était pas pour vous, désolée. Vous avez bien pris ma commande ?

— Votre voiture est devant, elle vous attend, m'a expliqué le type derrière son comptoir.

Je lui ai fait un petit hochement de tête et j'ai articulé un « merci » silencieux, puis j'ai repris les pitch books pour les balancer direct dans les bras de Bob. Il n'a pas eu l'air d'apprécier mais tant pis, ce n'était pas le moment. J'ai poussé les portes battantes sans dire un mot, le portable toujours collé à l'oreille.

— Numéro de carte de crédit ? a demandé le réceptionniste de The Palm.

— 9 912, ici ! ai-je crié au chauffeur qui attendait sur le trottoir.

— 9 912, OK, et les quatre chiffres suivants ?

— Attendez, quoi ? C'était toujours pas pour vous, désolée. Un instant, s'il vous plaît. Je vais vous donner le bon numéro.

Je me suis assise à l'arrière et Bob m'a suivie, en faisant clairement la tronche. J'ai sorti mon American Express et j'ai commencé à lire les chiffres à voix haute.

Le chauffeur s'est retourné, et nous a regardés.

— Où va-t-on ?

— À l'angle de la 58e et de la 6e Avenue.

— Vous avez dit 58 ? est intervenu le type de The Palm.

— Non, non. C'était pas pour vous non plus.

— Du coup, je ne suis plus très sûr, mademoiselle. On va recommencer. La commande, s'il vous plaît ?

J'ai procédé par ordre, en mettant ma main sur le micro du combiné pour redonner l'adresse d'AKS au chauffeur. Puis j'ai tout repris depuis le début avec le type de The Palm, parce que je savais parfaitement que, si je foirais le déjeuner, peu importe Bob, les pitch books et tout le reste : j'étais foutue.

— OK, on reprend, lui ai-je dit, en regardant le dos de ma main et en l'écoutant attentivement me répéter la commande. Voilà, c'est ça. J'en ai besoin pour dans vingt-cinq minutes. *S'il vous plaît.*

La panique devait s'entendre dans ma voix, parce qu'il m'a répondu d'un ton rassurant et limite apitoyé :

— On va faire de notre mieux, mademoiselle. Je vous promets rien, mais on va essayer.

J'ai raccroché, presque essoufflée. Bob m'a aussitôt refourgué les dossiers, avant de demander :

— Tout va bien ?

— Oui. Oh la la, je suis carrément désolée. Tout va de travers aujourd'hui, et cette réunion qui a été décidée à la dernière minute, je n'étais pas vraiment préparée. Mais maintenant, oui. Enfin, je crois.

— En tout cas, débrouillez-vous pour l'être en arrivant là-bas. Rick est un gros client. Ça fait des années que je le connais. C'est bien la première fois que je vais en réunion chez AKS avec une commerciale aussi… agitée. Ce n'est pas comme ça qu'on fait les choses, chez Cromwell.

J'ai éclaté de rire intérieurement.

*Je pourrais vous en raconter des vertes et des pas mûres sur la façon dont on fait les choses, chez Cromwell…*

Une fois dans le hall d'AKS, j'ai repéré deux livreurs croulant sous les cartons de bouffe qui attendaient de passer à la sécurité, et j'ai foncé droit sur eux.

— Suivez-moi, leur ai-je ordonné.

Rick nous attendait dans le couloir devant la salle de conférence. Il a cordialement salué Bob (comme s'ils se voyaient pour faire une partie de golf, plutôt qu'une réunion), puis il s'est tourné vers moi.

— Alex, comment vas-tu ? a-t-il demandé en m'embrassant sur la joue, ses lèvres s'attardant davantage que nécessaire. Tu as tout ce que je t'ai demandé ?

— Oui, Rick, ai-je répondu triomphalement.

— C'est ce qu'on va voir, a-t-il fait, son sourire disparaissant tout d'un coup. Par ici je vous prie, tout le monde vous attend.

On l'a suivi dans une grande pièce où trônait une immense table en acajou, entourée de fauteuils en cuir couleur crème. À gauche, un écran plat prenait quasiment tout le mur. J'ai placé la nourriture au centre de la table et posé les bouteilles d'eau à côté, sur une petite console où se trouvaient déjà un seau à glaçons et des verres en cristal. Rick et ses collègues se sont aussitôt jetés sur la bouffe. Pendant ce temps-là, Bob et moi on prenait place comme indiqué au bout de la table, et j'ai bien compris qu'on pouvait se gratter pour avoir ne serait-ce qu'un verre d'eau. Le déjeuner, ce n'était pas pour nous. *Nous*, on était là pour bosser.

Je me suis laissé aller en arrière sur mon fauteuil, et j'ai écouté attentivement pendant qu'on feuilletait le pitch book, et que Bob nous faisait un topo sur l'effondrement des marchés financiers. Au passage, il a réussi à bien me faire flipper. Si Bob avait raison, la situation était encore plus catastrophique que je le pensais. Une fois son speech terminé, il a répondu pendant plus d'une heure aux questions de Rick et de ses sous-fifres, et j'ai même pris des notes dans mon calepin, histoire d'avoir quelque chose d'intelligent et de différent à dire à mes autres clients, quand j'aurais enfin le temps de les appeler. Tant qu'à faire, que cette réunion imposée me serve à quelque chose. En fait j'avais une sacrée chance de pouvoir approcher Bob Keating, car en tant que *Very Important Économiste* il était très demandé chez Cromwell, et bien au-delà maintenant. À la fin de la réunion, on a serré la main des traders et des stratégistes d'AKS, et Rick nous a raccompagnés aux ascenseurs. J'ai regardé ma montre : 14 h 30.

*Le meeting le plus long.*

— Merci, Bob, a fait Rick d'un air sincère, en lui serrant la main. Ça a vraiment été un plaisir d'entendre ton point de vue sur la situation actuelle.

— Mais je t'en prie, Rick. Ravi de t'avoir revu. Fais-moi savoir si tu as besoin d'autre chose.

Bob est entré dans l'ascenseur, et je me suis tournée pour dire au revoir à mon bourreau.

— Si tu as des questions sur le dossier que j'ai monté à ta demande, n'hésite pas. Encore merci pour cette réunion tout à fait fructueuse, lui ai-je dit.

— Fructueuse, c'est le mot. (Il s'est penché tout près de moi pour me parler discrètement.) Je suis impressionné que tu aies réussi à faire venir Bob dans des délais aussi courts. Je me demande bien ce que tu as dû lui promettre pour qu'il accepte ?

— Mais rien du tout, ai-je répondu en roulant des yeux. Je lui ai simplement dit que c'était toi, le client qui demandait à le voir, et il a sauté sur l'occasion de venir ici.

J'avoue que faire de la lèche était un art que je commençais à maîtriser sérieusement.

— Tu as réponse à tout, Alex. C'est fou.

— Je prends ça comme un compliment, ai-je rétorqué, sarcastique.

Rick a jeté un œil vers l'ascenseur et a lancé :

— Pars devant, Bob. Alex te rejoint dans une minute. J'ai quelques détails à voir avec elle avant de la quitter.

Il s'est penché dans la cabine et a appuyé sur le bouton de fermeture des portes, faisant ainsi disparaître mon dernier garde-fou.

— À nous deux, m'a fait Rick en se tournant vers moi, un sourire hypocrite lui barrant le visage. Tu peux te faciliter la vie, et tu le sais. Mais c'est à toi de le vouloir. Parce que si tu continues à te comporter en garce, je vais continuer à te traiter comme telle. Ça fait seulement un jour que je suis ton client. *Un jour*. À ton avis, combien de temps tu vas me supporter ? T'as pas encore compris que c'était fini, le temps des politesses ?

Et sans transition il m'a plantée dans le couloir, pendant que je cherchais désespérément à comprendre ce que je foutais là.

On est arrivés au bureau à 15 heures, et j'ai passé le reste de l'après-midi à faire le point sur tout ce que j'avais raté pendant la réunion. Quand la transhumance quotidienne vers le bar du coin a commencé vers 17 h 30, j'ai rejoint le troupeau avec joie. Et tout d'un coup, ça a fait tilt dans mon cerveau.

Chick était parti. Il ne reviendrait pas. Et pour moi, ça voulait dire quoi ?

Le desk entier était attablé dehors, sur la terrasse du bar d'en face. L'endroit était anormalement bondé, même pour une journée torride de juin. C'était la nouvelle tendance : après le boulot, on allait picoler. Tous les soirs. Les jours où personne se faisait renvoyer, on trinquait à ça. Les jours où des amis à nous étaient licenciés, on buvait pour oublier. Aujourd'hui on était mardi, alors on fêtait ça. Tous les soirs on était dehors, pour tenter de diminuer la pression et de faire comme si tout allait bien se terminer. Sauf que ces temps-ci, peu importe le nombre de verres qu'on s'enfilait, ça ne suffisait plus.

Comme d'hab le seau à glaçons rempli de bières trônait au milieu de la table, à côté du plat de mini-hamburgers. Sauf que ce soir, personne ne touchait à la bouffe ; et ça, ça en disait long.

— Ben moi, je vous le dis, j'en ai ras le cul. Déjà, virer Chick et nous obliger à repartir de zéro, mais avec Dark Vador en plus ? a commencé Drew.

— Qu'est-ce qui va se passer, maintenant ? a demandé Patty en faisant glisser un quartier de citron vert dans sa Corona.

— Perso, je suis foutue. (Je n'avais pas l'habitude de mâcher mes mots, et encore moins ce soir.) Le rouquin me hait, obligé. Je sais même pas pourquoi, vu qu'on s'était quasiment jamais parlé avant, mais il peut pas me sentir. Je suis la prochaine sur la liste, vous verrez.

En disant ça, je les ai tous regardés : Reese, Marchetti, Drew et Patty. Eux, par contre, n'avaient pas l'air de voir du tout de quoi je voulais parler.

— Tu dérailles, ma cocotte. Dramatise pas, quand même : avec Rick comme client, t'es intouchable.

— Ouais ben si Rick est censé être mon sauveur, alors je suis deux fois plus foutue. Parce que la seule raison qui l'a poussé à me recommander auprès de Keith, c'est pour avoir le champ libre et faire de ma vie un enfer. D'ailleurs, il y arrive très bien.

— Mais de quoi tu parles ? s'est exclamé Marchetti.

Je n'avais pas vraiment eu l'occasion de leur raconter mes déboires avec Rick mais Drew savait un peu, vu qu'il était assis à côté de moi à longueur de journée.

— Non. Elle a raison. Ce type est carrément délétère. Il la drague depuis le début, en lui faisant miroiter des transactions juteuses si elle accepte de sortir avec lui. Et maintenant qu'elle a récupéré son compte, il se sert de ça pour l'obliger à coucher avec lui.

— Nan, arrête ! s'est écriée Patty. (Impossible de savoir si elle était scandalisée par ce qu'il m'arrivait, ou juste vexée de ne pas avoir été mise dans la confidence.) Mais pourquoi tu dis pas simplement à Dark Vador de te retirer ce compte-là ?

— Je suis coincée. Laisser tomber AKS, ce serait admettre que je ne sais pas m'y prendre avec Rick, et là je peux dire adieu ma carrière. Mon seul espoir, c'est qu'il finisse par en avoir marre de jouer au con avec moi et qu'il se calme. Il pourra pas continuer comme ça éternellement, non ?

Reese a eu l'air d'y penser un instant, sourcils froncés et yeux au ciel.

— Justement si, à mon avis. Ce type est un enfoiré, il l'a

toujours été et il changera jamais. Il aime trop qu'on l'implore à genoux pour faire affaire avec lui. Il va te baiser, Alex, et il va prendre un pied monumental à le faire.

— Merci, Reese. Je me sens beaucoup mieux, là.

— Je te dis juste ce qu'il en est, poulette. Je suis désolé, je préférerais me tromper mais il s'avère que c'est l'un des plus gros trous du cul que j'ai pu rencontrer dans ma carrière, et j'ai commencé il y a un bail.

*Ah ouais, quand même.*

— Reese, t'as appelé Chick hier soir ? ai-je demandé sans transition.

— Ouais. Il a les boules, forcément. Apparemment, il s'est fait embarquer dans une sale histoire de politique interne. La direction se démène pour contenir les dégâts sur le parquet, et j'imagine que Chick a refusé de leur lécher les bottes comme Keith. Résultat, ils ont foutu le meilleur à la porte pour mettre le pire dans son fauteuil. Une journée normale à Wall Street, quoi.

— Mais il va bien, sinon ?

Je m'inquiétais de savoir Chick au chômage maintenant. C'est qu'il allait coûter cher à ses futurs recruteurs, et dans cette conjoncture…

— Tout ira bien pour lui. C'est un homme intelligent. Dès que les choses se seront un peu calmées, quelqu'un l'embauchera et aura beaucoup de chance de l'avoir. Si ça se trouve, avec un peu de bol, on lui proposera un poste de direction et il pourra tous nous sortir de la mouise en nous recrutant à son tour. Le navire Cromwell est en train de couler, moi je vous le dis.

Tout ça m'a inspiré un profond soupir : j'espérais sincèrement que Reese avait raison. En regardant mes amis autour de la table, j'ai bien senti qu'ils se disaient tous la même chose.

Il ne restait plus que deux bières dans le seau, et elles flottaient dans l'eau – une vision insupportable pour nous, en ce moment. Reese en a commandé une dizaine d'autres à la serveuse, et lui a tendu sa carte. Marchetti a dit qu'il pouvait s'en charger, mais

Reese lui a fait remarquer qu'au train où allaient les choses, les virées au bar après le boulot étaient loin d'être terminées, et il aurait tout le temps de payer une autre fois. Techniquement, il avait raison. Cette fois-ci, on a bu à la santé de Chick, et pour oublier notre peur.

Deux jours après, le jeudi, Dark Vador a appelé Marchetti dans son bureau pour faire le point sur ses clients et sans transition il l'a licencié, ce qui fait qu'il n'a jamais eu le temps de payer sa tournée, finalement. Le bureau du rouquin était un peu devenu synonyme d'une chambre à gaz, et on vivait tous dans la peur constante d'y être appelés. Le soir même on s'est tous cuités en l'honneur de Marchetti, évidemment.

— Vous savez ce qui est vraiment dégueulasse, dans tout ça ? a commencé Patty, en se faisant une queue de cheval avant de prendre ses lunettes de soleil, qu'elle avait posées sur la table.

— Parce que selon toi il y a qu'un seul truc ? ai-je fait.

— Je veux parler de Baby Gap.

— Ahhh, oui. C'est quoi son vrai prénom, déjà ? a demandé Drew.

— Hannah, ai-je précisé.

— On s'en tape, de son vrai prénom, a ricané Patty. En revanche, j'aimerais savoir comment ça se fait qu'elle est encore là alors qu'elle en branle pas une de la journée ? Il a fait gagner combien au desk l'an dernier, Marchetti ?

— Quarante millions de dollars, à peu près, a répondu Reese aussitôt. Sans compter l'affaire de la machine à cochonneries.

— Quarante millions de dollars, et il se fait lourder. Pendant ce temps-là, notre Barbie grandeur nature a le droit de rester alors qu'elle est conne comme un balai ? Non mais vous savez ce qu'elle m'a demandé, l'autre jour ?

— Si la récession allait entraîner une baisse des tarifs en chirurgie esthétique ? a proposé Drew.

— Si elle flottait pas un peu, dans sa chemise taille XXS ? s'est lancé Reese.

— Si elle pouvait prendre son après-midi pour aller se faire faire des mèches ? ai-je proposé à son tour.

— Elle m'a demandé quand est-ce qu'on allait enfin la laisser acheter des actions. Des actions ! s'est écriée Patty.

J'ai eu un grognement de dégoût.

— Et tu lui as expliqué qu'à notre desk on faisait que les obligations ?

— J'ai bien essayé mais elle avait pas le temps de m'écouter, tu comprends, elle se cherchait un survêt en velours sur Internet.

— Sans déconner ! a éclaté Drew. Elle était en train de surfer sur le Net pendant que ses collègues se faisaient virer ?

— Oui ! C'est pour ça, je comprends pas ce qu'elle fout encore là.

— Parce qu'elle est là pour une seule chose : le moral, a expliqué Reese. Tout le monde l'a dans les chaussettes, vu la vitesse à laquelle le Dow Jones se rapproche de la barre fatidique des 11 000 points. Alors ils sont obligés de la garder. C'est grâce à elle si la moitié de la salle des marchés vient bosser le matin. Si elle est plus là, comment veux-tu oublier qu'on est tous fauchés comme les blés et que ça va faire qu'empirer ?

Drew a acquiescé d'un signe de tête.

— Ouaip. Le jour où ils se mettent à virer les filles sexy, c'est que ça ira vraiment mal.

## Chapitre 19

# Chienne de vie

JE ME SOUVIENS TRÈS PEU du mois de juillet. Pour moi c'est juste une masse indistincte, faite de cocktails et de bouteilles de vin, de cachets contre les reflux gastriques, de lumières rouges qui clignotent, de gens qui crient et s'insultent, de manque de sommeil. Et encore, je vous parle que des week-ends, là. Au boulot on était tous au radar, nos corps fatigués continuant à s'agiter comme des marionnettes bien après que nos cerveaux avaient été irrémédiablement endommagés par le stress. Jamais je n'aurais imaginé assister au premier rang à la destruction de l'économie américaine, quand j'étais arrivée à Wall Street en 2006. En même temps, je ne savais pas *du tout* dans quoi je m'embarquais à l'époque, alors ce n'était peut-être pas si surprenant que ça.

Mes amies qui ne bossaient pas dans la finance avaient recommencé à passer tous leurs week-ends dans les Hamptons, sans se soucier le moins du monde de savoir qu'une nouvelle Grande Dépression menaçait notre pays. J'avais désespérément envie d'aller les rejoindre, de m'asseoir avec elles sur la plage et de bouquiner juste pour le plaisir, ou bien de feuilleter les magazines du moment et discuter fringues, produits de beauté et amours d'été. Mais je travaillais tout le temps. Le pire, c'est que je me souvenais parfaitement qu'avoir mes week-ends libres était l'une des principales raisons qui m'avaient fait choisir la vente, au départ. Forcément puisque, en temps normal, les commerciaux n'ont pas besoin de tenir la main de leurs clients vingt-quatre heures sur vingt-quatre et sept jours sur sept. C'était très logique, mais clairement je m'étais plantée. Une fois de plus.

Et ça commençait sérieusement à me gonfler.

Je me souvenais encore de ce que Chick m'avait dit lors mon premier jour chez Cromwell : qu'il y avait des centaines de gosses qui auraient tué pour avoir un job à Wall Street, et que je devais m'estimer heureuse. Ces temps-ci, ce n'était pas vraiment l'adjectif qui me venait en tête quand je pensais à mon boulot, et mon petit doigt me disait que les jeunes de maintenant ne devaient plus exactement se bousculer pour venir travailler dans le secteur responsable à lui seul de la destruction du rêve américain. Rick refusait toujours de me confier des transactions, mais ça ne l'empêchait pas de me submerger de travail à longueur de temps, en me demandant de lui faire une énième simulation, de lui pondre des graphiques et des tableaux, d'aller lui dénicher d'anciens cours dans toutes les bases de données du monde libre ou presque. À l'époque où Chick s'occupait du compte d'AKS, il rapportait entre 30 et 32 millions de dollars de bénéfices par an chez Cromwell. Moi, j'étais bien plus bas que ça. En fait ce n'était pas dur, j'étais à zéro. À l'inverse, ma tension montait en flèche. Ce qui est sûr, c'est que dans un cas comme dans l'autre ce n'était pas bon pour moi.

Le premier vendredi du mois d'août, Dark Vador m'a convoquée dans le but de « repasser un entretien » pour mon poste. À mon arrivée, il était assis dans le fauteuil de Chick au bout de la table et, avec ses lunettes en cul de bouteille perchées au bout de son nez tout desquamé, il faisait semblant de lire les papiers posés devant lui. Je me suis exécutée quand il m'a dit de m'asseoir, puis j'ai attendu dans un silence gêné, les yeux fixés sur les cornes qui lui avaient poussé au-dessus de la tête.

En tout cas elles avaient l'air bien réelles, pour moi.

Et puis enfin, il s'est décidé à parler.

— Comment ça va ? a-t-il demandé d'un air de s'en foutre totalement.

*La super pêche, Keith. T'as pris la place d'un chef que j'aimais et respectais, t'as licencié mon ami, et maintenant tu me fais passer un entretien pour un poste que j'ai déjà, et pour lequel je me suis crevé le cul. Tout baigne.*

— Ça va, merci.

— Je pourrais savoir ce qui se passe avec Rick Kiriakis ?

— Vous m'avez demandé de reprendre les rênes de son compte il y a quelques semaines, à sa demande expresse.

Ça ne pouvait pas faire de mal de lui rappeler que j'étais *très* demandée, par des gens *très* importants.

— Effectivement, a-t-il répondu d'un ton sceptique. Voyez-vous, ce qui m'intéresse plus précisément, c'est que vous n'avez effectué aucune transaction pour lui depuis ce jour-là.

*C'est vrai, mais par contre je me fais engueuler par lui régulièrement. Ça me donne des points en plus ?*

— Ce n'est pas évident en ce moment, sur les marchés. Je suis certaine qu'une fois l'orage passé, il recommencera à faire affaire avec Cromwell.

— Sauf que le problème, c'est qu'il travaille beaucoup avec un ami à moi, qui est en charge d'AKS dans une autre boîte de Wall Street. Vous pouvez m'expliquer ça, mademoiselle Garrett ?

Je savais que dire la vérité au rouquin n'était pas une bonne idée. Mon petit doigt me disait qu'il ne me croirait pas, mais penserait au contraire que c'était juste la tentative pathétique d'une femme pour justifier son incompétence. Non, le peu d'amour-propre qu'il me restait, je le gardais. Du moins tant que j'étais dans cette salle de conférence.

— Désolée, je n'ai pas de réponse à ça.

— Pourtant, c'est un problème. J'ai donc appelé Rick ce matin pour qu'il me donne son sentiment sur votre relation avec lui, et je lui ai demandé s'il était satisfait du niveau de service qu'il est en droit d'attendre.

Il n'aurait pas dû se déranger : j'aurais pu le lui dire tout de suite, moi, que Rick n'était pas satisfait du niveau de « service » qu'il était en droit d'attendre de moi. Mais il lui suffisait d'aller à

Times Square et de demander à l'une des filles qui traînaient là-bas. Elle serait ravie de remédier à ce problème en échange d'un billet de 20 dollars ou d'une carte de métro.

Keith a pris un dossier marron à sa droite et l'a ouvert.

— Pour lui, vous vous débrouillez bien si l'on tient compte de votre inexpérience. En revanche, il n'est pas satisfait du degré d'attention que vous lui portez.

*Ben voyons.*

— Je l'ai au téléphone dix fois par jour, au moins.

Dark Vador a refermé le dossier brusquement et m'a parlé trèèès lentement – oui, comme à une débile, on peut le dire.

— Je me fous de savoir combien de fois par jour vous l'appelez. Il est mécontent, et c'est tout ce que je vois. Les temps sont durs, Alex, et si vous n'êtes pas capable de satisfaire vos clients, je ne vous vois pas rester ici beaucoup plus longtemps. Comment suis-je censé justifier votre présence auprès de la direction, quand l'un de vos plus gros clients n'est pas satisfait de votre travail ?

Il a posé les bras sur la table, et croisé des doigts blancs comme la mort. Il avait des espèces de poils roux qui lui poussaient entre les jointures, et sur le dos de ses mains les veines faisaient comme une carte routière bleutée. Je me suis dit qu'il avait dû passer une enfance très malheureuse, et que je faisais probablement partie d'une sorte de Plan de Vengeance de l'Intello Binoclard, qu'il avait mijoté pour le desk. Génial.

— J'exige que vous fassiez des progrès avec AKS rapidement, a-t-il poursuivi. Je me fiche de savoir ce qu'il vous en coûtera. Rick est un trop gros client, on ne peut pas se permettre de le perdre.

Il parlait d'une voix neutre, comme vide de tout sentiment. L'exact contraire de Chick, qui faisait tout avec passion et émotion. Ce type était un robot.

— Très bien.

— Dehors, a-t-il ordonné sèchement en me montrant la porte.

Je suis retournée à mon bureau, et j'ai pris quelques instants pour me calmer avant de passer le coup de fil. J'ai mis mon casque, et j'ai appuyé sur le bouton qui m'emmenait tout droit au septième cercle de l'enfer.

— Quoi, encore ? a-t-il braillé.

J'ai senti les muscles de mon mollet droit tressauter nerveusement.

— Rebonjour, Rick. Tu pourrais m'accorder une minute ? Je viens de voir Keith et je voudrais te parler.

— T'as soixante secondes.

— Pendant ma réunion avec Keith, il a mentionné le fait qu'apparemment tu n'étais pas satisfait de mes services.

— Et ça t'étonne ? Ça devrait pas, pourtant.

— Je ne sais pas quoi faire de plus, Rick. Je fais tout ce que je peux pour te donner satisfaction, mais si ton mécontentement a davantage à voir avec notre relation personnelle, je t'en prie, demande à Keith de t'assigner quelqu'un d'autre. Pour tout dire, j'ai bien peur de perdre mon travail, si ça continue. Je t'en prie.

— Tu ne vas pas perdre ton travail.

— C'est vrai ? Tu vas m'aider ?

— Sûrement pas, putain. Mais je laisserai jamais Keith te licencier. Sinon tu disparaîtrais dans la nature, et avec qui je jouerais, moi ? La seule manière de te débarrasser de moi, Alex, c'est de démissionner. Et vu qu'en ce moment t'as plus de chances de te faire écraser par un bus que de retrouver un job à Wall Street, je dirais que t'es un peu coincée, tu crois pas ?

*Clic*.

J'ai laissé tomber mon casque par terre et je me suis précipitée dans les toilettes du sixième pour chialer tout ce que je savais sans être dérangée.

J'ai passé mon samedi à nettoyer l'appart et à me faire un marathon *New York, police judiciaire* à la télé. J'en avais plus que marre qu'on me crie dessus. Tout ce que je voulais, c'était qu'on me laisse en paix. Le dimanche, je suis descendue acheter deux bouteilles de rouge pour m'aider à lutter contre la déprime (plus rien à foutre de ma ligne). J'ai hésité à prendre aussi un paquet de clopes, parce que j'avais découvert récemment qu'une taffe de Parliament valait cent cours de yoga, mais j'avais vraiment décidé d'arrêter, alors je me suis raisonnée. Qu'est-ce que je détestais les dimanches. Le soleil a lentement commencé sa descente, et mon appartement s'est retrouvé dans la pénombre. Je me suis versé du vin, et allongée sur le canapé. Je détestais l'idée d'avoir commencé à boire à cause de mon boulot. Je détestais pas mal de choses en ce moment, à vrai dire.

Mon portable a fait un petit bip.

***SMS DE KIERIAKIS, RICK :***

*Pourquoi t'obstiner ainsi ? Un mot de toi et je pourrais vraiment te faciliter la vie. Penses-y.*

*Bon sang, mais il s'arrête jamais ? Même Dieu s'est reposé le dimanche.*

J'ai tourné et retourné mon téléphone dans la main, en me demandant si je devais répondre à Rick, et si oui, ce que je devais lui dire. Sauf que je n'avais pas travaillé si durement pour en arriver là. Ce job était en train de me transformer en quelqu'un que je ne reconnaissais plus. J'ai essuyé une larme, avant de me blottir sous la couverture avec un autre verre de rouge.

C'était devenu mon mécanisme de survie.

Je suis sortie de l'ascenseur la tête encore tout embrumée, et j'ai laissé les deux types continuer à discuter de golf et d'équipes de crosse. Pour la seconde fois depuis le réveil, je me suis répété mon mantra perso. *Tu peux y arriver, Alex. Tu peux le gérer. Tu ne le laisseras pas te briser*.

J'ai allumé mon ordi et tapé mon nouveau mot de passe, *ausecours*. En un seul mot.

— J'ai une tronche de déterrée, c'est ça ? ai-je lancé à Drew. Dis-moi la vérité.

Il a poussé un soupir.

— Mon amie, j'ai bien peur que oui. T'as l'air… ben en fait, t'as l'air encore bourrée.

C'est bien ce que je craignais.

Mon standard s'est mis à clignoter, et si Cromwell ne m'avait pas payée pour décrocher, j'aurais laissé courir, parce que je savais que quelle que soit la personne au bout du fil, elle allait me plomber le moral. C'était la nouvelle norme.

— Cromwell Pierce.

— Alex Garrett, s'il vous plaît.

Tout d'un coup, j'ai eu la bouche très sèche. Je sentais que cette conversation n'allait pas me plaire.

— Oh, bonjour, Keith. C'est Alex, que puis-je faire pour vous ?

— Vous pouvez venir dans mon bureau, je vous prie ?

*C'est pas ton bureau. C'est celui de Chick, espèce d'ordure.*

J'ai raccroché et je me suis tournée vers Drew, en panique.

— Je suis encore convoquée dans l'antre de Dark Vador.

— Je suis sûr que tout va bien pour toi, m'a-t-il fait.

— Alors là, permets-moi de ne pas être d'accord, Drew, me suis-je lamentée, l'angoisse me tombant sur les épaules comme un manteau en laine mouillé. Ça fait un bail que tout ne va pas bien pour moi.

Lentement, je me suis frayé un passage à travers les hordes de traders et de commerciaux beuglant au téléphone, et tout d'un coup je me suis souvenue de ma première journée sur ce parquet, de mon premier aperçu au cœur de l'une des boîtes les plus puissantes de Wall Street. J'avais été à la fois impressionnée et déçue. Finalement, c'était la première d'une longue liste de choses chez Cromwell qui n'auraient rien à voir avec ce que je m'étais imaginé.

J'ai frappé doucement à la porte, avant d'entrer dans le bureau.

— Asseyez-vous, Alex, m'a-t-il dit pour la seconde fois en trois jours.

Je ne sais pas pourquoi, mais en revoyant ses yeux d'un bleu perçant et sa peau couverte de taches de rousseur, j'ai repensé à un gamin qui vivait en bas de ma rue, quand j'étais petite. Il bégayait, et était tout le temps allergique à un truc ou un autre. Avec mes copines on n'arrêtait pas de l'embêter à la récré. Sans raison, vraiment, à part qu'il était plus faible que nous. À l'époque, ma mère m'avait pourtant bien dit de traiter les autres comme je voudrais qu'on me traite, sinon mes actes reviendraient me hanter.

Chienne de vie, quand même. Quand on y pense.

— Alex, je voulais vous voir pour deux choses. La première concerne le congrès annuel de l'Association des marchés financiers, à Scottsdale. Je suppose que vous voyez ce que c'est ?

— Bien sûr, je me souviens que Chick y allait. Il dure une semaine, et des gens de différentes entreprises viennent y faire des conférences. D'après ce que j'ai compris, c'est l'endroit idéal pour réseauter.

— Exactement. Je ne peux pas m'y rendre cette année car je pars à Londres pour affaires. Cependant, il est indispensable d'envoyer quelqu'un du desk, étant donné qu'un grand nombre de nos clients y assisteront. J'avais pensé à Reese mais Rick a appelé ce matin pour me demander si vous pouviez prendre sa place.

— Moi ?

— Vous.

— À Scottsdale ? Avec Rick ?

Et le pompon :

— Pendant une semaine ?

*J'y crois pas, putain.*

— Eh bien, je vois que vous êtes aussi interloquée que moi quand il m'a fait cette requête. D'ordinaire, on envoie au moins des sous-directeurs à ce genre d'événement, mais encore une fois c'est la première fois que je reçois ce genre de demande de la part d'un aussi gros client. Ce que Rick veut, Rick l'obtient, alors vous pouvez faire votre valise.

Je me suis mise à hyperventiler. Il n'y avait carrément pas

moyen que j'aille à ce foutu congrès. Je voyais le truc d'ici, Rick allait me poursuivre dans tout le désert de l'Arizona comme Coyote après Bip Bip. Pendant *cinq jours*, et on allait être forcés de loger au même hôtel. Forcés de passer douze heures par jour ensemble. Forcés de porter des shorts et des t-shirts sans manches, vu comment il allait faire chaud. Il n'en était pas question.

— Keith, je pense que ce serait mieux que Reese y aille à ma place.

— Rick vous veut.

OK. Là, c'était plus juste une soirée pénible dans un resto de Midtown. Là, on parlait d'un voyage d'affaires, que Rick avait sans l'ombre d'un doute l'intention de transformer en escapade romantique. Je n'avais plus le choix.

— Keith, je n'avais pas l'intention d'aborder le sujet, mais lorsque Rick dit qu'il me « veut », je pense qu'il sous-entend dans le sens… hum… *biblique*.

Le rouquin s'est étranglé de rire en entendant ça.

— Mais vous êtes folle ou quoi, ma pauvre Alex ?

— Pas du tout.

— Je vous rappelle que Rick est marié. Il est riche et puissant, renommé dans tout Wall Street, et vous comptez sérieusement me faire croire qu'il s'intéresse à *vous* ? Sans vouloir vous offenser, Alex, s'il voulait vraiment tromper sa femme, il pourrait trouver bien mieux.

— Oui, bien sûr. (*Espèce d'immonde salaud.*) Toutefois, je suis convaincue qu'il a développé un intérêt malsain pour moi depuis l'an dernier. Je me suis efforcée de gérer ça toute seule, et je ne vous en aurais pas nécessairement parlé, mais je refuse d'aller dans l'Arizona avec lui.

— Je suis sûr que vous avez dû mal comprendre, Alex. Mais donnez-moi quelques exemples, je vous en prie. Que je me fasse une idée plus concrète.

— Il m'a fait envoyer des fleurs chez moi le jour où Chick m'a donné une promotion.

— Mais enfin, Chick et lui sont bons amis. Il essayait seulement de se montrer gentil envers sa nouvelle cadre. Vous auriez mieux fait de lui envoyer un mot de remerciements au lieu de vous en servir contre lui six mois après.

— D'accord. Il m'envoie sans arrêt des textos. Il n'arrête pas de me demander d'aller boire un verre avec lui.

— Je vous rappelle que vous travaillez au desk *Ventes*, Alex. Vous êtes censée aller boire un verre avec des clients plusieurs fois par semaine. Êtes-vous en train de me dire que tous vos clients vous font du plat ? Ou s'agit-il seulement de Rick ?

— Sauf que quand je sors avec mes autres clients, ils ne font pas allusion au fait que leur femme n'est pas là en ce moment, ou bien qu'ils ont une chambre dans l'hôtel.

— Mais tout ça fait partie d'une conversation normale, enfin. Il ne faut pas tout prendre au pied de la lettre. Tenez, ma femme va à Palm Beach le week-end prochain, pour voir ses parents. Et pour info, je n'étais pas en train de vous draguer.

— Cette conversation est ridicule, ai-je soupiré, en sachant parfaitement qu'on ne parlait pas comme ça à son supérieur.

Mais à vrai dire, je n'en avais plus rien à faire depuis le jour où Chick avait été forcé de rendre son badge.

*Je t'emmerde, bouffon.*

— Oui, je trouve aussi. Vous partez lundi prochain, et c'est tout. C'est quand même un peu fort de café ! Je vous offre une occasion en or, et vous trouvez encore le moyen de râler. Remerciez-moi, plutôt, et cessez vos jérémiades.

— Ce ne sont pas des jérémiades. Le fait est que je suis extrêmement mal à l'aise à l'idée d'aller là-bas avec lui. Et étant donné que vous êtes mon chef, je ne comprends pas pourquoi vous insistez pour me mettre dans une position aussi délicate.

En dernier ressort, j'en appelais au chef puissant et bienveillant qui devait sommeiller en Dark Vador (normalement).

— Vous partez.

*J'ai bien dit « normalement ».*

— Et maintenant, passons au second point que je voulais évoquer avec vous ce matin.

*Et allez, ça continue.*

— Quelque chose de très curieux m'a été rapporté, et j'aimerais que vous m'aidiez à tirer ça au clair.

— Oui, dites-moi.

— J'ai reçu un coup de fil de la DRH ce matin, concernant le programme de recrutement. Pour la première fois de son histoire, Cromwell a été en mesure de faire des propositions d'embauche à trois étudiants de l'université de Virginie. C'est bien votre ancienne fac ?

— En effet, oui.

— Ce qui est tout à fait inhabituel, c'est que ces offres ont *toutes* été déclinées. C'est la première fois que ça arrive, et bien entendu, cela nous interpelle. Comme vous vous en doutez, l'avenir de l'entreprise repose en partie sur un bon recrutement à la fac.

— Je le sais. J'étais à la présentation.

— Je suis au courant. Et vous voulez savoir comment je le sais ?

J'ai haussé les épaules. A priori, les pouvoirs de Satan étaient sans limite – mais je n'étais pas sûre que ce soit la réponse qu'il attende de moi. J'ai soutenu son regard d'acier, refusant de baisser les yeux la première. Je ne pouvais vraiment pas l'encadrer, le rouquin, et le truc c'est qu'il ne me faisait absolument pas peur comme Chick à l'époque.

*Aboule, sale prétentieux.*

— J'ai suggéré à la DRH de contacter les étudiants en question afin de leur demander pourquoi ils avaient décidé d'aller voir la concurrence, au lieu de travailler ici. Eh bien je vous assure, on en est restés sans voix.

— Et alors, c'est à cause de quoi ? ai-je demandé en faisant comme si ça m'intéressait, alors que je réfléchissais encore à un moyen de me défausser pour l'Arizona.

Peut-être que je pourrais tenter de me jeter du haut des

escalators : avec un peu de bol, on me plâtrerait de partout.

— De vous.

— De moi ?

— De vous, oui.

Tout d'un coup, ça m'est revenu.

*Oh punaise.*

— Apparemment, ils ont été très impressionnés par votre « franchise ». Ce qui nous a poussés à leur demander de quoi ils voulaient parler, exactement.

*Oh punaise.*

— Alex, avez-vous dit à ces étudiants que Wall Street n'avait rien à voir avec ce qu'ils avaient vu dans les films ?

— Oui.

— Leur avez-vous dit que ça peut être un milieu difficile, quand on est une femme ?

— Oui.

— Leur avez-vous dit que l'ambiance dans la salle des marchés et la pression peuvent être extrêmement dures à gérer, et qu'à lui seul le salaire n'est pas un argument suffisant pour prendre un poste comme celui-ci ?

— Oui.

— Bon sang, mais qu'est-ce qui vous est passé par la tête ? On vous a envoyée là-bas en tant qu'ambassadrice de Cromwell ! Vous étiez censée *vendre* l'entreprise à ces gosses. Que ce soient l'image de la boîte ou les obligations qui ne valent même plus le papier sur lequel on les a imprimées, vous êtes une commerciale, Alex, alors vous vendez. Je vous paie pour ça, et rien d'autre.

Ah, quel beau métier je faisais. Ça donnait envie, quand même.

— Écoutez, Keith, ils m'ont posé des questions et je leur ai répondu honnêtement. S'ils n'ont pas supporté d'entendre une description sans ambages de la vie à Wall Street, c'est que ces gosses n'étaient pas faits pour ça.

— Sauf que votre job, ce n'est pas de déterminer si tel ou tel candidat a ce qu'il faut pour intégrer l'entreprise. Ni de leur donner un aperçu « honnête » de ce qui les attend. Et ce n'est certainement pas non plus de contester tout ce que je dis ! Je ne comprends pas ce qui vous arrive, Alex. On dirait que vous vous fichez de tout.

— Comment ça, ce qui m'arrive ?

— Eh bien, je croyais que vous étiez une fille intelligente. Certes, vous étiez une recrue d'Ed Ciccone, et ce n'est pas un hasard s'il n'est plus parmi nous aujourd'hui. Mais c'est une autre histoire. Au début, c'était drôle d'observer vos efforts sincères pour vous faire bien voir de l'équipe, et vous avez réussi votre coup, ce qui est tout à votre honneur. Vous étiez une vraie bûcheuse, toujours respectueuse envers vos supérieurs. Qu'est-il arrivé à cette jeune femme ? Voilà que tout à coup vous êtes insolente et semblez avoir oublié ce qui est pourtant le b.a.-ba de la commerciale. Je ne sais pas pourquoi ou comment vous vous êtes dit en cours de route que vous n'aviez plus besoin de jouer le jeu. Au contraire, s'il y a bien un moment où il faut le jouer à fond, c'est maintenant. Au cas où vous ne l'auriez pas remarqué, les médias sont en train de nous transformer en parias. Le moral est au plus bas, on perd de l'argent tous les jours. Et comme si ce n'était pas assez compliqué comme ça de devoir gérer ceux qui sont là depuis vingt ans et ont déjà vécu toutes les merdes possibles et imaginables, il faut que vous vous y mettiez aussi en décidant soudain d'exercer votre droit à la liberté d'expression sur une bande de gamins qui auraient cru postuler au Pays des merveilles, si c'est ce qu'on leur avait dit. Du moins ils auraient dû y croire, si vous n'étiez pas venue mettre votre grain de sel. Alors, qu'avez-vous à répondre à ça ?

Je suis restée figée sur place, incapable de me défendre vu qu'en théorie il avait raison. Sauf que ce n'était pas pour autant *juste*. J'avais renoncé à beaucoup de choses pour mener cette vie-là, parfois de mon plein gré. Mais il resterait toujours des choses auxquelles je ne renoncerais pas, pour Dark Vador, ou Will, ou Rick, ou Wall Street en général. Je refusais de renoncer à *moi*. Alors le rouquin, là, il pouvait aller se faire voir chez les Grecs.

— Je répète, qu'avez-vous à répondre à ça ? m'a-t-il intimé de son ton suffisant, tout en lissant sa cravate bleue.

— Rien, ai-je répondu d'un air suprêmement indifférent.

— Rien ?

— Eh non.

Il a poussé un soupir.

— Vous avez vraiment testé ma patience aujourd'hui, Alex. Je vais mettre ça sur le compte du syndrome prémenstruel, mais vous feriez mieux de vous ressaisir, et vite. À voir la façon dont vous vous comportez, on a vraiment l'impression que vous n'avez plus envie d'être ici.

C'était bien la première fois que Dark Vador et moi on était d'accord sur un truc.

J'avais un grand sourire quand j'ai quitté son bureau pour me diriger vers les ascenseurs. En fait, je me demandais combien de temps il allait mettre pour remarquer que j'avais laissé mon badge sur son bureau.

## *Chapitre 20*

# Capiche ?

QUAND JE SUIS ARRIVÉE au bar de Warren Street un peu plus tard cet après-midi-là, Patty, Annie et Liv étaient déjà installées à une petite table, au premier. Après être sortie du bureau de Keith, j'étais allée directement aux Ressources humaines pour donner ma démission. Ensuite, j'avais pris l'ascenseur, descendu les escalators, et quitté le building. Sans regarder en arrière. De toute façon mes jambes ne pouvaient qu'avancer : je tremblais tellement. Je suis rentrée chez moi à pied, et dès que j'ai ouvert la porte j'ai envoyé valdinguer mes escarpins. Ensuite, j'ai passé quelques coups de fil. Ensuite, j'ai pleuré comme une gamine. Ensuite, j'ai fumé un paquet de clopes en entier. Ensuite, j'ai décidé que j'avais besoin d'un petit remontant. Voire, de dix. C'est comme ça que j'ai donné rendez-vous ici à mes amies. Je me suis écroulée sur un tabouret vide pendant qu'Annie me servait un verre de vin. Patty m'a tendu une boîte en carton, où elle avait rassemblé tous mes objets personnels : des tongs, une seconde paire de chaussures, des lunettes de vue, une guirlande de perles colorées que Marchetti m'avait offerte pour carnaval, un flacon d'Advil, un cochon en peluche qui couine quand on appuie dessus et qu'un admirateur secret avait laissé sur mon bureau, et enfin le magnet que Chick n'avait pas oublié de me ramener de son voyage aux Bermudes. Je venais peut-être de perdre des milliers de dollars en actions Cromwell, mais mon lot de consolation avait bien plus de valeur à mes yeux – tous ces petits objets qui me rappelaient mes amis, et le bon temps passé ensemble.

— Alors comme ça, t'as démissionné ? Tu t'es levée ce matin, t'es allée au boulot comme tous les jours, et d'un coup t'as décidé de tout plaquer ? s'est écriée Liv, l'air complètement ahurie.

— C'est pas aussi simple que ça mais en résumé, oui.

— J'arrive pas à croire que tu sois partie ! s'est écriée Patty en faisant de grands gestes – et honnêtement, sans son costume de femme d'affaires, les clients d'à côté auraient sûrement cru qu'elle était tarée. Je suis carrément deg, comment t'as pu me faire ça ?

— T'es dégoûtée ? Patty, je te rappelle que je viens de perdre mon boulot. Et ma mutuelle. Ah, et aussi pour environ 50 000 dollars d'actions. Tu trouves pas que t'exagères un peu, quand même ?

— Et moi, dans tout ça ? Comment je vais faire pour supporter Dark Vador sans toi ? Ce serait plutôt le pire jour de *ma* vie. Je vais être obligée de manger toute seule le midi. Ou avec Baby Gap ! Tu te rends compte ?

— C'est vrai. En fait, je voudrais pas être à ta place. Ça a l'air horrible.

— Exactement. T'es qu'une égoïste, salope.

— Je m'excuse, Patty. Qu'est-ce qu'il a dit, le rouquin, quand il est revenu au desk ?

— Que dalle ! J'aurais même pas su ce qui s'était passé si tu m'avais pas appelée pour me demander de ramasser tes affaires.

— Alors ça, c'est typique. On est à peine partie et c'est comme si on avait jamais été là.

— C'est pas vrai. Le pauvre Drew flippe à l'idée de se retrouver avec un voisin de bureau pénible, et pour le déjeuner Reese a commandé des sandwichs bacon-laitue-tomates en ton honneur. Appelle-les. Ils ont un peu les boules que tu leur aies pas dit au revoir.

— Personne d'autre ?

Je n'étais pas sûre de comprendre pourquoi, mais il fallait que je sache.

— Non, il n'a rien dit, mais je pense que ton départ l'a bouleversé. Je l'ai regardé discrètement en partant tout à l'heure, et il avait l'air secoué. À mon avis, il doit avoir la trouille de ne jamais te revoir.

— Tu parles.

*Sale con.*

— Qu'est-ce que tu vas faire, maintenant ? m'a demandé Patty.

— Je n'en ai aucune idée. Mais alors, vraiment aucune. C'est quand même une première, pour moi. À mon avis, vous allez pas tarder à me voir flipper grave.

Je commençais à réaliser : Je viens de quitter mon foutu job.

— Je suis hyper fière de toi, est tout de suite intervenue Liv, en penchant la tête de côté comme si elle parlait à une gosse de trois ans. Tu t'es tellement investie depuis le départ, et tout ce que ça t'a rapporté, c'est de l'argent et quelques bons amis. Ça valait pas le coup, au bout du compte.

— Je sais, mais on est en récession. Ça va pas être du gâteau de trouver un nouveau boulot.

Annie a tendu le bras par-dessus la table, et m'a pris la main.

— Moi, je trouve que c'est la meilleure chose qui pouvait t'arriver. Tu as pris la bonne décision. L'important, maintenant, c'est de voir le verre à moitié plein.

— Ça me fait penser, quelqu'un pourrait me resservir, s'il vous plaît ? ai-je dit en poussant mon verre en direction de la bouteille de pinot.

— Tout de suite ! m'a fait Liv.

Annie en a profité pour enfoncer le clou.

— Sérieux, je me demande comment t'as fait pour rester là aussi longtemps. Maintenant, tu peux tout faire. En fait, la crise force pas mal de gens à faire le point sur leur vie, et du coup à se lancer dans autre chose. Quand on y pense, c'est super, non ?

J'ai regardé mon portable pour voir si j'avais des textos. Drew et Reese. Ça faisait quelques heures seulement que j'avais quitté Cromwell, et ils me manquaient déjà affreusement. S'il y avait bien quelque chose que j'allais regretter du desk, c'étaient mes amis. Bon, OK, je l'avoue, mes actions aussi.

— Allez les filles, j'y vais. Vous pouvez pas savoir comme il me tarde de me réveiller demain matin sans avoir la gueule de bois, ai-je dit en me levant.

— Ça te dit vraiment pas, un autre verre ? a insisté Liv, pendant que Patty fixait d'un air renfrogné ma boîte en carton.

— Désolée ! Je dois vraiment y aller.

— Mais où ça ? T'as des projets pour ce soir ?

— On peut dire ça. Vous vous souvenez du barman que j'avais rencontré par hasard chez Tortilla Flats ?

— Oui, et… ? m'a demandé Liv, pleine d'espoir.

— Il vient juste de trouver un boulot comme chef dans un resto italien de Carmine Street. Je l'ai appelé tout à l'heure, et il m'a proposé de passer ce soir pour goûter à sa cuisine.

— Waouh, alors comme ça t'as échangé le trader BCBG contre le barman tatoué ? La nouvelle Alex est dans la place, ouais !

— Pour l'instant, Liv, je pense surtout que je suis au chômage.

— Oh là là, j'arrive pas à croire que je te verrai pas demain ! s'est exclamée Patty en me prenant dans ses bras pour me dire au revoir.

J'ai senti les larmes qui montaient. Quelle nunuche j'étais, quand même.

— Tout ira bien, Patty. Tu fais du bon boulot, ne laisse personne te dire le contraire. Dis aux autres qu'ils me manquent déjà.

— C'est réciproque, a-t-elle conclu tristement, en faisant un dernier geste de la main.

Le taxi s'est enfoncé dans les petites rues du West Village. L'air était frais pour un mois d'août, et j'ai décidé de descendre un ou deux kilomètres avant et de marcher, histoire de goûter à ma toute nouvelle liberté.

Mon portable a sonné et sur l'écran j'ai lu un prénom qui, jadis, me fichait la frousse. Mais ce soir, j'ai souri en le voyant.

— Oh, bonsoir, chef !

— Est-ce que c'est vrai ?

— Comment ça se fait que t'es déjà au courant ? me suis exclamée, surprise.

— Alex, je suis peut-être plus ton patron, mais je sais encore tout ce qui se passe dans cette boîte.

— Bien sûr, j'aurais dû m'en douter, ai-je fait en riant.

Qu'est-ce que c'était agréable de pouvoir parler à Chick comme à un ami, maintenant.

— T'as vraiment dit à Dark Vador qu'il pouvait aller se faire foutre ?

— Non ! C'est ce qu'ils croient, chez Cromwell ? Je suis juste partie. Rien de bien spectaculaire, en fait.

— Peut-être, mais fallait quand même avoir un sacré cran. Je suis fier de toi, Alex.

— Parce que j'ai démissionné ?

— Euh non, pas pour ça. En fait j'ai parlé à Will, et il m'a tout raconté pour Rick. Et je peux te dire que je t'en veux à mort de m'avoir rien dit.

— Alors comme ça tu savais vraiment pas qu'il me harcelait sans arrêt ?

Je l'ai entendu soupirer.

— J'ai bien vu qu'il s'amusait un peu avec toi, mais que veux-tu, il est comme ça. Il fait pareil avec tout le monde, alors je l'avais à l'œil, mais c'est tout. Et puis après, quand ça a vraiment commencé à se barrer en sucette, j'avoue que j'ai eu autre chose en tête. Et j'en suis sincèrement désolé. J'ignorais totalement que c'était aussi grave que ça. Tu aurais dû venir me voir quand il a franchi la ligne jaune.

— Je voulais, mais j'avais peur que ce soit toi qui lui aies donné mon numéro au départ.

— Jamais j'aurais fait ça, Alex ! Quand même, tu devrais le savoir. Je croyais que je m'occupais bien de toi.

— Mais oui. Tu as été un super chef, et un super mentor.

— Heureux de l'entendre. Ce qui me fait penser que je t'appelais aussi pour une autre raison. J'ai été approché par une boîte, pour diriger un desk comme chez Cromwell. Je te dis pas où pour l'instant, parce que j'ai pas tout à fait fini de négocier mon contrat, mais ça te dirait de retravailler pour moi ? Cette fois-ci, promis, je te réserve un bureau.

— Tu m'offres un boulot comme ça ? Sans entretien, ni rien ?

— Ça fait longtemps que je sais tout ce que je dois savoir sur toi, La Fille.

— Je suis flattée, Chick, sincèrement. J'adorerais retravailler avec toi, mais en fait je songe à me reconvertir.

— Dans quoi ? Tu sais faire d'autres trucs ? Tu as des talents secrets que je ne connais pas, genre danseuse de country ?

— Non.

— Majorette ?

— Non plus.

— Cracheuse de feu ?

— Non !

— Alors à quoi tu penses ? Dis-moi ! Tu veux retourner à la fac ? C'est pas une mauvaise idée. Tu pourrais faire un MBA. Je t'écris une recommandation pour Harvard sur-le-champ.

— C'est gentil, mais je ne songe pas à recommencer mes études. J'ai quelques idées. Je t'en reparlerai dès que ce sera un peu plus clair dans ma tête.

— Ah, me fais pas ce coup-là, Alex. Dis-moi tout de suite.

Je suis restée silencieuse.

— Me dis pas que tu vas te transformer en garce aigrie qui écrit un bouquin pour se venger de Wall Street. Je supporte pas ces bonnes femmes.

J'ai éclaté de rire.

— Non, Chick, je ne suis pas en train d'écrire un livre.

— Tant mieux. Ce serait vraiment pas juste de me descendre en flammes, en plus. J'ai quand même été sympa. Je t'ai donné de bonnes primes à Noël, et même mes billets pour U2 si je me souviens bien.

— Tu m'as aussi obligée à claquer 1 000 dollars dans une meule de parmesan.

— C'est ce qu'on appelle l'amour vache, Alex. Après ça, t'as plus jamais été en retard. On peut donc dire que j'ai fait de toi une meilleure commerciale.

— Je sais, et je crois que je ne t'ai jamais remercié pour ça. Mais si l'envie me prenait vraiment d'écrire un bouquin sur mon expérience chez Cromwell, je serais bien obligée de raconter comment tu mettais tout le temps tes pieds sur le bureau et que du coup, j'étais forcée de mater tes chaussettes. Qui n'étaient jamais assorties à ta cravate, pour info.

— Si y'a que ça, pas de problème. Je suis un homme très occupé, Alex. Je n'ai pas le temps de me pomponner, moi. D'autre part, t'étais bien la seule dans l'équipe à savoir faire la différence entre le bleu marine et le noir.

— Ouais, je dirais plutôt que je suis la seule à avoir osé t'en parler.

— Bah, si tu le dis. Écoute, Alex. La dernière chose que j'ai envie de faire c'est de jouer aux putains d'entremetteurs, et t'en fais vraiment ce que t'en veux, mais sache quand même que Will se sent vraiment très con pour ce qui s'est passé.

— Encore heureux.

— C'est clair. Mais quand je l'ai eu au bout du fil tout à l'heure, il m'a demandé s'il devait t'appeler. Je pense qu'il a les boules que tu sois partie sans dire au revoir. Je lui ai dit que je t'en parlerais avant, histoire de tâter le terrain. Donc, je lui dis quoi quand il me rappelle ?

— D'aller se faire foutre.

Wouah, ça faisait du bien.

— OK.

— Bon, je te laisse Chick, je dois retrouver un ami pour le dîner. Mais merci de m'avoir appelée. Je suis très touchée.

— Sois pas bête. Si t'as besoin de quoi que ce soit, tu sais où me trouver. Et quand t'auras décidé de ce que tu veux faire de ta vie, appelle-moi. Si je peux t'aider, je le ferai. Capiche ?

— Capiche.

— Vas-y, La Fille. Je suis avec toi.

*Clic.*

Il avait raccroché.

Le restaurant italien où je devais retrouver Matt n'était plus qu'à une centaine de mètres. J'étais une femme libre. Et pour la première fois depuis bien longtemps, j'avais le cœur léger.

En regardant la petite enseigne au-dessus de la porte, j'ai vu que le restaurant s'appelait Buona Fortuna, « bonne chance » en italien.

Parfait. C'était pile ce dont j'avais besoin.

# Remerciements

Merci à tous ceux qui m'ont aidée et soutenue pendant l'écriture de ce roman, et à tant d'autres moments. Vous ne saurez jamais à quel point vos encouragements ont compté pour moi. (À propos, merci d'avoir acheté tous ces exemplaires sans que j'aie à vous menacer de couper définitivement les ponts avec vous, du moins ouvertement.) Vraiment, vous êtes les meilleurs.

Merci à Joanna Adler, Kristen Baer, Eileen Berkery, Kurt Brown, Patricia Byrnes, Megan Collins, Whitney Cox, Avery Duffy, Barbara Duffy, Calleigh Duffy, Cathy Duffy, Karen Duffy, Merri Duffy, Ronan Duffy, Quinn Duffy, Rob Farrer, Lauren Fischetti, Marianne Filipski, Maura Fitzgerald, Harvey Gould, Jordan Keating, Mary Kay Kemper, Christina Kingham, Pat Langdon, Karen Macdonald, Stacey Mon, Greg Mone, Colleen McNellis, Casey Nicholas, Erica Noble, Catherine O'Connor, Kevin Penwell, Susan Puglisi, Jennie Quinn, Katie Regan, Jennie Robin, Kelly Sanderson, Kevin Sexton, Derek Solon, Susan Stewart, Sarah Tilley, Mark Tortora, Lee Ann Truss, Todd Vender, Michaela Wenk, Jeannine Wiley, Kirstine Wilson et Kelly Zaremba.

Des remerciements tout particuliers aux autres membres de la famille Duffy et de la famille Sexton. J'ai tellement de chance d'avoir une si grande famille, si grande qu'il est impossible de tous vous citer ici ; merci à tous. De toute façon je suis sûre que s'il y a eu oubli, j'en entendrai parler à Noël prochain. Et à vrai dire, ça me fait un peu peur.

À tous mes amis de Wall Street, qui ont fait de notre lieu de travail l'endroit le plus amusant de la terre, et dont les surnoms serviront à protéger les innocents : ils savent qui ils sont… Et c'est tout ce qui compte. Merci :

Agency Ian, B, Bernie, Boss, Brendan, Bury, Charlie, Chanimal, Cleve, Disco-Dot, Doug, FX Ray, Gargi, Guy, Hammer, Harry, Hegs, Hey Tiger, HI RAY !, Jedster, JB, Joe, Joey D, JZ, Keith, Laips, LP, Lynchie, Magantor, Mangia, MB, Microsoft, Milweed, Moose, Muchacho, Murray, Okay terrific, Pado, PT, Ranz, Robo, Rocket, Santee, T, Tank, Team Central Bank, Ted, Tokyo Rose, Silver Fox, Sharptooth, Sobes, Smitty, Sweet Lou, Wayno. Merci à tous. Vous me manquez.

Certaines personnes méritent une mention spéciale ici. Sans elles, ce livre n'aurait jamais eu droit à un autre titre que celui de presse-papiers le plus lourd de l'univers. Je n'arrive toujours pas à croire qu'il ait dépassé ce stade. C'est aussi le cas d'un certain nombre de lecteurs, d'ailleurs. La plupart font partie de ma famille.

Donc, merci à mon avocat, Eric Rayman : pour avoir investi beaucoup de temps et un peu de son immense intelligence sur une auteur inconnue, et s'être assuré que je ne prenais pas de trop mauvaises décisions. Depuis le premier jour tu y as cru, et je t'en remercie. Tu n'étais pas obligé. Je le sais.

Merci à mon manager, Will Rowbotham : pour m'avoir convaincue que ce projet valait la peine de s'y investir, pour avoir livré bataille avec moi quand j'avais trop peur de me battre seule, et pour m'avoir toujours rappelée. Allons boire quelques Dark'N'Stormies comme au bon vieux temps. Demain, tiens. J'ai une meilleure idée, même : aujourd'hui. Je suis libre.

Merci à mon agente Erin Malone de l'agence William Morris : pour avoir cru en moi, et réussi à ramener un manuscrit de sept cents pages à une taille raisonnable. Ça n'a pas été facile. Tu es une femme incroyable, et j'ai touché le gros lot le jour où tu as accepté de te charger de ce projet. Tu m'as tenu la main à travers toutes les étapes, et ensuite tu as vendu ce bouquin assise à une table de café, en vacances. Et ça, je ne suis pas près de l'oublier. Crois-moi.

Merci à tous ceux que j'ai côtoyés aux éditions William

Morrow : en particulier Jennifer Brehl, la meilleure éditrice au monde, qui a la patience d'une sainte, le cerveau d'une érudite et l'esprit d'une ado, un mélange que j'adore. Et aussi à son adjointe, Emily Krump. Merci de vous être occupées de moi, d'avoir répondu à mes questions stupides et su gérer mes innombrables névroses. Merci d'avoir cru en ce roman, merci pour toutes ces heures passées à travailler dessus, et merci de m'avoir appris que le mot « toward » ne prend pas de *s* à la fin en anglais. Qui l'eût cru ? Pas moi, en tout cas. C'est l'une des nombreuses choses que vous m'avez apprises. La liste est sans fin.

Et enfin (et surtout), merci à Kelly Meehan, et à la femme incroyablement généreuse, extraordinairement talentueuse et formidablement gentille qu'est Adriana Trigiani : cette Cendrillon ne méritait pas de vous avoir comme marraine. Sans vous, je n'aurais jamais eu le courage d'écrire ce roman. Merci pour tout, Adri.

Les mots ne sauront jamais exprimer toute la gratitude que je ressens pour vous tous.

# Derniers titres parus chez MA éditions

*Les Héritiers de Stonehenge*, Sam Christer, Juin 2011

*Francesca – Empoisonneuse à la cour des Borgia*, Sara Poole, Novembre 2011

*Francesca – La Trahison des Borgia*, Sara Poole, Avril 2012

*L'Évangile des Assassins*, Adam Blake, Novembre 2011

*Zéro Heure à Phnom Penh*, Christopher G. Moore, Février 2012

*Le Refuge*, Niki Valentine, Février 2012

*Le Sang du Suaire*, Sam Christer, Mars 2012

*Coeurs-brisés.com*, Emma Garcia, Mai 2012

*Tahoe, L'Enlèvement,* Todd Borg, Mai 2012

*Paraphilia,* Saffina Desforge, Juin 2012

*La Cinquième Carte,* James McManus, Juin 2012

*Le Cri de l'ange,* C.E. Lawrence, Août 2012

*Vertiges Mortels,* Neal Baer et Jonathan Green, Septembre 2012

*La Sage-Femme de Venise,* Roberta Rich, Novembre 2012

*Francesca – La Maîtresse de Borgia*, Sara Poole, Novembre 2012

*Dans la peau du diable*, Luke Delanney, Octobre 2012

*Chrambre froide*, Tim Weaver, Janvier 2013